D1515678

L'EUDÉMONISME
ESTHÉTIQUE
DE PROUST

DU MÊME AUTEUR :

Deux Études sur Marcel Proust (Le Rouge et le Noir, 1928).

Le Progrès Spirituel dans l'Œuvre de Marcel Proust :
I. - Le Monde, l'Amour et l'Amitié (Librairie Philosophique
J. VRIN, 1946).

EN COLLABORATION :

Défense de Marcel Proust (Bulletin Marcel Proust - Le Rouge
et le Noir, 1930).

HENRI BONNET
DOCTEUR ÈS LETTRES

LE PROGRÈS SPIRITUEL
DANS L'ŒUVRE DE MARCEL PROUST

L'EUDÉMONISME ESTHÉTIQUE DE PROUST

PARIS
LIBRAIRIE PHILOSOPHIQUE J. VRIN
6, Place de la Sorbonne (Vᵉ)

1949

261632

WITHDRAWN

843
P968.Ybon
V.2

Harriet Irving Library
NOV 24 1969
University of New Brunswick

CHAPITRE PREMIER

LA VIE INTÉRIEURE

ET

L'INCONSCIENT

> « ...Il n'y a point d'homme plus dif-
> férent d'un autre que de soi-
> même dans les divers temps ».
> (PASCAL " De l'art de persua-
> der ", p. 188, Ed. HACHETTE en
> 1 volume, des *Pensées et Opus-
> cules*).

L E sentiment le plus simple que la vie intérieure puisse nous fournir, c'est le sentiment élémentaire de notre existence. Nous l'éprouvons sans alliage d'impressions étrangères dans le sortir d'un sommeil profond : « Je ne savais même pas au premier instant qui j'étais. J'avais seulement dans sa simplicité première le sentiment de l'existence comme il peut frémir au fond d'un animal » (p. 11, *Sw.*, I).

LE RÊVE

Ces états d'assoupissement, ces lents réveils, les rêves, sont extrêmement intéressants. Proust a beaucoup écrit sur le rêve. C'est par le rêve qu'il faut pénétrer dans notre vie intérieure et c'est sur des descriptions de rêves que le premier tome de la *Recherche* s'ouvre. Aussi devons-nous commencer par l'étudier, lui, et les régions obscures qui l'entourent.

Il semble que dans le rêve nous dépouillions tous les attributs de notre personnalité pour nous confondre avec le principe commun de toute existence. Ce que nous avons dit du réveil le prouve déjà, puisque le seul sentiment avec lequel nous remontons d'abord du sommeil, c'est celui de l'existence. Cette existence, en outre, est si peu *notre* existence que nous nous identifions facilement avec l'objet de nos pensées. Exemple : « ... je n'avais cessé en dormant de faire des réflexions sur ce que je venais de lire, mais ces réflexions avaient pris un tour un peu particulier ; il me semblait que j'étais moi-même ce dont parlait l'ouvrage : une église, un quatuor, la rivalité de François Ier et de Charles-Quint. Cette croyance survivait pendant quelques secondes à mon réveil ; elle ne choquait pas ma raison... Puis elle commençait à me devenir inintelligible, comme après la métempsychose les pensées d'une existence antérieure... » (p. 9, *Sw.*, I). Et quand nous ne nous confondons pas avec l'objet du rêve, du moins cet objet est-il extrêmement inconsistant, apte à

toutes sortes de métamorphoses : la race qui habite le sommeil,
« ... comme celle des premiers humains, est androgyne. Un
homme y apparaît au bout d'un instant sous l'aspect d'une
femme. Les choses y ont une aptitude à devenir des hommes, les
hommes des amis et des ennemis » (p. 33, Sod., II, 3).

Si étranges qu'elles soient, ces transformations et ces con-
fusions entraînent notre adhésion car le doute ne serait possible
« ...que pour des raisons tirées de notre expérience qui, à ce
moment-là, nous est cachée » (p. 196, A.D., I). Cette force des
suggestions explique que nous ne résistions pas aux événements
les plus absurdes du rêve. Dans un rêve de Marcel, sa grand'
mère perd une partie de son menton qui tombe en miettes,
« ...mais, dit-il, je ne trouvais à cela rien d'extraordinaire »
(p. 197, A.D., I). C'est pourquoi, un amour, phénomène de
suggestion par excellence, n'est en somme qu'un rêve au ralenti.
Du moins les rêves nous aident-ils à comprendre ce qu'a de
subjectif l'amour : « Et cela par le simple fait que (mais avec
une vitesse prodigieuse) ils réalisent ce qu'on appellerait vulgai-
rement nous mettre une femme dans la peau, jusqu'à nous faire
passionnément aimer pendant quelques minutes une laide, ce qui
dans la vie réelle eût demandé des années d'habitudes, de collage, etc... » (p. 71, T.R., II).

Ces rêves, ces suggestions elles-mêmes, par quoi sont-ils
commandés ? Comme dans tout phénomène psychologique le
nombre des facteurs qui les détermine est évidemment infini.
Mais ce qui est intéressant à noter, c'est que le rêve, si différent
soit-il de l'état de veille, n'est pas sans relations avec ce dernier
qui lui imprime une certaine orientation. Par exemple, si un
accident quelconque (changement de mode de vie, changement de
chambre, voyage, etc...) vient troubler les moments qui précèdent
le sommeil, le « genre » de nos rêves peut être, de ce fait, complètement modifié. Marcel en voyage à Doncières est obligé de
coucher à l'hôtel, dans une chambre d'ailleurs assez sympathique ; « ...je me couchai, dit-il, mais la présence de l'édredon,
des colonnettes de la petite cheminée, en mettant mon attention
à un cran où elle n'était pas à Paris, m'empêcha de me livrer au
train train habituel de mes rêvasseries. Et comme c'est cet état
particulier de l'attention qui enveloppe le sommeil et agit sur lui,
le modifie, le met de plain-pied avec telle ou telle série de nos
souvenirs, les images qui remplirent mes rêves, cette première
nuit, furent empruntées à une mémoire entièrement distincte de
celle que mettait d'habitude à contribution mon sommeil ». Et il
ajoute : « ...Il en est du sommeil comme de la perception du

monde extérieur. Il suffit d'une modification dans nos habitudes pour le rendre poétique, il suffit qu'en nous déshabillant nous nous soyons endormi sans le vouloir sur notre lit, pour que les dimensions du sommeil soient changées et sa beauté sentie » (p. 76, G., I).

Parmi les facteurs, qui, pendant le sommeil même, guident le rêve, il y a notamment notre corps : « Si j'avais été tenté en dormant de me laisser réentraîner vers ma mémoire coutumière, le lit auquel je n'étais pas habitué, la douce attention que j'étais obligé de prêter à mes positions quand je me retournais, suffisaient à rectifier ou à maintenir le fil nouveau de mes rêves » (p. 76, G., I). Proust, de même, a très bien noté et très bien expliqué cette impossibilité d'agir qui nous rend, dans le rêve, semblable à des paralytiques : « Parfois, par un défaut d'éclairage intérieur, lequel, vicieux, faisait manquer la pièce, mes souvenirs bien mis en scène me donnant l'illusion de la vie, je croyais vraiment avoir donné rendez-vous à Albertine, la retrouver ; mais alors je me sentais incapable de marcher vers elle, de proférer des mots que je voulais lui dire, de rallumer pour la voir le flambeau qui s'était éteint, impossibilités qui étaient simplement dans mon rêve l'immobilité, le mutisme, la cécité du dormeur » (p. 196-197, A.D., I).

Il y a enfin des cas où l'illusion du rêve n'est pas complète et où un peu de conscient filtre à travers le sommeil : « D'autres fois Albertine se trouvait dans mon rêve et voulait de nouveau me quitter sans que sa résolution parvînt à m'émouvoir. C'est que de ma mémoire avait pu filtrer dans l'obscurité de mon sommeil un rayon avertisseur; et ce qui logé en Albertine ôtait à ses actes futurs, au départ qu'elle annonçait toute importance, c'était l'idée qu'elle était morte » (p. 197, A.D., I).

Ainsi le sommeil est comme une seconde vie qui enveloppe la première comme une île est cernée par la mer. C'est encore plutôt comme un second appartement où nous pourrions nous retirer (1) — et un appartement absolument original. Les lois de la logique notamment n'y sont plus valables : « Souvent ce souvenir qu'Albertine était morte se combinait avec l'idée qu'elle

---

1) Voir p. 78-79 G., I, un long morceau à la fois fantaisiste et psychologique sur différentes sortes de sommeils et de rêves — les cauchemars, par exemple, « ...dont les médecins prétendent stupidement qu'ils fatiguent plus que l'insomnie, alors qu'ils permettent au contraire au penseur de s'évader de l'attention », les cauchemars « ...avec leurs albums fantaisistes », et que nous « ...tenons dans une petite cage à rats où ils sont plus petits que des souris blanches », etc...

était vivante » (p. 197, *A.D.,* I). C'est un bon signe lorsqu'on cherche le sommeil que d'avoir fait un raisonnement en contradiction avec les lois formelles de la logique et l'évidence du présent (*G.,* I, p. 77).

On comprend que le passage d'un de ces mondes à l'autre ne soit pas toujours aisé. Certes, généralement, l'assoupissement et le réveil sont des opérations faciles, car elles sont réglées par l'habitude. Mais, outre les cas où nous sommes dérangés de nos habitudes, il y a ces sommeils de plomb dont il est si difficile de sortir. Le sommeil est en réalité le plus puissant des hypnotiques. « Après avoir dormi profondément deux heures, s'être battu avec tant de géants et avoir noué pour toujours tant d'amitiés, il est bien plus difficile de s'éveiller qu'après avoir pris plusieurs grammes de véronal » (p. 37, *Sod.,* II, 3). C'est pourquoi il combat cette opinion, qu'il attribue à Bergson (1), que les hypnotiques « ...pris de temps en temps à doses modérées, n'ont pas d'influence sur cette solide mémoire de notre vie de tous les jours » ..., mais seulement sur des mémoires « ...plus hautes, plus instables aussi ». Et il fait à Bergson cette réponse intéressante : « Personnellement mon expérience m'a donné des résultats tout opposés. Les moments d'oubli qui suivent le lendemain l'ingestion de certains narcotiques ont une ressemblance partielle seulement avec l'oubli qui règne au cours d'une nuit de sommeil naturel et profond. Or ce que j'oublie dans l'un et l'autre cas ce n'est pas tel vers de Baudelaire qui me fatigue plutôt « ainsi qu'un tympanon », ce n'est pas tel concept des philosophes cités, c'est la réalité elle-même des choses vulgaires qui m'entourent — si je dors — et dont la non-perception fait de moi un fou ; c'est, si je suis éveillé, et sors (à la suite) (2) d'un sommeil artificiel, non pas le système de Porphyre ou de Plotin dont je puis discuter aussi bien qu'un autre jour, mais la réponse que j'ai promis de donner à une invitation, au souvenir de laquelle s'est substitué un pur blanc. L'idée élevée est restée à sa place ; ce que l'hypnotique a mis hors d'usage c'est le pouvoir d'agir dans les petites choses, dans tout ce qui demande de l'activité pour

---

1) Il s'agit d'une conversation entre Bergson et Boutroux, qui lui a été rapportée et dont il n'affirme pas l'authenticité. Mais on pense ici à la loi de régression de Ribot sur les amnésies progressives. Selon Ribot la destruction de la mémoire, dans ce genre d'affections, va en effet du moins stable au plus stable. « Elle finit, écrit Ribot, par cette mémoire sensorielle, instinctive, qui fixée dans l'organisme, devenue une partie de lui-même, représente l'organisation à son degré le plus fort » (*Maladies de la Mémoire,* p. 94).

2) Nous plaçons entre parenthèses ce « à la suite » qui nous paraît superfétatoire.

ressaisir juste à temps, pour empoigner tel souvenir de la vie de tous les jours » (p. 38, *Sod.*, II, 3).

Le rêve, dans un sommeil profond, est donc un état voisin de la folie. Les hommes ont bien conscience, au moins obscurément des différences qui séparent radicalement la veille du sommeil, puisqu'ils ne font pas figurer dans le compte des plaisirs éprouvés au cours de l'existence, les plaisirs dont ils sont gratifiés dans le sommeil (36, *Sod.*, II, 3). Pour la même raison les mauvais rêves ne sont pas graves car « ...la tristesse qu'ils engendrent ne se prolonge guère qu'une heure après le réveil... » (p. 122, *A.D.*, I) (1).

Il est même probable pense Proust que le rêve est étranger à la catégorie du temps. Ce qui fait croire cela, ce sont ces réveils difficiles lorsque nous avons été dérangés de nos habitudes, ou qui se produisent à la suite d'un sommeil lourd. A ce moment-là, dit Proust, « ...mon effort pour m'éveiller consistait surtout en un effort pour faire entrer le bloc obscur, non défini, du sommeil que je venais de vivre, aux cadres du temps. Ce n'est pas toujours tâche facile : le sommeil qui ne sait si nous avons dormi deux heures ou deux jours, ne peut nous fournir aucun point de repère. Et si nous n'en trouvons pas au dehors, ne parvenant pas à rentrer dans le temps nous nous rendormons pour cinq minutes qui nous semblent trois heures » (p. 36-37, *Sod.*, II, 3). Normalement un homme qui dort « ...tient en cercle autour de lui le fil des heures, l'ordre des années et des mondes. Il les consulte d'instinct en s'éveillant... » (*Sw.*, I, 11) pour se replacer dans le temps conscient. Mais il se trompe parfois, par exemple à cause d'une fausse position dans le lit, d'une posture inaccoutumée. Il faut ajouter que ce réveil consiste, en même temps, en une reprise de notre personnalité que nous avions oubliée. (2)

Proust analyse très bien ce phénomène : « On n'est plus personne. Comment alors, cherchant sa pensée, sa personnalité, comme on cherche un objet perdu, finit-on par trouver son propre moi plutôt que tout autre ?... Qu'est-ce qui nous guide quand il y a eu vraiment interruption (soit que le sommeil ait été complet ou les rêves entièrement différents de nous) ? Il y a eu vraiment mort, comme quand le cœur a cessé de battre et que des tractions rythmées de la langue nous raniment. Sans doute la chambre, ne

---

1) Dans la suite de ce passage Proust parle de l'illusion du déjà vu qu'il attribue à une sorte de « subdivision » sur laquelle il ne donne pas de détails (p. 122, *A. d.*, I).

2) Nous l'avons vu plus haut.

l'eussions-nous vue qu'une fois, éveille-t-elle des souvenirs auxquels de plus anciens sont suspendus. Ou quelques-uns dor-
maient-ils en nous-mêmes, dont nous prenons conscience ? La
résurrection au réveil — après ce bienfaisant accès d'aliénation
mentale qu'est le sommeil —, doit ressembler au fond à ce qui
se passe quand on retrouve un nom, un vers, un refrain oublié.
Et peut-être la résurrection de l'âme après la mort est-elle concevable comme un phénomène de mémoire » (79, G., I).

★
★ ★

LE TEMPS
ET LA PERSONNALITÉ

Etudions maintenant la vie intérieure de l'homme à l'état
de veille. Nous allons découvrir une puissante et originale conception de la vie psychologique.

Nulle psychologie n'est plus riche en nuances, en éléments
qualitatifs, que celle de Proust. Et jamais écrivain n'avait montré
aussi bien que lui comment toute chose évolue, s'écoule. Il
semble que ce soit un des mérites les plus incontestables de
Proust que d'avoir illustré par son œuvre la pure théorie bergsonienne de la durée. « Pour parcourir les jours, remarque-t-il, les
natures un peu nerveuses comme la mienne, disposent, comme
les voitures automobiles, de « vitesses » différentes. Il y a des
jours montueux et malaisés qu'on met un temps infini à gravir
et des jours en pente qui se laissent descendre à fond de train en
chantant » (Sw., II, 157). Et si nous pouvons, selon lui, apprécier le temps « objectif », pendant le sommeil par exemple, c'est
seulement parce que notre corps le calcule, en le mesurant à la
quantité des forces réparées (A l'., II, 111).

Et il faut reconnaître que Proust diffère beaucoup des
autres romanciers français, qui semblent uniquement préoccupés
— fidèles à la vieille et illustre conception de notre tragédie classique — d'exprimer ce qu'il y a d'éternel, et par conséquent
d'immuable, de fixe, dans les êtres. Proust est aussi sensible
qu'eux à la catégorie de l'éternel. Il est sans doute bien persuadé
que tout s'y ramène en définitive. Mais il sait aussi qu'un mouvement anime la vie des hommes, que cette vie est successive et
que l'on connaît mal le présent si l'on ne sait rien du passé. Seul
le roman anglais se révèle plus attentif — et il faut peut-être voir
là un aspect de l'empirisme anglo-saxon — aux changements et

à l'évolution des individus (1). Admirateur des romanciers anglais, il se peut même que Proust ait subi sur ce point l'influence de ces derniers. Cependant aucun romancier, de quelque nationalité qu'il fût, n'avait brossé avant Proust une fresque si large de l'évolution des êtres et des groupes sociaux entraînant dans leurs mouvements les êtres avec eux, selon des lois que nous avons exposées au premier livre de cet ouvrage.

Jamais romancier (2), sans doute aussi, ne s'était caractérisé par une sensibilité aussi grande à la catégorie du temps, sauf Flaubert peut-être — et encore est-ce le poète plus que le romancier qui, chez Flaubert, se révèle sensible à la durée, à l'écoulement de toute chose. Proust admirait, dans *L'Education sentimentale* précisément, un « blanc », un énorme « blanc » qui indique un changement de temps soudain d'un grand nombre d'années, et il fait un mérite particulier à Flaubert d'avoir su, par son style, par un certain emploi de l'imparfait notamment (3), « donner avec maîtrise l'impression du Temps » (A PROPOS DU « STYLE » DE FLAUBERT, *Chroniques,* p. 205). Dès le premier tome de sa *Recherche,* il nous montre comment les choses mêmes, dans la perception qu'il en prend, sont solidaires de leur passé. L'Eglise de Combray en particulier, occupe, pour lui, « un espace de quatre dimensions, — la quatrième étant précisément celle du Temps » (*Sw.,* I, 61) (4).

Et c'est à l'occasion d'une visite chez la princesse de Guermantes (la nouvelle princesse de Guermantes), relatée à la fin de son œuvre, que Proust (ou son héros) nous dit avoir pris conscience de ce fait, communément inaperçu, que la place que les

---

1) « Si, de la *Princesse de Clèves* au *Bal du Comte d'Orgel,* écrit M. G. Cattaui dans l' « *Amitié de Marcel Proust* » le roman français demeure au milieu de considérations sociales, l'étude d'une crise ou l'analyse abstraite d'un caractère, le roman anglais s'efforce tout au contraire de ressusciter le déroulement dans le temps d'une ou de plusieurs existences, etc... » (73-74). M. G. Cattaui insiste sur l'influence de la littérature anglaise sur Proust.

2) Nous ne parlons pas des poètes qui, au contraire, ont traité souvent de l'écoulement et de la fuite des choses — et ont même tiré de ce thème leurs plus profonds effets.

3) Déjà dans sa préface sur la Lecture, Proust notait que « ce temps cruel qui nous présente la vie comme quelque chose d'éphémère à la fois et de passif », constituait pour lui « une source inépuisable de mystérieuses tristesses ». (*Sésame et les Lys,* préface p. 24, note 1).

4) Voilà qui n'est pas facile à concilier avec la thèse de Bergson pour qui seul le temps spatialisé, *non la vraie durée,* constitue une quatrième dimension de l'espace ! (« Je parle du temps réel, concret, et non pas de ce temps abstrait qui n'est qu'une quatrième dimension de l'espace », *La Pensée et le Mouvant,* p. 118 ; voir aussi l'*Essai,* p. 83)

hommes occupent dans le temps est bien plus grande que celle
qu'ils occupent dans l'espace. Les personnages, qu'il a jadis
connus, lui apparaissent, en effet, grimés par la vieillesse et solidaires de tout leur passé. Aussi *Le Temps Retrouvé* se termine-t-il
sur la résolution de l'artiste, qui vient de naître en Marcel, de
peindre les hommes, dussent-ils « ressembler à des êtres mons-
trueux », comme des géants d'une sorte nouvelle, tenant une place
« prolongée sans mesure », « dans le Temps ».

Cependant ces analogies entre la psychologie bergsonienne et
celle de Proust ne s'étendent pas plus loin. Car dès que l'on va
plus avant dans les idées de Proust, on s'aperçoit que des divergences se produisent et s'accusent au point qu'elles paraissent en
fin de compte plus importantes que les ressemblances auxquelles
on avait prêté attention tout d'abord. Dans les observations sur le
rêve que nous avons résumées, on ne trouve aucune trace des
préoccupations — qui semblent inspirées des Romantiques alle-
mands — de Bergson. En ce qui concerne le temps psychologique
— ou, comme dit Bergson, la durée — à aucun instant Proust ne
songe à voir en lui un phénomène irréductible à tout autre. Nous
reviendrons un peu plus loin sur ce point. Notons seulement que
tout indique que Proust est un partisan résolu du déterminisme
psychologique, et, bien que possédant un sentiment très profond
de la complexité de la vie intérieure, il n'a jamais douté que les
phénomènes psychologiques ne soient l'expression de lois générales. Enfin, la conception qu'il se fait de la structure même de
l'esprit et de son mode d'évolution est sensiblement opposée à
celle de Bergson.

Pour Marcel Proust, en effet, il n'est pas vrai que la vie
humaine soit absolument continue. De temps en temps il y aurait
en nous de brusques et complets changements. Nous deviendrions
en certaines circonstances une autre personne et nous posséde-
rions un certain nombre de « moi » secondaires qui se remplace-
raient et se succéderaient, suscités par les accidents de l'existence. C'est la thèse de la multiplicité des « moi ». Il y a, en
somme, plusieurs êtres en chacun de nous, plusieurs personnalités différentes. C'est ainsi que la vie du petit Marcel à Combray
est partagée en deux zônes. Il y a la journée, où il fait mille
projets en se promenant du côté de Guermantes, comme d'être
l'ami de la duchesse ou d'aller en barque sur la Vivonne. Il y a
le soir, où « comme c'était la règle les jours où nous étions allés
du côté de Guermantes et où le dîner était servi plus tard, on
m'enverrait me coucher sitôt ma soupe prise, de sorte que ma
mère, retenue à table comme s'il y avait du monde à dîner, ne

monterait pas me dire bonsoir dans mon lit. La zône de tristesse
où je venais d'entrer était aussi distincte de la zône où je m'élan-
çais avec joie il y avait un moment encore, que dans certains ciels
une bande rose est séparée comme par une ligne d'une bande
verte ou d'une bande noire, etc... Et cet état durerait jusqu'au
lendemain, quand les rayons du matin, appuyant, comme le jardi-
nier, leurs barreaux aux murs revêtus de capucines qui grimpaient
jusqu'à ma fenêtre, je sauterais à bas de mon lit pour descendre
vite au jardin sans plus me rappeler que le soir ramènerait jamais
l'heure de quitter ma mère. Et, de la sorte, c'est du côté de
Guermantes que j'ai appris à distinguer ces états qui se succèdent
en moi pendant certaines périodes, et vont jusqu'à se partager
chaque journée, l'un revenant chasser l'autre avec la ponctualité
de la fièvre, contigus mais si extérieurs l'un à l'autre, si dépourvus de moyens de communication entre eux, que je ne puis plus
comprendre, plus même me représenter dans l'un ce que j'ai
désiré, ou redouté, ou accompli dans l'autre. (p. 169, Sw., I).

Insistons sur ce dernier caractère : « ...je ne puis comprendre, je ne puis même plus me représenter dans un état, ce
que j'ai redouté, désiré, ou accompli dans un autre. »

Notre existence est donc partagée en systèmes clos, chacun
d'eux correspondant à différentes périodes, et constituant une personnalité nouvelle, et du reste capable, nous le verrons, de reviviscence.

Proust, notons-le, n'emploie pas le mot personnalité au sens
fort, mais au contraire dans un sens faible. Les personnalités
pour lui ne sont pas autre chose que des manières différentes de
sentir et de penser en un même individu. Elles n'en sont pas
moins réelles. Pour lui, nous ne sommes pas le même homme
dans telle situation sociale et dans telle autre; l'homme qui aime
est un autre être que celui qui n'aime pas et l'homme que nous
sommes au bord de la mer (à moins que nous soyons insensibles
aux charmes des lieux) n'a rien de commun avec celui que nous
sommes à Paris. Lorsque Swann, qui est non seulement un
mondain reçu dans la société la plus fermée mais encore le plus
simple et le plus discret des hommes, se déclasse en se mariant
avec une cocotte, Odette de Crécy, il devient tout autre, non seulement quant à la situation sociale, mais quant au caractère :
« ...on était étonné de l'entendre, lui qui, autrefois et même
encore aujourd'hui, dissimulait si gracieusement une invitation de
Twickenham ou de Buckingham Palace, faire sonner bien haut
que la femme d'un sous-chef de cabinet était venue rendre visite
à Madame Swann » (p. 8, A l'., I). Ces changements s'expliquent

par le même caractère réagissant différemment dans des circonstances diverses. « On dira peut-être que cela tenait à ce que la simplicité du Swann élégant n'avait été chez lui qu'une forme plus raffinée de la vanité et que, comme certains Israélites, l'ancien ami de mes parents avait pu présenter tour à tour les états successifs par où avaient passé ceux de sa race, depuis le snobisme le plus naïf et la plus grossière goujaterie, jusqu'à la plus fine politesse. Mais la principale raison, et celle-là applicable à l'humanité en général, était que nos vertus elles-mêmes ne sont pas quelque chose de libre, de flottant, de quoi nous gardions la disponibilité permanente ; elles finissent par s'associer si étroitement dans notre esprit avec les actions à l'occasion desquelles nous nous sommes fait un devoir de les exercer, que si surgit pour nous une activité d'un autre ordre, elle nous prend au dépourvu et sans que nous ayons seulement l'idée qu'elle pourrait comporter la mise en œuvre de ces mêmes vertus. Swann empressé avec ces nouvelles relations et les citant avec fierté, était comme ces grands artistes modestes ou généreux qui, s'ils se mettent à la fin de leur vie à se mêler de cuisine ou de jardinage étalent une satisfaction naïve des louanges qu'on donne à leurs plats ou à leurs plates bandes pour lesquels ils n'admettent pas la critique qu'ils acceptent aisément s'il s'agit de leurs chefs-d'œuvre ; ou bien qui donnant une de leurs toiles pour rien, ne peuvent en revanche sans mauvaise humeur perdre quarante sous aux dominos » (p. 8, *A l'.*, I). Ce qui change dans ces cas-là d'une manière active ce sont les circonstances et non notre être individuel qui est seulement passif. Ce sont les circonstances qui déteignent sur nous. Nous sommes absorbés par elles.

Seulement ces changements passifs Proust en a montré l'importance. Il a établi qu'ils nous transformaient tellement que pratiquement nous étions autres, que nous pensions, que nous sentions différemment en des circonstances et des temps différents. Nous ne sommes pas, même psychologiquement, des individus simples, mais complexes. Toutefois nous ne pouvons être qu'un seul de ces êtres à la fois. L'amour par exemple nous l'avons vu est comme un caractère momentané et différent qui se substitue à l'autre. Chacun de ces caractères se manifeste successivement en nous, déclenché par quelque événement de notre existence.

Ce n'est pas une incompatibilité logique qui fait que ces différents caractères ne peuvent pas co-exister en nous. C'est une incompatibilité psychologique. Dans chacun de ces états, fait remarquer Proust, nous sommes incapables de nous représenter ce que nous ferions dans un autre, ou ce que nous ferons dans le suivant. Et c'est la raison pour laquelle il peut parler de « personnalités » différentes et non pas seulement d'états différents. Ces personnalités différentes qui nous composent sont incompatibles en ce sens qu'elles se chassent l'une l'autre car chacune d'entre elles est spécifique, incomparable. Elles sont des manières de sentir appropriées à des catégories d'objets, à des façons de vivre différentes. Nous ne serions donc capables d'éprouver diversement en définitive, que parce que nous serions nous-mêmes divers. Il n'y a qu'une façon d'être effectivement divers note, du reste, Proust lui-même, c'est de réunir diverses individualités (*Pr.*, I, 218-219).

Nous voilà loin de la thèse bergsonienne et de cette continuité irréductible, absolue, postulée par le grand philosophe !

LES INTERMITTENCES

Le phénomène des « intermittences » va nous aider à préciser ces conclusions. L'intermittence c'est la renaissance, à des moments différents de notre existence, d'une certaine personnalité ou de sentiments qui appartiennent à une personnalité qui n'est pas l'actuelle. C'est, dit Proust, une des lois de l'âme humaine (p. 150, *A l'.*, I) (1).

En voici un exemple : « ...au moment de ce départ pour Balbec et pendant les premiers temps de mon séjour mon indifférence (2) n'était encore qu'intermittente. Souvent (notre vie étant si peu chronologique, interférant tant d'anachronismes dans la suite des jours), je vivais dans ceux plus anciens que la veille ou l'avant-veille, où j'aimais Gilberte. Alors ne plus la voir m'était soudain douloureux, comme c'eût été dans ce temps-là » (p. 195, *A l'.*, I). Et il ajoute : « Le moi qui l'avait aimé, remplacé déjà presque entièrement par un autre, ressurgissait, et il m'était rendu beaucoup plus fréquemment par une chose futile que par une chose importante ». Pourquoi ? Parce que ces choses futiles nous les avons oubliées, et qu'ainsi elles se sont conservées en nous intactes, capables, par conséquent, de faire renaître le moi ancien dans sa spécificité.

Mais l'exemple le plus important d'intermittence est celui que Proust nous donne dans le chapitre intitulé les « Intermittences du cœur », exemple déjà classique et d'une grande beauté. Il y a dans le début de ce morceau un pathétique qui

---

1) « Fortifiée par les afflux inopinés de souvenirs... »
2) Il s'agit de Gilberte qu'il commence à oublier.

rappelle le mémorial de Pascal. « Bouleversement de toute ma
personne. Dès la première nuit (1) comme je souffrais d'une
fatigue de crise cardiaque tâchant de dompter ma souffrance, je
me baissai avec lenteur et prudence pour me déchausser. Mais
à peine eus-je touché le premier bouton de ma bottine, ma poi-
trine s'enfla, remplie d'une présence inconnue, divine, des sanglots me secouèrent, des larmes ruisselèrent de mes yeux. L'être
qui venait à mon secours, qui me sauvait de la sécheresse de
l'âme, c'était celui qui, plusieurs années auparavant, dans un
moment de détresse et de solitude identiques, dans un moment
où je n'avais plus rien de moi, était entré, et qui m'avait rendu
à moi-même car il était moi et plus que moi (le contenant qui est
plus que le contenu et me l'apportait). Je venais d'apercevoir,
dans ma mémoire, penché sur ma fatigue, le visage tendre, préoccupé et déçu de ma grand'mère, non pas celle que je m'étais
étonné et reproché de si peu regretter et qui n'avait d'elle que le
nom, mais de ma grand'mère véritable dont, pour la première
fois depuis les Champs-Elysées où elle avait eu son attaque, je
retrouvais dans un souvenir involontaire et complet la réalité
vivante » (176-177, *Sod.*, II, 1).

Dès maintenant nous pouvons retenir qu'il y a deux sortes
de souvenirs : le souvenir abstrait qui ne retient rien de la réalité
passée qu'une nomenclature ou des dates et le souvenir réel,
vivant, sensible. Nous voyons aussi qu'il n'y a de souvenir
vivant, et de continuité par conséquent, qu'au sein d'une même
personnalité. Aussi dans les intermittences n'est-il pas étonnant
que nous reprenions naturellement la personnalité que nous fûmes
et même que nous continuions à la vivre, non pas de manière
quelconque mais à la suite : « Or comme celui que je venais
subitement de redevenir n'avait pas existé depuis ce soir lointain
où ma grand'mère m'avait déshabillé à mon arrivée à Balbec, ce
fut tout naturellement, non pas après la journée actuelle que ce
moi ignorait, mais — comme s'il y avait dans le temps des séries
différentes et parallèles — sans solution de continuité, tout de
suite après le premier soir d'autrefois, que j'adhérai à la minute
où ma grand'mère s'était penchée vers moi... je n'étais plus que
cet être qui cherchait à se réfugier dans les bras de sa grand'
mère, à effacer les traces de ses peines en lui donnant des
baisers, cet être que j'aurais eu à me figurer, quand j'étais tel
ou tel de ceux qui s'étaient succédé en moi depuis quelques
temps, autant de difficultés que maintenant il m'eût fallu d'efforts,

---

1) Marcel vient d'arriver à Balbec seul, sans sa grand'mère, qui
est morte depuis quelque temps.

stériles d'ailleurs, pour ressentir les désirs et les joies de l'un de ceux que, pour un temps du moins, je n'étais plus... etc... » (178-179, *Sod.*, II) (1).

On voit par ce qui précède qu'il ne faudrait pas se baser sur la théorie de la multiplicité des « moi », et celle des inter-mittences du cœur pour conclure, comme bien des commenta-teurs de Proust l'ont fait, que celui-ci nie la personnalité (2).

Quand Proust emploie le mot de personnalité c'est dans le sens de « manière originale de sentir ». Or, la personnalité, telle que l'entendent les métaphysiciens, est plus qu'une manière de sentir.

Peut-être, y a-t-il un principe commun à ces différentes personnalités qui nous constituent ? Proust laisse même suppo-ser qu'il y a en nous autre chose que ces « moi » successifs puisque dans *Albertine disparue* (II, p. 212), il déclare qu'ils composent le « moi permanent » en partie seulement.

Mais le fond de la pensée de Proust semble être que la personnalité existe, comme un principe supérieur à ses change-ments mêmes. Et pour l'affirmer, ce n'est pas sur des croyances subjectives qu'il s'appuie, mais comme toujours sur une expé-rience. Cette expérience c'est l'art. L'art nous donne selon lui la preuve de l'existence de la personnalité. Avant le *Temps Retrouvé* il l'affirme déjà nettement : « ... y avait-il dans l'art, dit-il dans *La Prisonnière*, une réalité plus profonde où notre personnalité véritable trouve une expression que ne lui donnent pas les actions de la vie ? Chaque grand artiste semble en effet si différent des autres, et nous donne tant cette sensation de l'individualité que nous cherchons en vain dans l'existence quoti-dienne » (I, p. 216).

Et dans le second tome du même ouvrage il est encore plus affirmatif : « Et même en tenant compte de cette originalité acquise qui m'avait frappé dès l'après-midi, écrit-il, de cette parenté que les musicographes pourraient trouver entre eux,

---

1) Il ne faudrait pas parfois confondre les intermittences du cœur avec les inconstances du cœur. V. p. 88-89, *Sw.*, I, (les larmes de Bloch apprenant que la grand'mère est indisposée), p. 18 *A l'.*, I, (lorsqu'on accorde à Marcel une permission d'aller au théâtre pour laquelle il a âprement lutté, son désir tombe) des exemples d'in-constances, lesquels ne sont que des sortes d'illusions au nombre desquelles il est vrai, Proust range l'amitié.

2) Par exemple lorsque (page 146 de *Swann*, II) Proust écrit : « Car on ne peut pas changer, c'est-à-dire devenir une autre per-sonne, tout en continuant à obéir aux sentiments de celle qui n'est plus », Il n'entend pas le mot « personne » dans un sens absolu et le contexte montre bien qu'il s'agit de la personne de Swann *lorsqu'il était amoureux*.

c'est bien un accent unique auquel s'élèvent, auquel reviennent malgré eux ces grands chanteurs que sont les musiciens originaux, et qui est une preuve de l'existence irréductiblement individuelle de l'âme » (p. 73, *Pr.*, 2). Ce qui prouverait l'existence de la personnalité, ce serait, on le voit, comme un timbre, une qualité unique que chacun possèderait en soi-même. Cette solution s'impose presque dans une psychologie qui fait une si large place à tout ce qui est individuel et qualitatif. Nous reviendrons sur la question dans le prochain chapitre. Proust n'est pas en mesure avant le *Temps Retrouvé* de la trancher définitivement. Marquons seulement dès maintenant que les doutes que parfois il émet sur l'existence de la personnalité semblent du même ordre que ceux qu'il professe à l'égard du bonheur (1). Mais il y a un progrès spirituel dans sa vie et son œuvre. Et de même qu'il découvrira finalement le bonheur, il semblera admettre l'existence de la personnalité. Nous verrons même que c'est grâce au même principe. Voilà pourquoi tant de critiques ont pu se tromper sur la véritable pensée de Proust au sujet de la personnalité (2).

<center>***</center>

LES INFLUENCES EXTÉRIEURES
SUR L'ORGANISME

Comment les différentes personnalités qui nous composent sont-elles déclenchées, suscitées en nous ? Par des influences de toutes sortes. Nous savons l'espèce d'hypersensibilité dont Proust souffrait (3), les précautions qu'il prenait pour se soustraire aux influences extérieures, la vie baroque, anti-hygiénique qu'il menait de ce fait ? Il n'est pas étonnant qu'il se soit attaché à

---

1) Quand dans *Albertine disparue* il oppose le moi permanent aux « moi » successifs, c'est pour affirmer qu'il change comme ces derniers. Son caractère de permanence ne semble donc pas absolu. Et ne prétend-t-il pas plus loin que la nature accomplit le rechange du moi, comme de temps en temps l'usure et la réfection des tissus (*A. d.*, II, 67).

2) Son scepticisme relativement à l'immortalité de l'âme (quoique sur ce point Proust soit particulièrement prudent) semble également provisoire.

3) « Dans mon cas, dit-il, ce qui était matériellement observable pouvait bien être causé par des spasmes nerveux, par un commencement de tuberculose, par de l'asthme, par une dyspnée toxi-alimentaire avec insuffisance rénale, par de la bronchite chronique, par un état complexe où seraient entrés plusieurs de ces facteurs » (66, *A l'.*, I). Si l'on en juge par le diagnostic du docteur Cottard, « grand clinicien », Proust était surtout atteint, quoique « assez asthmatique et assez toqué », d'intoxication (67).

déceler les plus subtiles de ces influences (1). Il note les changements de ton que le retour des saisons provoquent dans sa sensibilité. Celle-ci est si grande que, souvent, dans une saison, grâce à une simple variation atmosphérique, il est capable de découvrir « ...un jour égaré d'un autre, qui nous y fait vivre, en évoque aussitôt, en fait désirer les plaisirs particuliers et interrompt les rêves que nous étions en train de faire, en plaçant, plus tôt ou plus tard qu'à son tour, ce feuillet détaché d'un autre chapitre dans le calendrier interpolé du Bonheur » (224, *Sw.*, II). Les changements extérieurs en provoquent d'autres dans l'homme intérieur, « ...réveillent des moi oubliés, contrarient l'assoupissement de l'habitude, redonnent de la force à tels souvenirs, à telles souffrances ». (*A.d.*, I, 120). La brume, un jour à son réveil change l'être centrifuge qu'on est par les beaux jours, en un homme « replié, désireux du coin du feu et du lit partagé. Adam frileux en quête d'une Eve sédentaire... » (36, *G.*, II). Le principe des variations psychologiques semble se trouver pour Proust, moins en nous, êtres d'habitudes, que dans les accidents du monde extérieur. Chaque des journées fait de lui un être différent ; ses désirs dépendent de ses perceptions, et après avoir rêvé tempêtes et falaises un jour, si le lendemain « le jour indiscret du printemps » glisse une odeur de roses « dans la clôture mal jointe de son sommeil entrebâillé », il s'éveillait en partance pour l'Italie (115, *Ad.*, I).

C'est toutefois par les modifications internes qu'elles provoquent que les influences venues du dehors renouvellent pour nous le monde extérieur. « Il y a en nous, dit Proust, un « violon intérieur » dont les cordes « ...sont serrées ou détendues par de simples différences de la température, de la lumière exté rieure ». En notre être, ajoute-t-il, « ...le chant naît de ces écarts, de ces variations, source de toute musique : le temps qu'il fait certains jours nous fait aussitôt passer d'une note à une autre » (32, *Pr.*, I). Ces variations évoquent en nous des « moi » qui, pour n'être guère « apparents », n'en sont pas moins « essentiels ». C'est, en particulier « ...certain personnage intérieur, salueur chantant du soleil... ». « En moi, continue Proust, quand la maladie aura fini de les jeter l'un après l'autre à terre, il en restera encore deux ou trois qui auront la vie plus dure que les autres, notamment un certain philosophe qui n'est heu-

---

1) Voir l'étude déjà citée de M. Duffner sur les rapports de Proust avec la médecine et les médecins (A. Legrand, 1931) reprise et complétée d'ailleurs dans un travail malheureusement inédit de H. J. Brincourt.

reux que quand il a découvert entre deux œuvres, entre deux
sensations une partie commune. Mais le dernier de tous, je me
suis quelquefois demandé si ce ne serait pas le petit bonhomme
fort semblable à un autre que l'opticien de Combray avait placé
derrière sa vitrine pour indiquer le temps qu'il faisait et qui,
ôtant son capuchon dès qu'il y avait du soleil, le remettait s'il
allait pleuvoir... Je crois bien qu'à mon agonie, quand tous mes
autres « moi » seront morts, s'il vient à briller un rayon de
soleil, tandis que je pousserai mes derniers soupirs, le petit
personnage barométrique se sentira bien aise..., etc... » (13-14,
Pr., I).

Presque toujours enfermé dans sa chambre fuyant les
parfums qu'il sait, au reste, si bien évoquer ainsi que les
ambiances de toutes sortes (1), ce sont surtout les bruits du
dehors que Proust interroge pour savoir la saison et le temps :
« Dès le matin, la tête encore tournée contre le mur, et avant
d'avoir vu au-dessus des grands rideaux de la fenêtre, de quelle
nuance était la raie du jour, je savais déjà le temps qu'il faisait. »
« Les premiers bruits de la rue me l'avaient appris, selon
qu'ils me parvenaient amortis et déviés par l'humidité ou vibrants
comme des flèches dans l'aire résonnante et vide d'un matin
spacieux, glacial et pur..., etc... » (9, *Pr.,* I) (2).

Remarquons-le, les sensations n'intéressent guère Proust
que pour leur côté représentatif. C'est ainsi qu'il n'étudie pas
les autres sensations qui « affectent sans représenter », les
remarques qu'il fait sur les nerveux, qui sont, selon sa propre
expression, « le sel de la terre » sont commandées par le même
souci. Les nerveux sont des gens chez qui « ...les intermédiaires, les nerfs, remplissent mal leurs fonctions, n'arrêtent pas
dans sa route vers la conscience, mais y laissent, au contraire,
parvenir, distincte, épuisante, innombrable et douloureuse, la
plainte des plus humbles éléments du moi qui vont disparaître.. »
(220, *A l'.,* I). Dans la fatigue la plus réelle note ailleurs Proust,
« ...Il y a, surtout chez les gens nerveux, une part qui dépend
de l'attention et qui ne se conserve que par la mémoire. On est
subitement las dès qu'on craint de l'être, et pour se remettre de
sa fatigue il suffit de l'oublier » (105, *Sod.,* II). Et cependant :
« Les névropathes sont peut-être malgré l'expression consacrée,
ceux qui s'écoutent le moins : ils entendent en eux tant de choses
dont ils se rendent compte ensuite qu'ils avaient eu tort de

---

1) Par un art des « adjectifs » dont il a tiré un parti étonnant.
2) Voir aussi *Pr.,* II, 281. Voir encore *G.,* I, 67-70, un morceau
à la fois observé, humoristique et poétique sur la surdité.

s'alarmer, qu'ils finissent par ne plus faire attention
(64, *A l'.,* I) (1).

LES CROYANCES

De même que l'étude du monde extérieur se ramène chez
Proust à une étude de la méconnaissance des autres, l'étude du
monde « intérieur » se réduit à une étude de la méconnaissance
de soi. Ce que nous venons de dire des « moi » qui nous
composent prouve qu'une grande partie de notre vie intérieure,
c'est-à-dire tous les « moi » qui n'occupent pas la scène de la
conscience, reste plongée dans l'obscurité et se trouve momen-
tanément comme morte. Mais ce n'est pas tout ! Outre ces moi
absents et « sans efficace », se trouvent au tréfonds de nous-
même des forces inconscientes ou subconscientes dont l'action
s'exerce sur nous de manière, non plus intermittente cette fois-
ci, mais permanente.

L'hérédité, dont nous avons traité au livre I, et sur laquelle
nous ne reviendrons pas (2), est l'une de ces forces. Il en est une
autre dont l'influence n'est pas moins importante, la croyance.

Les croyances sont des dispositions générales de notre
esprit, dont les croyances religieuses ne sont en somme qu'une
forme particulière et « socialisée », qui font que certaines choses
ont de la *réalité* pour nous. A l'égard des événements, des objets
de tous ordres et même des personnes nous sommes « croyants »
ou « incroyants », sans que, en règle générale, nous le sachions,
parce que nos croyances nous pénètrent trop pour que nous les
connaissions et parce que leur permanence nous les rend invi-
sibles. Ces croyances sont comme un signe positif dont nous
serions affectés à l'égard de certains objets : ceux à l'existence
desquels nous croyons. Or, assure Proust, il est aussi important
de connaître ce signe que de noter « ...la température, la pression barométrique, la saison, car nos jours ont leur originalité
physique et morale » (203, *Pr.,* I). Mais précisément cela n'est
pas facile, pour cette raison justement que nous faisons tellement

---

1) Aux accidents de la vie extérieure, s'oppose une force dont
Proust a beaucoup parlé, l'habitude, qui passe tout à sa « gomme à
effacer », et qui est une faculté d'adaptation. Voir appendice p. 51.

2) L'hérédité avait naturellement sa place dans notre étude sur
le Monde et notre livre précédent où nous avons étudié la méconnaissance des autres et tout ce qui nous est *extérieur.* C'est sous
la forme objective, en effet, que nous apparaît l'hérédité. Elle ne
nous est révélée que par certaines ressemblances extérieures, jamais
par l'introspection pure.

corps avec notre croyance qu'il nous est impossible, ainsi qu'il le faudrait, de la poser comme un objet devant notre esprit.

La plupart du temps ce sont les événements, les erreurs que nous commettons dans nos prévisions sur les événements, qui nous les révèlent. Ainsi Marcel, à l'époque où Albertine vivait avec lui songeait à se séparer d'elle et il se croyait même près d'en venir à cette décision, lorsqu'Albertine sans qu'il l'eût prévu s'en alla d'elle-même. Il en éprouva un chagrin inattendu et profond. Il s'aperçut qu'il n'avait jamais voulu vraiment vivre sa vie à venir sans Albertine : « Cet avenir indissoluble d'elle je n'avais pas su l'apercevoir, mais maintenant qu'il venait d'être descellé, je sentais la place qu'il tenait dans mon cœur béant » (98, *A.d.*, I). En réalité, quand il raisonnait sur le départ éventuel d'Albertine il n'y croyait pas. Et c'était parce qu'il n'y croyait pas, qu'il pouvait y penser aussi froidement (p. 15, *A.d.*, I). De même quand Albertine, sur un ton désabusé lui avait dit une fois : « Si je me tue, cela m'est bien égal », c'était bien parce qu'elle était persuadée qu'elle ne se tuerait pas, qu'elle éprouvait tant d'indifférence (p. 203, *Pr.*, I). « …J'avais, dit Proust, l'illusion de penser à un départ, comme les gens se figurent qu'ils ne craignent pas la mort quand ils y pensent, alors qu'ils sont bien portants et ne font en réalité qu'introduire une idée purement négative au sein d'une bonne santé, que l'approche de la mort précisément altérerait » (15, *A.d.*, I).

La croyance est également le principe d'un fait psychologique très général, l'espérance : « C'est en réalité notre prévision, notre espérance d'événements heureux qui nous gonflent d'une joie, que nous attribuons à d'autres causes et qui cesse pour nous laisser retomber dans le chagrin si nous ne sommes pas assurés que ce que nous désirons se réalisera. C'est toujours cette invisible croyance qui soutient l'édifice de notre monde sensitif et privé de quoi il chancelle… Elle fait… la possibilité de supporter un chagrin qui nous semble médiocre simplement parce que nous sommes persuadés qu'il va y être mis fin ». Ce qui révèle dans ce dernier cas à Proust que la croyance est le principe de l'espérance, c'est son déplacement inattendu : « Ce qui me rendait si heureux, c'était la certitude secrète que la mission de Saint-Loup (1) ne pouvant échouer, Albertine ne pouvait manquer de revenir. Je le compris ; car n'ayant pas reçu dès le premier jour de réponse de Saint-Loup, je recommençai à souffrir ». Voici un autre cas, typique, de déplacement de

---

1) Chargé de retrouver Albertine disparue.

croyance. Le jeune Marcel a le plus vif désir de faire connaissance de jeunes filles qu'il croise souvent sur la plage de Balbec. Mais il ne sait comment s'y prendre. Or, un jour qu'il se promène en compagnie du peintre Elstir, les voilà qui surviennent en bande joyeuse et entament la conversation avec le peintre qu'elles connaissent. Le jeune Marcel est persuadé qu'il va être présenté, mais en même temps il n'en ressent plus le désir : « …la contraction du plaisir que j'avais auparavant cru avoir, était due à la certitude que rien ne pouvait plus me l'enlever. Et il reprit, comme en vertu d'une force élastique, toute sa hauteur quand il cessa de subir l'étreinte de cette certitude, au moment où m'étant décidé à tourner la tête, je vis Elstir, arrêté quelques pas plus loin avec les jeunes filles, leur dire au revoir » (p. 142, *A l'.*, II).

Mais il y a une hiérarchie dans les croyances : c'est des moins stables que nous venons jusqu'ici de donner des exemples, de celles qu'il nomme assez souvent « certitudes » au lieu de « croyances ». Les croyances semble-t-il, chez Marcel Proust, sont surtout relatives aux êtres et aux choses, les certitudes aux événements (1). Les croyances ont le pouvoir de nous rendre leurs objets plus chers, plus importants et d'en faire ainsi pour nous non seulement des sources de joies mais aussi, le cas échéant, de douleurs. La certitude produit seulement une sorte de tranquillité, elle nous rend même indifférents les objets auxquels elle se rapporte. Et le risque qui est le contraire de la certitude a même un effet analogue à la croyance : multiplier la grandeur des choses (p. 257, *T.R.*, 2). Nous avons vu que dans l'amour, tout au moins dans un amour qui se prolonge, on n'arrive plus à sentir le plaisir que négativement, par la peur de perdre celle qu'on aime ou par jalousie. Les variations de la certitude provoquent dans cette passion une instabilité douloureuse (p. 115, *A.d.*, I).

Venons-en donc à ces véritables croyances dont les effets sont si remarquables, si profonds et si impérieux. Proust est, croyons-nous, le premier psychologue à attirer l'attention sur ces curieux phénomènes psychiques. Ce sont avons-nous dit des sortes de certitudes se rapportant aux êtres et aux choses. Ce sont des états très forts que les faits sont généralement incapables d'altérer jamais. C'est ainsi que Vinteuil croit en sa fille malgré sa tenue qui fait scandale : « …de ce que Vinteuil connaissait peut-

---

1) En tout cas nous proposons cette distinction qui nous paraît nécessaire pour éclairer cette question.

être la conduite de sa fille, il ne s'ensuit pas que son culte pour
elle en eût été diminué. Les faits ne pénètrent pas dans le monde
où vivent nos croyances ; ils n'ont pas fait naître celles-ci, ils ne
les détruisent pas ; ils peuvent leur infliger les plus constants dé-
mentis sans les affaiblir et une avalanche de malheurs ou de maladies se succédant sans interruption dans une famille ne la fera
pas douter de la bonté de son Dieu ou du talent de son médecin »
(p. 138, *Sw.*, I). Les plus profondes, celles qui ont les racines
les plus tenaces, et celles qui sont les plus chères, ce sont les
premières croyances du petit enfant. Elles forment les « gise-
ments » les plus profonds de notre « sol mental », les « terrains
résistants » sur lesquels on s'appuie toute sa vie. L'enfance est
aussi le moment de notre vie où nous croyons le plus, où nous
sommes le plus dépourvus de scepticisme (1) : « C'est parce que
je croyais aux choses, aux êtres, tandis que je les parcourais (le
côté de Méséglise et celui de Guermantes) que les choses, les
êtres, qu'ils m'ont fait connaître, sont les seuls que je prenne
encore au sérieux et qui me donnent encore de la joie. Soit que
la foi qui crée soit tarie en moi, soit que la réalité ne se forme
que dans la mémoire, les fleurs qu'on me montre aujourd'hui pour
la première fois ne me semblent pas de vraies fleurs. Le côté de
Méséglise avec ses lilas, ses aubépines, ses bleuets, ses coquelicots, ses pommiers, le côté de Guermantes avec sa rivière à
têtards, ses nymphéas et ses boutons d'or, ont constitué à tout
jamais pour moi la figure des pays où j'aimerais vivre... » (170,
Sw., I). Aussi nos impressions d'aujourd'hui qui se relient à ces
impressions d'enfance ont « des assises », « de la profondeur »,
« une dimension de plus » que les autres. Marcel vieilli essaie
un jour de retrouver au bois le plaisir qu'il avait dans sa jeunesse
à voir passer les élégantes. Mais celles d'aujourd'hui lui apparaissent comme « des femmes quelconques » en l'élégance desquelles il n'a plus foi (p. 188 *Sw.*, II).

Les croyances, d'autre part, sustentent nos passions sans que
nous en prenions conscience : « Dans les personnes que nous
aimons il y a, immanent à elles, un certain rêve que nous ne
savons pas toujours discerner mais que nous poursuivons. C'était
ma croyance en Bergotte, en Swann qui m'avait fait aimer Gilberte, ma croyance en Gilbert le Mauvais qui m'avait fait aimer
Madame de Guermantes. Et quelle large étendue de mer avait
été réservée dans mon amour, même le plus douloureux, le plus

---

1) Nous avons déjà signalé ce réalisme « puéril » à propos de
la psychologie de l'amour.

jaloux, le plus individuel semblait-il, pour Albertine ». (p. 198,
T.R., I). Il est des cas qu'on n'élucidera peut-être jamais : « Ce
désir que réveille chaque fois la vue d'une écuyère, qui dira
jamais à quel rêve durable et inconscient il est lié, inconscient et
aussi mystérieux que l'est par exemple pour quelqu'un qui avait
souffert toute sa vie de crise d'asthme, l'influence d'une certaine
ville, en apparence pareille aux autres et où pour la première fois,
il respire librement ». (p. 199 T.R., I). De même dans les aberrations les plus graves de M. de Charlus, il y a, immanent, nous
l'avons vu, un certain rêve de virilité et de vie moyenâgeuse. Et
Proust n'hésite pas à affirmer que son désir d'être enchaîné,
d'être frappé, trahissait dans sa laideur « un rêve aussi poétique
que chez d'autres le désir d'aller à Venise ou d'entretenir des
danseuses ».

Le rôle de la croyance dans la vie affective est, on le voit,
considérable. Il vient compléter celui des personnalités dont nous
parlions plus haut. De même que ces dernières constituent des
registres de sensibilité différents qui nous permettent de sentir
différemment, de même les croyances constituent en nous non
seulement des lieux de repos indispensables à l'âme, mais aussi
des sortes de pôles magnétiques sources de sensibilité, ou, si l'on
veut encore, les toiles de fond de notre vie intérieure sur lesquelles se détachent et prennent une « valeur » les phénomènes
affectifs ou intellectuels conscients. A notre insu, par une action
comparable à l'action physique de la pression atmosphérique, les
croyances donnent, en effet, sa tonalité à notre vie de chaque
jour, son originalité morale et nous font passer du sourire à
l'orage (A.d., I, 115). Elles ont donc le rapport le plus direct
avec nos joies, nos douleurs, et avec notre humeur. Et cela tient
à ce qu'elles sont véritablement créatrices de « réalité », de cette
réalité souvent seulement subjective à laquelle seule s'attachent
nos joies et nos douleurs. Elles font « la valeur ou la nullité des
êtres », « l'ivresse ou l'ennui de les voir » (A.d., I, 49). Et elles
ont plus d'importance pour notre bonheur que tel être que nous
voyons « ... car c'est à travers elles que nous le voyons, ce sont
elles qui assignent sa grandeur passagère à l'être regardé » (A l'.,
II, 221) (1).

Les effets de la croyance sont analogues à ceux des inter-

---

1) Du reste, si l'action des croyances sur notre vie affective est
très grande, la vie affective à son tour agit efficacement sur nos
croyances. C'est même elle qui les engendre, en particulier le désir...
« et si nous ne nous en rendons pas compte d'habitude, c'est que
la plupart des désirs créateurs de croyance, ne finissent... qu'avec
nous-même » (A. d., II, 87).

mittences du cœur. Dans un cas comme dans l'autre notre sensibilité s'éveille ; les choses prennent pour nous de la densité ; le fond de l'être retentit et s'émeut ; l'homme abstrait, que nous étions jusqu'alors, disparaît et fait place à un être concret. Il y a, en somme, en nous, un registre de vie intense, qui, douloureux ou agréable, diffère complètement du registre habituel morne et terne. Cette découverte est pour Marcel Proust grosse de conséquences ainsi que nous le verrons dans son esthétique.

Bergson fait une distinction analogue dans sa philosophie entre ce qu'il appelle le moi profond et le moi superficiel. Mais il y a entre la conception de Bergson et les descriptions de Proust, des différences considérables. Le moi profond du premier est le moi non déformé par l'expression et irréductible au langage. Il tend à l'inconscience. Au contraire pour le second, nous le verrons plus loin, le moi profond n'est nullement réfractaire à l'expression. Il présente même souvent le caractère inverse. Etat fort et riche, il appelle l'expression. Pour Bergson encore, le moi profond est constamment à notre disposition, constamment présent en nous et même constamment agissant. Il ne dépend pas de notre volonté, au contraire, selon Proust, de susciter tel ou tel moi ou d'avoir telle ou telle croyance. Chez Bergson, enfin, l'opposition entre les deux « moi » se résout dans une opposition entre l'instinct et l'intelligence, le senti et le compris. Chez Proust la vie « abstraite » et la vie « concrète » ne diffèrent entre elles que comme deux modes de la sensibilité.

L'INCONSCIENT ET LE LANGAGE

Ces personnalités diverses et intermittentes que nous recélons en nous, ces croyances qui nous habitent et font varier la lumière dans notre « ciel moral » (T.R., II, 257), tout cela constitue une bonne part de notre vie intérieure, mais d'une vie intérieure inconsciente. Ce sont ces régions qu'il faut explorer pour connaître l'homme, et elles sont l'objet de prédilection de la recherche de Proust.

« Je vois clairement les choses dans ma pensée, jusqu'à l'horizon. Mais celles-là seules qui sont de l'autre côté de l'horizon, je m'attache à les décrire », écrit-il dans ses Carnets publiés par le FIGARO LITTÉRAIRE (25-11-1939). Le contenu de la conscience claire s'explique par les relations nombreuses et constantes qu'il a avec ce monde inconscient des croyances, des habitudes, des « moi » passés.

C'est ce que révèle bien, en particulier, l'étude du langage. Ce dernier est un produit d'une foule de facteurs qui restent cachés en nous, cachés aux autres et le plus souvent à nous-mêmes. Mais pour qui sait l'analyser, le langage est révélateur de nos intentions réelles et de nos désirs profonds. Lorsqu'un de ses personnages vient de parler, Proust se livre généralement à une analyse de ses propos non seulement pour savoir s'ils sont sincères, mais s'ils ne révèlent pas involontairement l'intention de cacher quelque chose et quoi. Mais surtout il découvre que nos propos sont l'indice d'événements ou de changements que nous ignorons nous-mêmes. « J'avais suivi dans mon existence, dit-il, une marche inverse de celle des peuples qui ne se servent de l'écriture phonétique qu'après avoir considéré les caractères que comme une suite de symboles ; moi qui pendant tant d'années n'avais cherché la vie et la pensée réelles des gens que dans l'énoncé direct qu'ils m'en fournissaient volontairement, par leur faute, j'en étais arrivé à ne plus attacher, au contraire, d'importance qu'aux témoignages qui ne sont pas une expression rationnelle et analytique de la vérité ; les paroles elles-mêmes ne me renseignaient qu'à la condition d'être interprétées à la façon d'un afflux de sang à la figure d'une personne qui se trouble, à la façon d'un silence subit. Tel adverbe (par exemple employé par M. de Cambremer quand il croyait que j'étais « écrivain » et que n'ayant pas encore parlé, racontant une visite qu'il avait faite aux Verdurin, il s'était tourné vers moi en disant : Il y avait *justement* de Borelli) jailli dans une conflagration par le rapprochement involontaire, parfois périlleux, de deux idées que l'interlocuteur n'exprimait pas et duquel par telles méthodes d'analyse ou d'électrolyse appropriées, je pouvais les extraire, m'en disait plus long qu'un discours ».

« Albertine laissait parfois traîner dans ses propos tel ou tel de ces précieux amalgames que je me hâtais de « traiter » pour les transformer en idées claires. C'est du reste une des choses les plus terribles pour l'amoureux que si les faits particuliers... sont si difficiles à trouver, la vérité en revanche est si facile à percer ou seulement à pressentir » (p. 118-119, *Pr.*, I).

Nous n'insisterons pas sur ces « traitements ». Ils sont d'une profondeur psychologique et d'une ingéniosité remarquables. Mais ils se ressemblent et cette question a du reste déjà été traitée par L. P.-Quint dans son *Marcel Proust,* auquel nous renvoyons. Un exemple peut faire deviner tous les autres : « ... certaines manières de parler d'Albertine me faisaient supposer — je ne sais pourquoi — qu'elle avait dû recevoir dans sa vie encore

si courte beaucoup de compliments, de déclarations, et les recevoir avec plaisir, autant dire avec sensualité. Ainsi, elle disait, à
propos de n'importe quoi « C'est vrai ? c'est bien vrai ? ». Certes, si elle avait dit comme une Odette : « C'est bien vrai ce
mensonge-là ! », je ne m'en fusse pas inquiété, car le ridicule
de la formule se fût expliqué par une stupide banalité d'esprit de
femme. Mais son air interrogateur : « c'est vrai ? » donnait
d'une part l'étrange impression d'une créature qui ne peut se
rendre compte des choses par elle-même, qui en appelle à votre
témoignage, comme si elle ne possédait pas les mêmes facultés
que vous (on lui disait : « Voilà une heure que nous sommes partis » ou « Il pleut », elle demandait « C'est vrai ? »). Malheureusement, d'autre part, ce manque de facilité à se rendre compte
par soi-même des phénomènes extérieurs ne devait pas être la
véritable origine de « C'est vrai ? C'est bien vrai ? » Il semblait
plutôt que ces mots eussent été, dès sa nubilité précoce, des
réponses à des « Vous savez que je n'ai jamais trouvé une personne aussi jolie que vous ». « Vous savez que j'ai un grand
amour pour vous, que je suis dans un état d'excitation terrible !».
Affirmations auxquelles répondaient, avec une modestie coquettement consentante, ces « C'est vrai ? C'est bien vrai ? »,
lesquels ne servaient plus à Albertine avec moi qu'à répondre par
une question à une affirmation telle que : « Vous avez sommeillé
plus d'une heure ». « C'est vrai ? » (*Pr.*, I, 25-26).

Il faut cependant ajouter à cet exemple quelques exemples
importants que L. P.-Quint ne donne pas. D'abord *G.*, I, 183 :
Legrandin est fort confus, lui qui tonne toujours contre les
snobs, d'être rencontré par Marcel chez Mme de Villeparisis. Au
« Eh bien, Monsieur, je suis presque excusé d'être dans un
salon puisque je vous y trouve » de ce dernier, il répond :
« Vous pourriez avoir la politesse de commencer par me dire
bonjour », d'une voix « rageuse et vulgaire », que le narrateur ne
lui soupçonnait pas, « et qui, nullement en rapport avec ce qu'il
disait d'habitude, en avait un autre plus immédiat et plus saisis-
sant avec quelque chose qu'il éprouvait ». Et Proust de s'expliquer : « C'est que, ce que nous éprouvons, comme nous sommes
décidés à toujours le cacher, nous n'avons jamais pensé à la façon
dont nous l'exprimerions. Et tout d'un coup, c'est en nous une
bête immonde et inconnue qui se fait entendre, etc... » —
G., I, 211-212 : Lorsque M. de Guermantes emploie avec
emphase l'expression « *quand on s'appelle* marquis de Saint-
Loup », deux lois du langage, selon Proust, lui sont applicables.
L'une veut « ...qu'on s'exprime comme les gens de sa caste

mentale et non de sa caste d'origine ». Or la caste mentale du
duc est celle d'un petit bourgeois, auquel le « quand on s'appelle » convient parfaitement. L'autre loi est que naissent de
temps à autre, on ne sait comment, « ...des modes d'expressions
qu'on entend dans la même décade dites par des gens, qui ne se
sont pas concertés pour cela ». — *Pr.*, I, 52-53 : Le même duc
de Guermantes « chose assez particulière », ne peut, depuis son
échec à la présidence du Jockey, s'empêcher d'employer dès
qu'on parle de l'affaire Dreyfus de l'expression « bel et bien ».
— « Affaire Dreyfus, affaire Dreyfus, c'est bientôt dit et le
terme est impropre ; ce n'est pas une affaire de religion, mais
bel et bien une affaire politique ». — *Pr.*, I, 122 : « Il serait
possible que j'aille demain chez les Verdurin, déclare Albertine,
je ne sais pas du tout si j'irai, je n'en ai guère envie ».
Anagramme enfantin, remarque Proust, de cet aveu : « J'irai
demain chez les Verdurin, c'est absolument certain, car j'y
attache une extrême importance ». L' « hésitation apparente »
d'Albertine signifiait « une volonté arrêtée » et avait pour but de
diminuer l'importance de la visite tout en l'annonçant à Marcel.
— *Pr.*, II, 14-15 : « — Il y a longtemps que vous l'avez vu ?
demandai-je à M. de Charlus pour avoir l'air, à la fois, de ne
pas craindre de lui parler de Morel et de ne pas croire qu'il
vivait complètement avec lui — Il est venu par hasard cinq
minutes ce matin pendant que j'étais encore à demi endormi,
s'asseoir sur le coin de mon lit, comme s'il voulait me violer.
J'eus aussitôt l'idée que M. de Charlus avait vu Charlie il y a
une heure, car quand on demande à une maîtresse, quand elle
a vu l'homme qu'on sait — et qu'elle suppose peut-être qu'on
croit — être son amant, si elle a goûté avec lui, elle répond : —
Je l'ai vu un instant avant de déjeuner — *T.R.*, I, 175-176 :
Deux personnages élégants hésitent à entrer dans le fort suspect
hôtel de Jupien. L'un dit : « Quoi ! après tout on s'en fiche ! ».
« C'était, ce « après tout on s'en fiche », dit Proust, un exemplaire entre mille de ce magnifique langage, si différent de celui
que nous parlons d'habitude, et où l'émotion fait dévier ce que
nous voulions dire et épanouir à la place une phrase toute autre,
émergée d'un lac inconnu où vivent des expressions sans rapport
avec la pensée et qui par cela même la révèlent ». — Lorsque
Albertine est surprise dans une situation scabreuse en compagnie
de Marcel par Françoise, elle veut prévenir ce dernier qui n'a
pas vu la domestique entrer, et lui dit : « Tiens, voilà la belle
Françoise ! ». Françoise qui ne se serait sans doute aperçue
de rien, car elle n'y voyait pas très clair, fut intriguée par ces

mots si anormaux de « belle Françoise », « elle les sentit cueillis
au hasard par l'émotion, n'eut pas besoin de regarder rien pour
comprendre tout, etc... ».

Ainsi le langage trahit la présence d'éléments que nous
dissimulons ou qui sont inconscients.

Mais la méconnaissance de soi-même est bien plus étendue
encore. On peut même dire que jamais le contenu de notre
claire conscience ne nous apporte un témoignage digne de foi
sur ce qui se passe en nous. Il doit toujours être interprété :
« Comme ces malaises dont le médecin écoute son malade lui
raconter l'histoire et à l'aide desquels, il remonte à une cause
plus profonde ignorée du patient, de même nos impressions, nos
idées, n'ont qu'une valeur de symptômes » (12, *A. d.*, II).

La cause la plus générale de l'erreur c'est le manque d'attention aggravé par ce facteur positif, la paresse. Si certaines
idées, certaines sensations, certains sentiments peuvent venir
fausser nos pensées et nos décisions, c'est que le champ de notre
conscience est limité, et d'autant plus limité que nous fuyons
davantage l'effort.

Nous sommes, dit Proust, des êtres « centrifuges », c'est-
à-dire que nous vivons à la surface de nous-même, sollicités par
une vie facile de plaisirs (209, *A l'.*, I). Il suffit souvent, d'un
effort d'attention pour déceler les idées inconnues qui nous meu-
vent, ou de mettre de l'ordre dans nos concepts pour faire apparaître leur vraie figure... Ainsi, remarque Proust peut-être Swann
savait-il « ...que la générosité n'est souvent que l'aspect intérieur que prennent nos sentiments égoïstes quand nous ne les
avons pas encore nommés et classés » (61, *A l'.*, I). Mais, outre
la paresse, de nombreux autres facteurs (intérêt, imagination,
etc...) concourent à la méconnaissance de soi. Nous allons les
étudier et nous verrons comment un grand nombre d'erreurs
s'expliquent à la lumière de la conception de la vie intérieure
telle que la conçoit Proust — et, en particulier, comment le
caractère à la fois mouvant et discursif, discontinu, de cette vie,
par quoi se manifeste l'existence du Temps, rend compte de
nos plus graves et de nos plus fréquentes illusions.

*
* *

L'INTÉRÊT

Il faut prendre le terme intérêt, bien entendu, dans un sens
très large. Il s'applique, par exemple, à Swann qui ne se rend
jamais compte à quel point il aime Odette et qui ne veut pas

s'en rendre compte, se l'avouer (c'est même tout son amour que
de ne pas vouloir aimer), car il voit dans cette passion non seulement une source de souffrance, mais une sorte de déchéance.
Il attribuera longtemps le plaisir qu'il éprouve à se trouver auprès
d'Odette à l'excellence de son thé, au confort de son boudoir,
à tout, sauf à la vraie cause, son amour. Cet intérêt à se
méconnaître est encore plus vif lorsqu'il s'agit de tares, de
choses honteuses. Nous allons y venir. Auparavant notons qu'il
y a une faculté qui est extrêmement habile à servir cet intérêt,
l'imagination. Elle joue un grand rôle dans la psychologie proustienne. Très sensible aux sollicitations les plus grossières de nos
désirs, elle possède le merveilleux pouvoir de camoufler la
réalité cruelle. Cette action curieuse de l'imagination, Proust l'a
notée à maintes reprises. Elle est complètement inconsciente, car
elle est masquée par les « raisons » que l'imagination invente
elle-même. A Swann par exemple, ses multiples capitulations
devant les exigences d'Odette n'apparaissent jamais comme
telles, parce que son imagination leur trouve toujours spontanément des excuses. Quant à Odette (bien que par une idée incomplète), elle ne se trompait jamais, et « ...de même qu'elle avait
cru que son refus d'argent n'était qu'une feinte, ne voyait qu'un
prétexte dans le renseignement que Swann venait lui demander,
sur la voiture à repeindre, ou la valeur à acheter. Car elle ne
reconstituait pas les diverses phases de ces crises qu'il traversait
et dans l'idée qu'elle s'en faisait, elle omettait d'en comprendre
le mécanisme, ne croyant qu'à ce qu'elle connaissait d'avance,
à la nécessaire, à l'infaillible et toujours identique terminaison »
(85, *Sw.*, II) (1).

Ce travail de l'imagination, nous le retrouvons chez Legrandin. Legrandin condamne énergiquement le snobisme. Pourtant
Legrandin est snob : « Et certes, cela ne voulait pas dire que
Legrandin ne fût pas sincère quand il tonnait contre les snobs.
Il ne pouvait pas savoir, au moins par lui-même qu'il le fût,
puisque nous ne connaissons jamais que les passions des autres,
et ce que nous arrivons à savoir des nôtres, ce n'est que d'eux
que nous avons pu l'apprendre. Sur nous, elles n'agissent que
d'une façon seconde par l'imagination qui substitue aux premiers
mobiles, des mobiles de relais qui sont plus décents. Jamais le
snobisme de Legrandin ne lui conseillait d'aller voir souvent une
duchesse. Il chargeait l'imagination de Legrandin de lui faire

---

1) Cf. aussi p. 57, *T.R.*, I : « Ces paroles qui auraient dû coûter
à la fierté de la patronne si elles ne lui avaient pas été dictées par
son imagination ».

apparaître cette duchesse comme parée de toutes les grâces.
Legrandin se rapprochait de la duchesse, s'estimant de céder à
cet attrait de l'esprit et de la vertu qu'ignorent les infâmes
snobs. Seuls les autres savaient qu'il en était un ; car grâce à
l'impossibilité où ils étaient de comprendre le travail intermédiaire de son imagination, ils voyaient en face l'une de l'autre
l'activité mondaine de Legrandin et sa cause première » (121,
Sw., I).

Le cas de l'égoïste et crapuleux Morel n'est pas moins
caractéristique : « Chez Morel, presque toute chose qui lui était
agréable ou profitable éveillait des émotions morales et des paroles de même ordre, parfois même des larmes. C'est donc sincè-
rement — si un pareil mot peut s'appliquer à lui — qu'il tenait
à la nièce de Jupien des discours aussi sentimentaux... Dès que
la personne ne lui causait plus de plaisir ou même par exemple
si l'obligation de faire face aux promesses faites lui causait du
déplaisir, elle devenait aussitôt de la part de Morel l'objet d'une
antipathie qu'il justifiait à ses propres yeux, et qui, après quelques troubles neurasthéniques, lui permettait de se prouver à
lui-même, une fois l'euphorie de son système nerveux recon-
quise, qu'il était, en considérant même les choses d'un point
de vue purement vertueux, dégagé de toute obligation » (69,
Pr., I). Cette fois l'intermédiaire, le mobile de relai, n'est plus
seulement l'imagination, mais une crise nerveuse, un accident
physiologique, tendancieusement interprété.

Ces cas de Legrandin et de Morel sont les mieux analysés
par Proust, et ils présentent le caractère essentiel et profondément humain de tous les personnages de la *Recherche du Temps
Perdu,* l'inconscience dans l'erreur et dans le vice.

Legrandin comme Morel se trompent eux-mêmes. Leur
inconscience n'est peut-être pas absolue, car pour se tromper il
faut quand même se connaître un peu. Mais cette inconscience
est suffisante pour leur rendre le vice supportable. Si l'on en juge
par ces deux exemples, l'inconscience semble inversement proportionnelle à la qualité morale des sujets. Chez Legrandin, produite par le détour d'un travail imaginatif plus subtil, elle paraît
plus profonde que chez l'infâme Morel satisfait à peu de frais
par une auto-complaisance sommaire.

Les facteurs inconscients qui faussent nos jugements sont
innombrables puisque le simple voisinage d'une idée ignorée ou
d'une sensation avec notre pensée consciente peut suffire à nous
induire en erreur. C'est de cette façon-là que s'expliquent ces
transports d'affection qu'on se figure éprouver pour quelqu'un

et qui ne sont dus qu'à une exaltation momentanée produite
elle-même par une cause étrangère, physiologique ou autre. Les
Guermantes sont particulièrement sujets à ce genre de transports.
Ils font souvent croire par leurs paroles chaleureuses qu'ils ont
une grande amitié pour leurs interlocuteurs. Mais le lendemain
il n'y paraît déjà plus et celui qui s'était cru particulièrement
apprécié par eux est, par contraste surtout, tout surpris de leur
froideur (p. 208, G., II).

L'erreur, remarquons-le, dans ce cas, est produite directement, sans travail de l'imagination, par un vice d'interprétation
qui n'est pas absolument absurde et qui vient de ce que certains
effets peuvent avoir des causes différentes. Par exemple, encore,
Marcel se promenant un jour au Bois, se figure qu'un vague
plaisir qu'il ressent vient du souvenir de promenades semblables
qu'il a faites jadis en compagnie d'Albertine. Mais bientôt il
s'aperçoit que c'est une erreur, et que ce plaisir est dû aux
désirs inconscients que suscitent en lui les femmes qui passent
(12, A.d., II). Il y a même des gens qui interprètent toutes
leurs impressions de travers. C'est le cas d'Albertine dont
l'amour est stimulé par le visage fraîchement rasé de Marcel :
« Elle était de ces femmes qui ne savent pas démêler la raison
de ce qu'elles ressentent. Le plaisir que leur cause un teint frais,
elles l'expliquent par les qualités morales de celui qui leur
semble pour leur avenir présenter une possibilité de bonheur,
capable du reste de décroître et de devenir moins nécessaire au
fur et à mesure qu'on laisse croître sa barbe » (23, Pr., I). Tous
ces cas sont extrêmement généraux et il est inutile d'insister sur
leur importance psychologique.

★
★ ★

L'ILLUSION ET LE NOM

Il est une autre sorte d'erreur non moins fréquente que
la précédente, et dont l'explication réside tantôt dans le jeu plus
ou moins inconscient de l'imagination, tantôt aussi dans la structure discontinue de notre vie mentale. C'est l'illusion ou la
désillusion.

En outre intervient ici un facteur original qui est le nom,
et dont l'action a été longuement analysée par Proust (1).

---

1) Nous avons déjà marqué l'importance du nom dans notre §
sur la perception.

Les noms sont les supports par excellence de l'illusion. Les noms de pays par exemple, exaltent, d'abord l'idée que nous nous faisons de certains lieux de la terre en les rendant plus particuliers et par conséquent plus réels (*Sw.*, II, 154). Pour qu'une chose, en effet, nous procure du plaisir, il faut que nous la considérions comme réelle, c'est-à-dire qu'elle entraîne la croyance. Tel est l'effet des noms. Le plaisir est même proportionnel au degré de cette impression de réalité, à la force de cette croyance. Aussi tout ce qui pourra augmenter cette dernière ne fera qu'accroître notre plaisir : « ...c'est ce qui me rappelait la réalité de ces images qui enflammait le plus mon désir, parce que c'était comme une promesse qu'il serait contenté. Et, bien que mon exaltation eût pour motif un désir de jouissance artistique, les guides l'entretenaient encore plus que les livres d'esthétique et, plus que les guides l'indicateur des chemins de fer » (p. 158). Le jeune Marcel se dispose à partir à Venise ; et lorsque son père lui dit : « Il doit faire encore froid sur le Grand-Canal, tu ferais bien de mettre à tout hasard dans ta malle ton pardessus d'hiver et ton veston », il s'élève à « une sorte d'extase » et finit par tomber malade.

Mais fâcheuse contre-partie, les couleurs dont nous peignons une ville ou une personne, en nous basant sur la seule connaissance du nom, sont bien différentes des couleurs réelles que l'expérience nous révèle plus tard. En effet, « ...les noms présentent des personnes — des villes qu'ils nous habituent à croire individuelles, uniques comme des personnes — une image confuse qui tire d'eux, de leur sonorité éclatante ou sombre la couleur dont elle est peinte uniformément... » (p. 154) (1). Aussi les noms nous trompent, d'abord, parce qu'ils nous font paraître la réalité, en quelque sorte, plus réelle qu'elle ne nous paraîtra lorsque nous la percevrons au moyen de nos sens (2). Ils nous trompent, ensuite, parce qu'ils sont « ...des dessinateurs fantaisistes, nous donnant des gens et des pays des croquis si peu ressemblants que nous éprouvons souvent une sorte de stupeur quand nous avons devant nous au lieu du monde imaginé le monde visible... » (*A l'.*, I, 111), parce qu'ils sont des « refuges » dans lesquels nous enfermons les aspirations de notre imagination, dans lesquels nous accumulons du rêve. (*Sw.*, II,

---

1) De même Marcel se fait une idée de Bergotte et notamment de son physique d'après ses livres.

2) Pour Marcel Proust le monde visible « ...n'est pas le monde vrai » (*A l'.*, I, 111). Nous verrons plus loin ce qu'est pour lui le monde vrai.

156). Enfin, les images qu'ils évoquent sont non seulement trop particulières, trop idéales, trop belles, elles sont encore trop simplifiées : « ...les noms ne sont pas très vastes; c'est tout au plus si je pouvais y faire entrer deux ou trois des « curiosités » principales de la ville et elles s'y juxtaposaient sans intermédiaires » (p. 156). Peut-être même, ajoute Proust, la simplification de ces images fut-elle une des causes de l'empire qu'elles prirent sur moi... »

LA DÉCEPTION ET SES CAUSES

La réalité n'a pas grand mal à jeter bas ces merveilleux châteaux de cartes de l'imagination. Entre la réalité, entre la perception et l'imagination il y a même une antinomie irréductible. Les choses n'ont d'attraits pour nous que lorsque projetées dans le vide idéal de l'imagination, « elles sont soustraites à la submersion alourdissante, enlaidissante du milieu vital » (A.d., I, p. 148). La vie vécue est terne, constate Proust, quand elle n'est pas fort ennuyeuse. Dès qu'au lieu d'imaginer, nous vivons, nous percevons, nous sommes soumis aux multiples et désagréables sollicitations du milieu vital. Par contre, l'imagination paraît libre; elle paraît plus riche aussi, tandis que la réalité est pauvre puisqu'elle n'a qu'une figure. De l'imagination à la perception de la réalité il y a nécessairement une chute qui est la déception ou la désillusion. Les exemples abondent dans l'œuvre de Proust. C'est d'abord la déception du jeune Marcel en présence de l'église de Balbec à laquelle il avait tant rêvé et dont il avait même vu des photographies : « Comme un jeune homme, dit-il, un jour d'examen ou de duel trouve le fait sur lequel on l'a interrogé, la balle qu'il a tirée, bien peu de chose quand il pense aux réserves de science et de courage qu'il possède et dont il aurait voulu faire preuve, de même mon esprit qui avait dressé la vierge du Porche hors des reproductions que j'avais eues sous les yeux, inaccessible aux vissicitudes qui pouvaient menacer celles-ci, intacte si on les détruisait, idéale, ayant une valeur universelle, s'étonnait de voir la statue qu'il avait mille fois sculptée réduite maintenant à sa propre apparence de pierre, occupant par rapport à la portée de mon bras une place où elle avait pour rivales une affiche électorale et la pointe de ma canne... » (210. A l'., I).

La photographie de la grande actrice, la Berma le déçoit également et pour la même raison : « Les innombrables admirations qu'excitait l'artiste donnaient quelque chose d'un peu pauvre à ce visage unique qu'elle avait pour y répondre, immuable et précaire comme ces vêtements des personnes qui n'en ont pas de rechange, et où elle ne pouvait exhiber toujours que le petit pli au-dessus de la lèvre supérieure, le relèvement des sourcils, quelques autres particularités physiques toujours les mêmes qui, en somme, étaient à la merci d'une brûlure ou d'un choc » (7, *A l'.*, I). C'est sans doute pour la même raison que nous croyons difficilement aux vices, et qu'inversement nous ne croyons jamais au génie d'une personne avec qui nous sommes allés la veille à l'Opéra (p. 33, *Pr.*, 2). Et c'est même en partie pour ce motif que le visage de M. de Charlus, inverti incurable, « loin de répandre dissipait les mauvais bruits » (p. 33).

Nos idées du vice et du génie n'ont pas de commune mesure avec la réalité. Aussi cette dernière ne leur ressemble-t-elle jamais.

L'imagination nous paraît plus riche que la réalité, mais sa richesse, remarquons-le, est toute virtuelle. La déception donne l'impression d'une contraction brusque de tous les possibles en une réalité limitée et inchangeable. Mais au fond, c'est la réalité qui est riche. Nous avons vu plus haut que l'imagination ne nous donnait qu'une image simplifiée des choses. C'est la réalité qui est complexe et l'indéfini qui est pauvre. Toutefois, nous ne percevons pas cette richesse du réel. Pour qu'une telle perception fût possible. il faudrait, semble-t-il, que l'imagination pût s'appliquer au réel. Une telle opération est-elle réalisable ? C'est ce que nous verrons plus tard.

Il y a également le cas où la désillusion a pour origine l'action inaperçue, donc inconsciente, de sensations ou d'idées sur le contenu de la conscience. Dans ces cas très graves et très remarquables, l'erreur est totale. Par exemple, il arrive, lorsque Marcel rêve à Venise, que certaines sensations présentes auxquelles il ne prend pas garde (on est au printemps) déteignent sur cette idée de Venise : « Sans doute si alors j'avais fait moi-même plus attention à ce qu'il y avait dans ma pensée quand je prononçais les mots « aller à Florence, à Parme, à Pise, à Venise » je me serais rendu compte que ce que je voyais n'était nullement une ville, mais quelque chose d'aussi différent de tout ce que je connaissais, d'aussi délicieux que pourrait être pour une humanité dont la vie se serait toujours écoulée dans les fins d'après-midi d'hiver, cette merveilleuse inconnue : une matinée de printemps » (*A l'.*, II, p. 157). Une idée peut avoir le même effet contagieux. En voici un exemple. L'illusion ici est rétrospective, mais le phénomène n'en est pas moins caractéristique. Marcel qui a été déçu par le talent de la Berma se prend à l'admirer en lisant certaines phrases élogieuses dans un journal : « Dès que mon esprit eut conçu cette idée nouvelle de « la plus pure et la plus haute manifestation d'art », celle-ci se rapprocha du plaisir imparfait que j'avais éprouvé au théâtre, lui ajouta un peu de ce qui lui manquait et leur réunion forma quelque chose de si exaltant que je m'écriai : « Quelle grande artiste ! » Sans doute, on peut trouver que je n'étais pas absolument sincère. Mais qu'on songe plutôt à tant d'écrivains qui, mécontents du morceau qu'ils viennent d'écrire, s'ils lisent un éloge du génie de Châteaubriand où évoquent tel grand artiste dont ils ont souhaité d'être égal, fredonnant par exemple telle phrase de Beethoven de laquelle ils comparent la tristesse en eux-mêmes à celle qu'ils ont voulu mettre dans leur prose, se remplissent tellement de cette idée de génie qu'ils l'ajoutent à leurs propres productions en pensant à elles, ne les voient plus telles qu'elles leur étaient apparues d'abord et risquant un acte de foi dans la valeur de leur œuvre se disent : « Après tout », sans se rendre compte que dans le total qui détermine leur satisfaction finale, ils font entrer le souvenir de merveilleuses pages de Châteaubriand, qu'ils assimilent aux leurs, mais enfin qu'ils n'ont pas écrites ; qu'on se rappelle tant d'hommes qui croient en l'amour d'une maîtresse de qui ils ne connaissent que les trahisons ; tous ceux qui espèrent alternativement soit une survie incompréhensible dès qu'ils pensent, maris inconsolables, à une femme qu'ils ont perdue et qu'ils aiment encore, artistes, à la gloire future de laquelle ils pourront jouir, soit un néant rassurant quand leur intelligence se rapporte au contraire aux fautes que sans lui ils auraient à expier après leur mort (1) ; qu'on pense encore aux touristes qu'exalte la beauté d'ensemble d'un voyage dont jour par jour ils n'ont éprouvé que de l'ennui, et *qu'on dise, si dans la vie en commun que mènent les idées, au sein de notre esprit, il est une seule de celles qui nous rendent le plus heureux qui n'ait été d'abord en véritable parasite*

---

1) Ces trois derniers exemples sont relatifs à l'intérêt. (Voir encore : 31-32, *A. d.*, I, à propos du départ, qu'il suppose simulé, d'Albertine : « L'hypothèse de la simulation me devenait d'autant plus nécessaire qu'elle était plus improbable et gagnait en force ce qu'elle perdait en vraisemblance. Quand on se voit au bord de l'abime et qu'il semble que Dieu vous ait abandonné, on n'hésite plus à attendre de lui un miracle »).

*demander à une idée étrangère et voisine le meilleur de la force
qui lui manquait »* (*A l'.*, I, 51-52) (1).

Dans Swann I, d'ailleurs, (p. 83) Proust avait déjà noté :
« On cherche à retrouver dans les mêmes choses, devenues par
là précieuses, le reflet que notre âme a projeté sur elles, on est
déçu en constatant qu'elles semblent dépourvues dans la nature
du charme qu'elles devaient dans notre pensée au voisinage de
certaines idées ». Proust explique donc la déception par le fonc-
tionnement de notre imagination et de notre esprit en général.
Il y a en nous toutes sortes de facteurs : sentiments, sensations
inconscientes, toutes sortes d'intérêts qui agissent sur nos pensées sans que nous nous en rendions compte et qui nous font
concevoir des désirs irréalisables (2).

Nous sommes le principal responsable de ces erreurs, que
nous éviterions si nous savions nous analyser. Il est vrai que
cette analyse est presque impossible et que c'est après coup
seulement que nous pouvons nous rendre compte des causes de
nos illusions. Du reste ne serons-nous pas toujours et nécessairement déçus ? La vie intérieure, nous l'avons vu, est une succession ininterrompue de « moi » différents, chacun ayant son
domaine, sa tonalité originale. Or si nos désirs portent le reflet
de l'instant où nous les avons conçus, de l'état d'âme passager
qui était le nôtre, il est inévitable que, dans celui des instants
suivants où nous espérions réaliser ces désirs, la perception nous
apporte une désillusion. Ce nouvel instant sera en effet bien
différent de tous ceux qui l'auront précédé où plutôt dans ce
nouvel instant nous ne serons déjà plus tout à fait le même
homme. Les désirs sont irréalisables parce que notre vie n'est ni
immobile, ni réversible. Pour retrouver cette Venise que nous
avions imaginée, ce n'est pas un voyage dans l'espace qu'il faudrait effectuer mais un voyage à reculons dans le temps. Le principe du regret est le même. Il n'a pas plus de fondement que
les châteaux en Espagne car il n'est jamais, quoi que nous
pensions, le regret d'un être ou de quelque chose, mais le regret
d'un certain instant. « Il y aurait donc contradiction, dit Proust,
à chercher dans la réalité les tableaux de la mémoire, auxquels
manquerait toujours le charme qui leur vient de la mémoire »

---

1) C'est nous qui soulignons.

2) Pour expliquer cette action des idées les unes sur les autres
il faut que celles-ci soient douées d'un certain dynamisme. C'est
l'hypothèse des « idées forces » de Fouillée, que de grands psychologues comme Spinoza ont fortement postulée bien avant lui, du reste.
Elle semble nécessaire pour expliquer l'inconscient.

(1). Les lieux que nous avons connus « ...n'étaient qu'une mince tranche au milieu d'impressions contiguës qui formaient notre vie d'alors ». Le principe de toutes ces illusions c'est qu'on ne remarque pas que les choses appartiennent plus au temps qu'à l'espace où nous les situons seulement par commodité. (189-190, *Sw.*, II).

Ajoutons pour en terminer avec ce qui concerne le passé, cette illusion qui fait que les événements d'autrefois nous semblent posséder un « fini » dont ne jouit pas le présent. Illusion encore, puisque cette perfection nous ne la discernons jamais qu'après coup : « ...car tout événement est comme un moule d'une forme particulière, et, quel qu'il soit, il s'impose à la série des faits qu'il est venu interrompre et semble en conclure un dessin que nous croyons le seul possible parce que nous ne connaissons pas celui qui eût pu lui être substitué » (*A.d.*, I, 149). L'optimisme, dit encore Proust, est la philosophie du passé (161, *A.d.*, II).

*
* *

Attachons-nous maintenant aux illusions qui concernent notre propre personnalité. Ici encore les conceptions générales exposées au commencement de ce livre expliquent les erreurs que nous commettons.

L'ILLUSION QU'ON NE CHANGE PAS

Il y a d'abord l'illusion que nous ne pouvons pas changer. C'est l'illusion qui consiste à vouloir garantir l'avenir. Or, nous changeons au cours de notre existence, nous avons à notre disposition plusieurs manières de sentir, plusieurs personnalités. Même notre vie intérieure est en transformation continuelle, et riche en nuances variées. Et pourtant lorsque nous sommes amoureux, nous nous figurons que c'est pour la vie. Illusion ! qui tient évidemment à ce que nous ne pouvons jamais imaginer l'avenir qu'en fonction du présent. Lorsque nous ne sommes pas amoureux nous n'imaginons pas davantage que nous puissions le devenir et nous avons une propension à considérer ceux qui sont en proie à une forte passion comme des gens déraisonnables, des malades. Cette illusion s'étend jusqu'à la mort : « Quand nous raisonnons sur ce qui se passe après notre mort, n'est-ce pas

---

1) Nous verrons dans le dernier livre tout le parti que tire Proust de cette observation.

nous encore vivant que par erreur nous projetons à ce moment-là ? ». « Et, continue Proust, est-il beaucoup plus ridicule en somme de regretter qu'une femme qui n'est plus rien ignore que nous ayons appris ce qu'elle faisait il y a six ans, que de désirer que de nous-même, qui serons mort le public parle encore avec faveur dans un siècle ? » (*A.d.*, I, 166-7). Voilà pourquoi notre vie qui déjà réalise rarement nos projets matériels, offre un obstacle insurmontable aux projets de notre cœur. Lorsque la personne que nous aimons nous fait souffrir nous projetons de nous venger dès que nous ne l'aimerons plus, c'est-à-dire dès qu'elle n'aura plus d'empire sur nous. Absurdité : quand nous ne l'aimerons plus, nous n'aurons plus le désir et nous ne retrouverons même plus de motif de nous venger (*A l'.*, I, 90) ! C'est la vanité qui conduisit Swann à la conquête du « Monde ». Mais son succès ne lui servit guère qu'à briller aux yeux de personnes d'humble extraction (*Sw.*, I, 178). Lorsque le même Swann épousa Odette, c'était dans l'espoir qu'il pourrait présenter sa fille Gilberte à Mme de Guermantes. Mais Swann aurait dû savoir que les tableaux qu'on se fait ne se réalisent jamais, principalement pour cette raison que : « ...quelle que soit l'image, depuis la truite à manger au coucher du soleil qui décide un homme sédentaire à prendre le train, jusqu'au désir de pouvoir étonner un soir une orgueilleuse caissière en s'arrêtant devant elle en somptueux équipage qui décide un homme sans scrupules à commettre un assassinat ou à souhaiter la mort ou l'héritage des siens, selon qu'il est plus brave ou plus paresseux, qu'il va plus loin dans la suite des idées ou reste à en caresser le premier chaînon, l'acte qui est destiné à nous permettre d'atteindre l'image, que cet acte soit le mariage, le voyage, le crime..., cet acte nous modifie assez profondément pour que nous n'attachions plus d'importance à la raison qui nous a fait l'accomplir « (p. 35-36, *A.d.*, II). C'est pourquoi Swann marié à Odette cessa de penser à Mme de Guermantes pour n'attacher d'importance qu'aux relations de sa femme et de sa fille avec une quelconque Madame Bontemps. De même, on se met au travail pour la gloire, mais le travail vous détache du même coup du désir de la gloire.

« Homme de lettres travaillant avec l'espoir de voir de temps en temps des amis, de leur paraître grand par ce qu'il fait ; puis le passé de ses amis se substitue à eux, il ne les voit jamais » (*Carnets*, « Figaro Littéraire » du 25 Novembre 1939).

Ainsi, la guérison de notre cœur, dont nous faisons la condition de la réalisation d'un projet, ou même seulement l'acte qui sert à réaliser celui-ci, rendent la plupart du temps cette réalisation impossible ou indifférente. Tel est le mécanisme de l'illusion qu'on ne change pas.

D'ailleurs, nous ne nous rendons même pas compte de cette contradiction, non seulement parce que la vie change progressivement (97, *Sw.*, II), mais surtout parce que le changement qui s'est produit en nous, fait que le cours de nos pensées lui-même change et que les idées que nous formions auparavant ne nous viennent même plus à l'esprit dans notre nouvelle situation qui a pourtant été déterminée par ces idées (36, *A.d.*, II). Le jeu incontrôlé de l'esprit nous jette infailliblement dans l'inconscience et l'erreur.

L'ILLUSION QUE L'ON CHANGE

Il y a ensuite, l'illusion non moins fréquente que nous pouvons changer. Si Proust admet que notre vie intérieure change incessamment, il postule néanmoins une certaine permanence au sein de cette instabilité. Notre caractère, en effet, ou tout au moins certains éléments de notre caractère, ne changent pas. Nous sommes bien maladroits dans nos jugements sur nous-mêmes. Là où nous changeons, nous affirmons que nous ne changeons pas, là où ne nous changeons pas, nous assurons que nous changeons ! Mais ce n'est pas un sot esprit de contradiction qui nous fait commettre ces erreurs, c'est notre nature psychologique elle-même. L'ignorance où nous sommes des éléments fondamentaux de notre caractère vient précisément de ce qu'ils sont fondamentaux; constamment présents en nous, ils deviennent inconscients. C'est ainsi que Swann, lorsqu'il essaye en vain de ne plus voir Odette pour se guérir d'elle, attribue ses capitulations à des accidents indépendants de sa volonté, non à sa faiblesse foncière. Le morphinomane se croit à chaque instant sur le point de guérir, oubliant que son caractère vaincra toujours ses bonnes résolutions. Une circonstance exceptionnelle, un duel par exemple, peut assez nous bouleverser pour nous faire croire que si nous survivons notre vie inutile sera transformée en une existence laborieuse, mais nous oublions que notre paresse est un trait de notre caractère qui prendra facilement le dessus (*Pr.*, I, 111). Enfin, dans le même ordre d'idées, Proust remarque que ce qu'on appelle expérience « ...n'est que la révélation à nos yeux d'un trait de notre caractère, qui naturellement reparaît d'autant plus fortement que nous l'avons déjà mis en lumière; pour nous-même une fois... » (34, *A.d.*, I). L'individu croit se

renouveler. Erreur ! Le plagiat humain auquel il est le plus difficile d'échapper, « c'est le plagiat de soi-même » (34) (1).

*_**

CONCLUSION :
L'INCONSCIENT ET LE TEMPS

En conclusion, l'étude de la vie intérieure, que nous
n'avons du reste pas encore épuisée dans ce chapître, nous
révèle l'importance de la structure discontinue de notre esprit et
des facteurs inconscients. L'action de ces derniers est un des
points les plus mystérieux de la psychologie de l'homme. Aussi
les remarquables découvertes de Proust sont-elles très précieuses. C'est à cause d'elles que l'on a souvent rapproché
Proust de Freud, dont les observations sur l'inconscient sont également des plus profondes. Mais Freud est plus systématique
que Proust, qui même ne l'est pas du tout. Freud, en outre est
un psychiâtre qui s'est spécialement intéressé à des anomalies
que Proust ne s'est jamais proposé d'étudier (2).

Mais il est certain que l'étude du langage et du mensonge
chez Proust rejoint celle des lapsus et des dérivations chez
Freud. Proust nous donne un certain nombre d'exemples de
refoulement aussi caractéristiques que ceux de Freud. Le plus
remarquable est celui du snobisme refoulé de Legrandin. Ce
snobisme se *sublime* chez ce personnage en son contraire, en un
idéalisme, mêlé d'une certaine amertume. L'action de l'intérêt,
caché, non reconnu, est également une forme de refoulement.
Cependant l'action des certitudes et des croyances et même de

---

1) Il y a aussi un cas où la méconnaissance de notre caractère
vient de ce que nous n'en avons jamais fait l'expérience. C'est même
un cas général : « ...personne ne sait tout d'abord qu'il est inverti
ou snob, ou méchant... » (274, *Sod.*, I).

2) « Et quand j'apprends, dit Jacques Rivière (qui a examiné
avec beaucoup de profondeur et de tact les ressemblances qui existent
entre Proust et Freud), que historiquement, c'est par une explication
des symptômes névrotiques qu'il (Freud) a commencé, je me demande
si toute sa théorie des rêves et des lapsus n'est pas une extension un
peu arbitraire, ou du moins trop systématique, d'une idée juste à
un domaine qui ne pouvait la recevoir, tout au moins sous sa forme
textuelle ». (*Quelques Progrès dans l'étude du Cœur humain*, p. 8).
Notons qu'il ne faut pas supposer une influence de Freud sur Proust.
Dans le même ouvrage Jacques Rivière nous apporte un témoignage
très net à cet égard (p. 23). Du reste, ainsi que le fait remarquer
Charles Blondel, les premières traductions du maître viennois n'ont
commencé à paraître qu'en 1920. (*La Psychographie de M. Proust*,
p. 189).

certaines sensations subconscientes sur la tonalité de notre vie présente et sur notre façon de considérer les choses, sont des phénomènes qui n'avaient jamais été mis en évidence, et dont Proust nous a révélé l'importance et le mécanisme. Il en est de même du caractère discontinu de notre vie intérieure. Il constitue une des grandes révélations de la psychologie proustienne sur cette extraordinaire méconnaissance, dans laquelle nous vivons, de nous-mêmes.

C'est toute la complexité de l'homme qui est ainsi découverte dans une œuvre romanesque, qui, à ce point de vue, est sans égale dans la littérature de tous les temps.

Comme le fait remarquer Jacques Rivière, il n'y a que chez Proust que les personnages soient présentés avec les divers étages de leur conscience. Aussi toute la psychologie romanesque apparaît-elle à côté de la sienne « comme une sorte d'élégante simplification de l'âme » (1). Sans doute cela tient-il, en particulier, non seulement à ce que Proust a sondé l'inconscient très profond, mais encore au fait qu'il a tenu compte d'un facteur jusqu'ici trop négligé : le temps.

Nulle part la méconnaissance de soi n'éclate plus que dans cette ignorance où nous sommes du fait que nous vieillissons. Or, vieillir c'est changer. C'est changer physiquement. C'est aussi, et c'est surtout changer moralement. Nous croyons volontiers à une sorte d'immutabilité de notre état psychologique. C'est que nous ignorons, nous oublions ce que nous fûmes hier. Proust nous apporte la révélation que notre vie, malgré certains éléments stables, les seuls du reste dont nous refusons de reconnaître le caractère de permanence, est successive. La conscience de l'individu par lui-même n'est pas intégrale, s'il n'arrive pas à se saisir dans ses moments successifs, s'il ignore son passé. Le romancier, de même, qui fait revivre une humanité, doit nous la montrer à divers moments de son mouvement. C'est pourquoi Proust a écrit une œuvre dont la composition est, ainsi qu'il l'a dit, « à grande ouverture de compas », et nous permet d'assister aux transformations des individus et des groupes sociaux auxquels ils appartiennent.

Notre inaptitude à prévoir ce que nous ferons, ce que nous serons, est un autre aspect de cette méconnaissance très humaine de la catégorie de temps. Nulle part cette méconnaissance n'éclate mieux que dans la désillusion. Ni la réalité, ni le voyage,

---

1) *Ibid* p. 41. Sans doute, ajoute J. Rivière, il y a Dostoïevski et les Russes. Mais la complexité de leurs personnages est moins d'ordre psychologique que d'ordre moral (41-42).

ne nous apportent le genre de plaisir que nous avions escompté ou pour lequel nous étions parti. Jamais la vie ne réalise les projets de notre cœur. Dès *Les Plaisirs et les Jours*, Proust avait écrit une nouvelle pour le montrer : *Mort de Baldassare Silvande* (1).

Aussi est-il particulièrement important pour un psychologue de tenir compte du temps. « Comme il y a une géométrie dans l'espace, il y a une psychologie dans le temps où les calculs d'une psychologie plane ne seraient plus exacts parce qu'on n'y tiendrait pas compte du Temps... » (*A.d.*, I, 224) (2).

Cette exigence du temps, un autre psychologue, un philosophe, en révélait l'importance au moment même où Proust écrivait *Les Plaisirs et les Jours*. Nous voulons parler d'Henri Bergson. Cependant sa position, semblable extérieurement, est au fond sensiblement différente de celle de Proust. Si la réalité du temps est prouvée, pour l'un comme pour l'autre, par le fait que vivre n'est pas vain, mais entraîne des changements que l'intelligence s'avère incapable de prévoir, il reste qu'ils n'accordent pas tous deux à ces changements la même nature et la même valeur.

Chez Bergson le changement affecte l'être même — ou plutôt il est l'être. Sa valeur est ontologique. C'est le caractère *essentiel* de la vie intérieure et même de la vie tout court : c'est la durée. — Certes, le temps est bien une réalité aussi pour celui qui a écrit : « On peut quelquefois retrouver un être, mais non abolir le temps » (*Sod.*, II, 2, 128-9). Cependant le temps n'est pas pour lui la réalité par excellence. Il n'affecte pas le fond de l'homme. En tout cas, il y a des éléments permanents en nous, certains traits profonds qui ne changent pas. L'expérience artistique nous révèlera même l'existence probable d'une âme originale. Ce sont, en somme, les modalités du moi qui changent chez Proust. C'est pourquoi, tandis que le temps ou la durée est l'objet d'une intuition, d'une opération directe de l'esprit chez Bergson, il est chez Proust un simple fait d'expérience que l'on ne décèle pas sans beaucoup d'attention, de nombreuses observations, et même de nombreuses déconvenues.

Enfin le temps, pour Bergson, se révèle *dans la continuité du mouvement* — pour Marcel Proust *dans sa discontinuité*. Pour Marcel Proust, en effet, c'est par le remplacement des per-

---

1) Rien de ce que Baldassare Silvande avait prévu pour le moment de sa mort n'arrive ; en particulier ses sentiments sont bien différents de ceux qu'il croyait qu'il éprouverait.

2) Et encore : *T.R.*, II, 238.

sonnalités secondes les unes par les autres (et qui, réunies
forment le moi total) que se manifeste le temps en nous. Cette
succession de systèmes psychiques étanches est à l'origine de
toutes nos illusions; elle est cause de toutes nos erreurs de prévisions. C'est également par une série de modifications discon-
tinues et la substitution d'une personnalité à une autre que se
fait, nous le verrons, l'oubli, c'est-à-dire la manifestation la plus
caractéristique de la force de la vie affective.

Ainsi, le temps c'est ce fait qu'aussi bien en ce qui
concerne Swann, Odette, Charlus, Mᵐᵉ Verdurin ou Bloch,
Proust ne peut prédire avec certitude non seulement ce qu'ils
deviendront, mais quels caractères successifs et parfois revivis
cents ou même héréditaires se manifesteront sous des influences
diverses et souvent extérieures (1) au cours de leur vie. Il y a en
chacun d'eux des virtualités inconnues. Leur révélation successive, est une manifestation du temps. Seule l'expérience peut
nous renseigner à cet égard. Seule l'expérience peut nous apprendre que Swann perdra sous l'influence d'Odette ou du déclasse-
ment que lui fait subir son mariage, ses qualités qui semblaient
innées de savoir-vivre et de distinction, que la spirituelle duchesse
de Guermantes se révélera sensible à la mort de Saint-Loup, que
Gilberte fille d'une demi-mondaine deviendra une femme du
monde accomplie, que Charlus perdra tout son prestige, que
Bloch acquérera du tact, et que l'infâme Morel sera considéré et
« respectable ». Au point de vue social aussi, seule l'expérience
peut nous apprendre l'ascension du salon de Madame de Sainte-
Euverte et celle plus imprévue encore de celui de Madame Verdurin. Seule l'expérience peut nous apprendre la demi-déchéance
de la duchesse de Guermantes et celle plus grande encore de M.
de Charlus ; de même que seule elle peut nous apprendre que
tels conservateurs d'aujourd'hui ont été autrefois dreyfusards ou
radicaux.

L'évolution des individus comme de la société est faite de
ces changements. C'est cela qu'il appelle la substance temps et
qu'il a tâché d'isoler. Substance invisible, dit-il, du reste. En
effet, nous évoluons sans le savoir. Nous subissons ces change-

---

1) George Eliot, dans le *Moulin sur la Floss,* s'adressant au
lecteur écrit : « Mais vous connaissez depuis longtemps Maggie (l'héroïne du livre), et vous désirez qu'on vous dise, non son caractère,
mais son histoire, qui peut difficilement se prévoir, *même d'après la
connaissance la plus complète de son caractère* » (p. 156, I, II, Ed.
Hachette). Et la raison qu'en donne George Eliot est la suivante :
« ...le drame de notre vie ne se compose pas uniquement de ce qui
se passe au dedans de nous ».

ments sans les connaître. En fait l'expérience ne nous apprend
rien. Il n'y a pas d'expérience. Nous croyons que le monde a
toujours été tel qu'il est, que nous restons identique à nous-
même. Et toujours nous faisons des projets en dépit de la déception psychologiquement inévitable que la vie nous apporte. Seul
un romancier peut nous révéler à nous-même. Par « tel fait
social », il indiquera que du temps a passé, parce que tel ou tel
personnage a changé de milieu ; ou bien il nous donnera la « sensation du temps écoulé » en nous montrant « les divers aspects
successifs qu'un même personnage aura pris aux yeux d'un autre,
au point qu'il aura été comme des personnages successifs différents » (1). Mais, pour Marcel Proust, le temps n'est rien en
dehors de ces événements. Et même s'il est vrai pour lui que
tout change, il n'est pas moins certain aussi que tout est toujours
la même chose. L'homme retombe toujours dans les mêmes
erreurs et à une génération de distance refait sans le savoir les
mêmes gestes que ses ancêtres, éprouve les mêmes sentiments et
ressasse les mêmes idées. Dans ce qu'il est, dans ce qu'il fait,
dans ce qu'il devient, il est régi par des lois.

Tout se ramène finalement à ces lois ; et c'est pourquoi, si
notre vie psychique est imprévisible, en fait d'ailleurs plus qu'en
droit, elle n'est pas pour cela inintelligible. L'intelligence qui
échoue dans la prévision, triomphe cependant après coup. Ses
explications, qui sont rétrospectives, sont parfaitement légitimes
selon Proust. Aussi, à ce point de vue, rien n'est plus opposé à
Proust qu'une philosophie de l'écoulement (on serait tenté de
dire : de l'évanouissement) dans la durée, comme le bergsonisme. Bien des observateurs perspicaces (2) ont remarqué que,
pour lui, le temps, si important qu'il fût, n'était rien par lui-
même, et qu'il avait, en fait, œuvré pour triompher de lui. Les
vérités relatives au temps, ainsi qu'il le fera remarquer lui-même
dans *Le Temps Retrouvé* sont des vérités *générales*. Dans le
général, ce que la durée bergsonienne paraît avoir d'irréductible
disparaît. Et M. Ramon Fernandez fait très justement remarquer
que, pour Marcel Proust, « la durée n'est en rien créatrice », et
que « c'est contre elle que l'esprit crée ». (« Note sur l'Esthétique de Proust » — *N.R.F.* du 1ᵉʳ août 1928). De son côté
Gabriel Marcel observe que « l'idée d'accroissement vital est,
malgré certaines apparences aussi étrangère à la pensée de Proust
que celle de préformation héréditaire ou organique lui est au

---

1) Voir l'Interview de E.-J. Bois (LE TEMPS du 12 novembre 1918).
2) Ramon Fernandez, Gabriel Marcel, Jeanne Calbairac.

contraire familière ». « Car il y a là, disons-le en passant, ajoute-t-il, un point de divergence capital entre Proust et Bergson». (*Correspondance de l'Union pour la Vérité* de Mars-Avril 1929, p. 70).

Nous verrons, dans le livre qui va suivre, combien Proust a fortement aspiré à l'éternité. C'est ce qui inspire à Jeanne Calbairac cette très juste remarque : « ... si le héros de Proust a, très vif, le sentiment du Temps et des transformations que le Temps amène, *il ne se complait pas dans la durée, il en souffre* ». (*En relisant Proust — Les Cahiers Libres* des 15 Août et 15 Septembre 1930, p. 324). Il en souffre, mais il réussit à s'en évader, de deux manières différentes : 1°) par la découverte des essences qualitatives et éternelles ; 2°) par la découverte des vérités psychologiques générales.

⁎
⁎

APPENDICE : *L'HABITUDE*

Les accidents extérieurs, par une explication toute mécaniste, qu'à vrai dire Proust ne formule explicitement nulle part, semblent jouer, en somme, dans sa psychologie, le rôle de cause de renouvellement. Ce sont eux qui sont, en tout cas, l'occasion des intermittences et de changements intérieurs de toutes sortes. La diversité du monde extérieur provoque l'apparition des divers « moi » en nous. Pourtant il est une faculté dont l'action est opposée. Elle uniformise tout, elle passe tout à « sa gomme » à effacer » : c'est l'habitude. Le moment est venu d'en dire quelques mots.

L'habitude, comme la paresse, « réduit » notre être « au minimum » et c'est avec cet être réduit au minimum que nous vivons d'ordinaire : « ...la plupart de nos facultés restent endormies parce qu'elles se reposent sur l'habitude qui sait ce qu'il y a à faire et n'a pas besoin d'elles ». (207-8, *A l'.*, I). Néanmoins l'habitude qui, de toutes les plantes humaines est « celle qui a le moins besoin de sol nourricier pour vivre » (110, *G.*, I), et qui peut vaincre « le dégoût, le mépris, l'ennui même » (*Les Plaisirs et les Jours,* 65), est une force nécessaire d'adaptation. Nous verrons comment elle émousse la douleur, ses effets analgésiques (*A l'.*, II, 221). Lors de certains changements dans notre existence, elle ne joue pas un rôle moins important. A plusieurs reprises Proust a décrit ses impressions lorsqu'il lui fallait s'habituer à une chambre nouvelle. Une chambre où il dormait, ou plutôt où il essayait de dormir, pour la première fois, lui semblait

déplaisante, hostile « jusqu'à ce que l'habitude eût changé la
couleur des rideaux, fait taire la pendule, enseigné la pitié à la
glace oblique et cruelle, dissimulé, sinon chassé complètement
l'odeur du vétiver et notablement diminué la hauteur apparente
du plafond (*Sw.*, I, 14). Dans la chambre d'hôtel à Balbec, il ne
cherche même pas à s'étendre sur son lit pour se reposer car les
objets inconnus qui encerclaient son corps, en forçant celui-ci à
mettre ses perceptions « ...sur le pied permanent d'une défensive
vigilante, auraient, dit-il, maintenu mes regards, mon ouïe, tous
mes sens, dans une position aussi réduite et incommode (même
si j'avais allongé mes jambes) que celle du cardinal La Balue
dans la cage où il ne pouvait ni se tenir debout ni s'asseoir »
(216, *A l'.*, I). C'est que l'habitude retire les objets d'une
chambre, nous y fait de la place. L'attention accomplit le travail
inverse. Les objets d'une pièce ne cessent de nous faire souffrir
que du jour où ils sont devenus des « annexes » de nos organes.
Mais jusque-là ce sont, au contraire, les choses, les sons et les
odeurs qui poussent leurs offensives en nous, jusqu'à nos derniers
retranchements. Et elle est pathétique la situation d'un nerveux,
du genre de Proust dans une chambre nouvelle et hostile :
« N'ayant plus d'univers, plus de chambre, plus de corps que
menacé par les ennemis qui m'entouraient, qu'envahi jusque dans
les os par la fièvre, j'étais seul, j'avais envie de mourir » (1)
(216-217). Mais l'habitude viendra à son secours, qui apprivoi-
sera tous ces monstres hostiles qui l'entourent. Cela n'empêche
pas Marcel Proust, par ailleurs, de la trouver « abêtissante ».
Pendant le cours de notre vie elle nous cache tout l'univers.
« ...et, dans une nuit profonde sous leur étiquette inchangée,
substitue aux poisons les plus dangereux, les plus enivrants de la
vie, quelque chose d'anodin qui ne procure pas de délices »
(*A.d.*, I, 204) (2).

---

1) Proust ajoute que cet effroi qu'il éprouvait n'était peut-être
que « la forme la plus humble, obscure, organique presque inconsciente, de ce grand refus désespéré qu'opposent les choses, qui
constituent le meilleur de notre vie présente, à ce que nous revêtions
mentalement de notre acceptation la formule d'un avenir où elles
ne figurent pas ; etc... » (220, *A l'.*, I).

2) Voir encore sur l'habitude : *Pr.*, I, 58. La constance d'une
habitude est en rapport avec son absurdité et même proportionnelle
à son absurdité.

CHAPITRE DEUXIÈME

LA RÉVÉLATION
DU BONHEUR

---

*" Tout mon effort a été d'obtenir en
moi un bonheur qui se passât
d'être illusoire ".* (André GIDE,
N.R.F., 1er Août 1932, p. 168).

*" Qu'est une immortalité relative et
se plaçant souvent dans l'esprit
d'imbéciles, à côté de la joie de
contempler l'éternité, d'en
jouir, vivant, en soi ".* (Lettre
de Mallarmé à Aubanel).

I. - LE PLAISIR ET LE BONHEUR

LE PLAISIR ESTHÉTIQUE

L E jeune Marcel ouvre d'abord sur le monde les yeux naïfs d'un hédoniste qui s'ignore. Il s'offre sans arrière-pensée à la vie, au plaisir. Il est sans préjugés d'éducation et sa première constatation c'est que ce qu'il désire dans la vie est purement matériel. Bergotte, qui le plaint d'être malade, ajoute : « Et puis, malgré cela, je ne vous plains pas trop, parce que je vois bien que vous devez avoir les plaisirs de l'intelligence et c'est probablement ce qui compte surtout pour vous comme pour tous ceux qui les connaissent ». « Hélas ! pense le petit Marcel, ce qu'il disait là, combien je sentais que c'était peu vrai pour moi que tout raisonnement, si élevé qu'il fût laissait froid, qui n'étais heureux que dans les moments de simple flânerie, quand j'éprouvais du bien-être ; je sentais combien ce que je désirais dans la vie était purement matériel (1), et avec quelle facilité je me serais passé de l'intelligence » (p. 130, 131, *A l'.*, I). Il ne veut pas de ces faux-plaisirs au rang desquels, au premier stade de son progrès spirituel, il range les plaisirs et l'intelligence.

RAPPORTS DE L'ABSTRAIT ET DU CONCRET AVEC LA DOULEUR ET LE BONHEUR

C'est sans doute qu'il identifie l'objet de l'intelligence avec l'abstraction. Or, il n'y a que ce qui est concret qui puisse nous procurer joie ou douleur, ce qui tout au moins possède de la réalité pour nous, comme dans l'espérance ce que nous espérons, et même comme dans l'amour la figure de la personne aimée qui a si peu de réalité objective, et tant de réalité subjective. Dans le chagrin d'amour ce qui produit le plus de souffrance, ce sont « ... certains souvenirs, telle phrase dite méchamment, tel verbe

---

1) Ce sont des phrases du genre de celle-ci qui ont fait croire à quelques commentateurs de Proust, que ce dernier était avant tout, pour reprendre l'expression de B. Fay, un « inventeur de plaisirs ». L'hédonisme de Proust est bien réel, mais il est provisoire.

employé dans une lettre qu'on a reçue » (p. 182, *A l'.*, I). Marcel
s'imagine que sa jalousie sera moins douloureuse s'il apprend
qu'Albertine est partie en Touraine (« chez sa tante où en somme
elle était assez surveillée ») et non à Paris ou à Amsterdam. Et
pourtant « ... quand la concierge d'Albertine répondit qu'elle
était en Touraine, cette résidence que je croyais désirer me sembla la plus affreuse de toutes, parce que celle-là était réelle... »
(p. 28 *A. D.,* I) (1). Et plus loin Proust dit que perdre un être
cher est douloureux certes, mais combien plus douloureux de
penser à la manière dont nous l'avons perdu, à la lettre de rupture que nous avons reçue ! (p. 50, *A.D.,* I).

Cela n'est pas moins vrai du plaisir, du bonheur. Comme la
beauté, il est « individuel » (2). C'est d'ailleurs, une chose que
nous oublions presque toujours. Et substituant à la beauté et au
bonheur dans notre esprit « ... un type de convention que nous
formons en faisant une sorte de moyenne entre les différents
visages qui nous ont plu, entre les plaisirs que nous avons connus, nous n'avons que des images abstraites qui sont languis-
santes et fades parce qu'il leur manque précisément ce caractère
d'une chose nouvelle, différente de ce que nous avons connu, ce
caractère qui est propre à la beauté et au bonheur ». Il faut même
dire davantage : le bonheur est individuel dans le sens où cela
signifie « incomparable », « spécifique » : « ... nous portons sur
la vie un jugement pessimiste et que nous supposons juste car
nous avons cru y faire entrer en ligne de compte le bonheur et la
beauté, quand nous les avons omis et remplacés par des synthèses
où d'eux il n'y a pas un seul atome. C'est ainsi que bâille
d'avance d'ennui un lettré à qui on parle d'un nouveau « beau
livre », parce qu'il imagine une sorte de composé de tous les
beaux livres qu'il a lus, tandis qu'un beau livre est particulier,
imprévisible, et n'est pas fait de la somme de tous les chefs-
d'œuvre précédents mais de quelque chose que s'être parfaitement assimilé cette somme, ne suffit nullement à faire trouver,
car c'est justement en dehors d'elle. Dès qu'il a eu connaissance
de cette nouvelle œuvre, le lettré, tout à l'heure blasé, se sent
de l'intérêt pour la réalité qu'elle dépeint, etc... » (*A. l'.*, I, 207).
Ainsi tout plaisir véritable est sans analogue. De même la douleur

---

1) Il ajoute plus loin p. 90-91 que ces révélations de la concierge
« ...avaient marqué dans son cœur comme sur une carte la place
où il fallait souffrir ».

2) « L'état de bonheur ou de malheur véritable est un état
indéfinissable, individuel » (Novalis — *Journal intime* — p. 58 —
Trad. de G. Claretie - Stock 1927).

dont nous souffrons n'est comparable à aucune autre ; on ne peut
jamais dire qu'elle est plus ou moins forte qu'une autre parce
qu'elle est seulement différente. La moindre souffrance en ce
sens est toujours la plus grande souffrance.

⋆

LE PLAISIR,
SES CONDITIONS DE RÉALISATION

Examinons ces deux états affectifs dans leurs particularités
respectives. D'abord, le plaisir.

La recherche du plaisir est la préoccupation dominante de
Marcel et des hommes. Mais le plaisir est peu de chose, envi-
ronné qu'il se trouve de douleurs et Proust n'est pas loin de le
considérer simplement comme la cessation de la douleur, comme
quelque chose de purement négatif. Il serait, d'ailleurs, plus
juste de dire que ce que les hommes recherchent c'est le bonheur,
c'est-à-dire un plaisir qui dure.

Non seulement le bonheur n'est peut-être que la suppression
momentanée de la douleur, mais il est très difficile à réaliser. Ce
qu'il faut pour le produire a presque toujours (si paradoxal que
cela paraisse) le résultat de le faire s'évanouir. C'est que,
d'abord, le bonheur, comme l'amour (qui prétend d'ailleurs généralement le réaliser) n'est pas, comme on le croit longtemps
réalistement, la possession d'une chose extérieure, mais un phénomène mental et par conséquent subjectif dont « ... l'imperfection tient à celui qui éprouve le bonheur non à celui qui le
donne ». (90, *Sod.*, II, 2). C'est donc la possession la plus instable que l'on puisse imaginer, la possession d'un état d'âme. Pour
que nous éprouvions un plaisir, il faut généralement que celui-ci
ait été précédé d'un désir, « ...le plaisir n'étant que la réalisation
d'une envie préalable et qui n'est pas toujours la même, qui
change selon les mille combinaisons de la rêverie, les hasards
du souvenir, l'état du tempérament, l'ordre de disponibilité des
désirs... » (p. 70. *G.*, II). Mais c'est aussi ce désir, si capri-
cieux, qui fait toute la réalité du plaisir. Lorsqu'il est satisfait,
toute la saveur du plaisir disparaît avec lui et ce qui nous apparaissait souhaitable nous devient indifférent (1). Aussi Proust
écrit-il : « Mais le bonheur ne peut jamais avoir lieu. Si les cir-

---

1) A rapprocher de ces actes qui nous transforment de telle
sorte que le but, que nous nous étions proposé d'atteindre grâce à
eux, nous devient indifférent (Cf. plus haut chapitre précédent).

constances arrivent à être surmontées, la nature transporte la lutte
du dehors au dedans et fait peu à peu changer assez notre cœur
pour qu'il désire autre chose que ce qu'il va posséder » (p. 180,
A l'., I). Et encore p. 102 : « Sans doute dans ces coïncidences
tellement parfaites quand la réalité se replie et s'applique sur ce
que nous avons si longtemps rêvé, elle nous le cache entièrement,
se confond avec lui, comme deux figures égales et superposées
qui n'en font plus qu'une, alors qu'au contraire pour donner à
notre joie toute satisfaction, nous voudrions garder à tous ces
points de notre désir, dans le moment même où nous y touchons,
— et pour être bien certains que ce soit bien eux — le prestige
d'être intangibles » (1). Il suffit même qu'un plaisir soit assuré
pour qu'aussitôt il nous paraisse inférieur à n'importe quel autre
plaisir si petit soit-il, parce que ce plaisir assuré nous négligeons
d'en calculer la valeur et qu'il nous paraît alors moins désirable
que le moindre plaisir incertain qu'en cherchant à imaginer, nous
évaluons (p. 127, *A.D.,* I).

Ainsi il semble qu'il y ait une sorte d'antinomie entre le
bonheur et la réalisation; et même entre le bonheur et la réalité
présente. On ne jouit guère, semble-t-il, que de bonheurs de
nature imaginative. Nous avons déjà étudié l'imagination. On ne
s'étonnera pas qu'elle puisse produire le plaisir puisque malgré
son caractère illusoire, elle n'en confère pas moins une réalité
subjective très grande (plus grande du moins que celle que nous
attribuons au réel) à tout ce qu'elle touche. Nous savons combien
sont délicieuses ces rêveries, ces « châteaux d'Espagne ». Nous
n'y reviendrons pas. Mais notons plutôt le rôle que joue l'imagination dans ces rares cas où nous avons du plaisir. Lorsqu'un
bonheur nous arrive il semble que, d'abord, il nous prenne toujours au dépourvu par l'impossibilité où nous sommes de le réaliser et, c'est seulement par le secours d'une contemplation imaginative que par après, nous arrivons à lui conférer sa véritable
valeur. C'est le cas de cette lettre, désirée, certes, mais inatten-
due, que Marcel reçoit de Gilberte : « Tandis que je lisais ces
mots, mon système nerveux recevait avec une diligence admirable
la nouvelle qu'il m'arrivait un grand bonheur. Mais mon âme
c'est-à-dire moi-même, et en somme le principal intéressé l'igno-

---

1) Et encore p. 183-184, *A l'.,* I : le bonheur, c'est-à-dire la
chance d'être aimé, nous échoit quand nous y sommes devenus indifférents. « Mais précisément cette indifférence nous a rendus moins
exigeants et nous permet de croire rétrospectivement qu'il nous eût
ravi à une époque où il nous eût peut-être semblé fort incomplet.
On n'est pas très difficile ni très bon juge sur ce dont on ne se soucie
point, etc... ».

rait encore. Le bonheur, le bonheur par Gilberte, c'était une chose à laquelle j'avais constamment songé, une chose toute en pensée, comme disait Léonard de la peinture, cosa mentale... Mais dès que j'eus terminé la lettre, je pensai à elle, elle devint un objet de rêverie, elle devint elle aussi *cosa mentale* et je l'aimais déjà tant, que toutes les cinq minutes il me fallait la relire, l'embrasser (1). Alors je connus mon bonheur ». (p. 69, *A l'.*, I). Le même phénomène se produit lorsque Marcel sait qu'il sera présenté aux jeunes filles de Balbec par le peintre Elstir : « Tout cela, dit-il, avait causé pour moi du plaisir, mais ce plaisir m'était resté caché ; il était de ces visiteurs qui attendent pour nous faire savoir qu'ils sont là que les autres nous aient quittés, que nous soyons seul... » (p. 149, *A l'.*, II). Et plus tard lorsqu'il fait la connaissance d'Albertine la présentation ne lui cause sur le moment aucun plaisir : « Pour le plaisir, je ne le connus naturellement qu'un peu plus tard, quand rentré à l'hôtel, resté seul, je fus redevenu moi-même. Il en est des plaisirs comme des photographies. Ce qu'on prend en présence de l'être aimé, n'est qu'un cliché négatif, on le développe plus tard, une fois chez soi, quand on a retrouvé à sa disposition cette chambre noire intérieure dont l'entrée est « condamnée tant qu'on voit du monde » (p. 155-156, *A l'.*, II). Et de cette expérience Proust tire des conclusions générales : « D'ailleurs, n'en est-il pas ainsi dans la vie active, de nos vrais bonheurs, de nos vrais malheurs (2). Au milieu d'autres personnes, nous recevons de celle que nous aimons la réponse favorable ou mortelle que nous attendions depuis une année. Mais il faut continuer à causer, les idées s'ajoutent les unes aux autres, développant une surface sous laquelle c'est à peine si de temps en temps vient sourdement affleurer le souvenir autrement profond mais fort étroit que le malheur est venu pour nous. Si au lieu du malheur, c'est le bonheur, il peut arriver que ce ne soit que plusieurs années après que nous nous rappelons que le plus grand événement de notre vie sentimentale s'est produit, sans que nous eussions eu le temps de lui

---

1) Ce premier exemple est moins probant que les suivants. Il explique autant la nécessité de s'habituer pour croire que celle de se représenter, d'imaginer son bonheur pour le goûter.

2) Pour le cas de la conscience du malheur retardée voir p. 209-210, *A.D.*, I : « Certes comme en présence d'une personne étrangère on n'ose pas toujours prendre connaissance du présent qu'elle vous remet, et dont on ne défera l'enveloppe que quand ce donataire sera parti, tant qu'Andrée fut là, je ne rentrai pas en moi-même pour y examiner la douleur qu'elle m'apportait, et que je sentais bien causer déjà à mes serviteurs physiques, les nerfs, le cœur, de grands troubles dont par bonne éducation je feignais de ne pas m'apercevoir... ».

accorder une longue attention, presque d'en prendre conscience, dans une réunion mondaine par exemple, et où nous ne nous étions rendus que dans l'attente de cet événement » (p. 155, *A l'.*, II).

Et sans doute, le charme des souvenirs ressortit à la même explication que ce phénomène qui fait que nous ne jouissons pas de notre bonheur dans le présent. En voici un exemple : « ... alors je ne me rendais pas compte que cette vie qui m'avait tant ennuyée — du moins je le croyais — avait été au contraire délicieuse ; aux moindres moments passés à parler avec elle de choses même insignifiantes, je sentais maintenant qu'était ajoutée, amalgamée une volupté qui alors n'avait — il est vrai — pas été perçue par moi, mais qui était déjà cause que, ces moments-là, je les avais toujours si persévéremment recherchés à l'exclusion de tout le reste... » (p. 124, *A.D.*, I). Ce qui fait la douceur de la vie de Marcel, c'est « la perpétuelle renaissance de moments anciens », toutes sortes d'associations : « Par le bruit de la pluie m'était rendue l'odeur des lilas de Combray, par la mobilité du soleil sur le balcon, les pigeons des Champs-Elysées, par l'assourdissement des bruits dans la chaleur de la matinée, la fraîcheur des cerises, le désir de la Bretagne ou de Venise par le bruit du vent et le retour de Pâques » (p. 101, *A.D.*, I). Et même la vertu du souvenir est bien puissante puisque grâce à lui nous pouvons nous rappeler avec plaisir jusqu'aux jours où nous avons souffert : « ... bien plus tard, quand je traversai peu à peu, en sens inverse, les temps par lesquels j'avais passé avant d'aimer tant Albertine, quand mon cœur cicatrisé put se séparer sans souffrance d'Albertine morte, alors je pus me rappeler enfin sans souffrance ce jour où Albertine avait été faire des courses avec Françoise au lieu de rester au Trocadéro ; je me rappelai avec plaisir ce jour comme appartenant à une saison morale que je n'avais pas connue jusqu'alors ; je me le rappelai enfin exactement sans plus y ajouter de souffrance et au contraire comme on se rappelle certains jours d'été qu'on a trouvés trop chauds quand on les a vécus, et dont, après coup surtout, on extrait le titre, sans alliage, d'or fin et d'indestructible azur » (113-114, *A.D.*, I).

En définitive, *le bonheur nous apparaît incompatible avec les conditions de l'existence actuelle et de la réalité présente.* Il ne saurait y avoir, pour le jeune Marcel, de plaisirs abstraits, plaisirs qui lui semblent être le propre de l'intelligence. D'autre part, un plaisir concret actuel semble une impossibilité psychologique : nous ne savons que projeter nos joies dans l'avenir ou dans le passé. C'est une vérité que Proust a aperçue de bonne heure, car « *Les Plaisirs et les Jours* » insistent souvent et avec une outrance juvénile, sur ce point. Inutile de voyager ou d'aller à la comédie, mieux vaut lire au coin du feu : Pourquoi ? Parce que : « La voix de l'imagination et de l'âme est la seule, écrit-il dans les « *Fragments de Comédie Italienne* », qui fasse retentir heureusement l'imagination et l'âme entière ». Et il ajoute plus loin : « Pourquoi surtout vous acharner à vouloir jouir du présent, pleurer de n'y pas réussir ? Homme d'imagination, vous ne pouvez jouir que par le *regret ou dans l'attente*, c'est-à-dire du passé et de l'avenir » (XIII). Et dans les « *Regrets et Rêveries* », il remarque que « le désir fleurit, la possession flétrit toute chose » et que par suite les pièces de Shakespeare « sont plus belles, vues dans la chambre de travail que représentées au théâtre » (VI). Dans le § XXV il revient sur ce point : « A peine une heure à venir nous devient-elle le présent qu'elle se dépouille de ses charmes, pour les retrouver, il est vrai, si notre âme est un peu vaste et en *perspectives* bien ménagées, quand nous l'aurons laissée loin derrière nous, sur les routes de la mémoire ». Mais nous sommes entêtés dans nos illusions et « ... loin de soupçonner dans l'essence même du présent une imperfection incurable, nous accusons la malignité des circonstances particulières... d'avoir empoisonné notre bonheur. Aussi certains d'arriver à éliminer ces causes destructives de toute jouissance, nous en appelons sans cesse avec une confiance parfois boudeuse mais jamais désillusionnée d'un rêve réalisé, c'est-à-dire déçu, à un avenir rêvé ».

Mais ces joies expectantes ne tirent leur valeur que d'un désir qui les fait s'évanouir en se réalisant. Quant aux plaisirs rétrospectifs, si Marcel en savoure parfois le charme, il ne croit pas devoir fonder sur eux rien de solide avant le *Temps Retrouvé*.

L'IVRESSE

Il y a bien la griserie que Proust analyse magistralement dans *le Dîner en Ville* des *Plaisirs et les Jours*, et surtout dans les *Dîners de Ribevelle* d'*A l'Ombre des Jeunes Filles en Fleurs* (p. 100 à 107) (1). Et, à vrai dire, les plaisirs de la griserie sont bien curieux puisqu'ils produisent une exaltation qui donne hardiesse et confiance en soi, qui fait s'évanouir tous les doutes, toutes les incertitudes, qui rend même la mort indifférente. S'il en est ainsi, c'est que la griserie isole l'individu, qui la subit,

---

1) Voir ce que nous en avons déjà dit dans la conclusion du Livre I.

dans le présent. Pour lui, passé et futur sont devenus indifférents
— et seule la félicité de la minute présente compte. Aussi, remarque Proust, si, dans cet état, quelqu'un était venu me tuer
« ... comme je ne voyais plus que dans un lointain sans réalité
ma grand-mère, ma vie à venir, mes livres à composer, comme
j'adhérais tout entier à l'odeur de la femme qui était à la table
voisine, à la politesse des maîtres d'hôtel, au contour de la valse
qu'on jouait, *que j'étais collé à la sensation présente* (1), n'ayant
pas plus d'extension qu'elle ni d'autre but que de ne pas en être
séparé, je serais mort contre elle, je me serais laissé massacrer
sans offrir de défense, sans bouger, abeille engourdie par la fumée du tabac, qui n'a plus le souci de préserver la provision de
ses efforts accumulés et l'espoir de sa ruche » (106-107). De ce
point de vue nouveau que procure l'ivresse, le coefficient de
toutes les valeurs est changé. L'amour en particulier ne pèse plus
sur nous autant. Car, ce qui compte uniquement, c'est ce que
nous ressentons dans l'instant. Et comme ce que nous ressentons
et notre moi ne font qu'un, il en résulte que l'ivresse « réalise
pour quelques heures l'idéalisme subjectif, le phénoménisme
pur ». En effet : Tout n'est plus qu'apparences et n'existe plus
qu'en fonction de notre sublime nous-même » (107). Ainsi la
puissance de la griserie est réellement étonnante. On sent que
Proust a éprouvé sa force. Voilà tout de même un plaisir qui se
laisse saisir *dans le présent,* qui ne s'évapore pas dans la réalisation ! Cependant, il se défie de lui, car cette ivresse nous fait
une prison de ce présent. Car, que ce soit le vin, un certain genre
de vie (héroïque par exemple), ou la musique légère qui lui procure ce plaisir, il sait très bien qu'il n'est pas « d'une sorte qui
donne plus de valeur à l'être auquel il s'ajoute » (103). Car, lorsque par hasard il se voit en cet état de griserie, dans une glace,
il aperçoit le buveur qu'il est à ce moment-là, « hideux, inconnu »
qui le regarde (G., I, 154). Bref, l'ivresse est une *illusion* que le
réveil dissipe, qui ne résout aucun problème qui ne nous empêche pas de nous retrouver ensuite avec la même existence, les
mêmes choses, les mêmes difficultés, les mêmes êtres hostiles.
Ce n'était qu'à nos yeux, « à nos propres yeux intérieurs » (107),
que nous avions changé.

Ainsi le jeune Marcel est fondé à juger la vie bien mélan-
coliquement : nulle part il ne trouve de plaisir certain, tangible,
durable. Par contre, la douleur, elle, n'est que trop réelle.

---

1) C'est nous qui soulignons.

LA DOULEUR

Le valétudinaire qu'était Proust a bien connu la souffrance. Toutefois la maladie ne l'a pas aigri. Et si son œuvre a parfois des accents désespérés, elle se termine cependant par une conclusion optimiste.

Alors que nous ne pouvons réaliser le bonheur dans le présent et que nous le ressentons seulement à l'état de virtualité ou de souvenir, la douleur par contre est le tenaillement de chaque instant, le fait même de vivre. Nous la fuyons, nous l'évitons comme on évite de heurter certains objets fragiles quand on passe dans une pièce. Cela ne l'empêche pas de nous surprendre et de nous obliger dans la jalousie en particulier à la ressentir à l'état brut, dans son intégralité : « Mais la douleur se réveille quand un doute nouveau entier entre en nous ; on a beau se dire presque tout de suite : « je m'arrangerai, il y a un système pour ne pas souffrir, ça ne doit pas être vrai », pourtant, il y a un premier instant où on a souffert comme si on croyait... » (p. 29-30, *Pr.*, II). (Voir encore p. 23, *A.D.*, I). Mais, on le voit, dès qu'on est assailli par une douleur, on cherche « un système pour ne pas souffrir », on cherche à se tromper soi-même, on imagine tous les palliatifs moraux possibles. On arrive souvent à se persuader soi-même dans ces cas-là, car ainsi que le dit Proust on ne chicane pas avec un médicament qui agit. Aussi Marcel, lorsqu'Albertine l'a quitté, se persuade-t-il immédiatement qu'elle reviendra sûrement, hypothèse qu'il adopte facilement, non parce qu'elle est vraisemblable, mais parce qu'elle a le pouvoir de calmer sa souffrance.

Mais la souffrance est plus puissante que tout. C'est avec elle que s'affirme le mieux la force de la vie affective qui nous régit sans que nous puissions nous soustraire à son pouvoir. Le chagrin « n'est nullement une conclusion pessimiste librement tirée d'un ensemble de circonstances funestes, mais la reviviscence intermittente et involontaire d'une impression spécifique, venue du dehors, et que nous n'avons pas choisie » (p. 25-26, *A.D.*, I). Si la force de la vie affective s'affirme par la persistance de la souffrance, elle ne s'affirme pas moins d'ailleurs par l'oubli de cette souffrance, car il n'y a guère de souffrance (qu'on se figure éternelle) que l'oubli n'arrive à vaincre. Persistance de la souffrance et oubli de la souffrance, c'est en somme le même phénomène considéré d'un point de vue seulement différent : c'est l'histoire du cours d'une souffrance.

Ces palliatifs que nous imaginons à nos souffrances ne peuvent que les calmer sans les guérir. Ils ne font que retarder le moment de souffrir, car il est nécessaire qu'elles passent, pour cesser, par leurs innombrables métamorphoses : « On ne guérit d'une souffrance qu'à condition de l'éprouver pleinement » (p. 192, *A.D.*, I). On ne saurait hâter ces stades de la souffrance : il y a là une exigence de durée.

L'OUBLI ET LA SOUFFRANCE

En effet, cette souffrance intraitable nous l'oublions chaque jour, petit à petit et dans certains cas malgré nous. On se croit, on se voudrait parfois comme dans l'amour, inconsolable ; mais la souffrance la plus atroce finit par décroître. Quels sont les processus de l'oubli ? Proust a traité à deux reprises de l'oubli ; dans *A l'Ombre des Jeunes Filles en Fleurs*, d'abord, à propos de Gilberte (« Légère esquisse du chagrin que cause une séparation et des progrès irréguliers de l'oubli ») (1), et, surtout, de manière ample et magnifique, dans *Albertine disparue*. La première condition de l'oubli, c'est que tous les éléments de notre être aient éprouvé la souffrance. La première difficulté, c'est en effet de croire à notre malheur. Nous sommes incrédules pendant un assez long temps, et, chose paradoxale, pendant la période justement la plus douloureuse. C'est qu'en effet nous sommes multiples, nous avons en nous plusieurs personnalités, chacune de nos manières d'être réalise pour son propre compte le malheur qui nous atteint. Voici ce que Proust dit à propos de la douleur qui lui causa la disparition d'Albertine : « … à chaque instant, il y avait quelqu'un des innombrables et humbles « moi » qui nous composent qui était ignorant du départ d'Albertine et à qui il fallait le notifier… Il y avait quelques-uns de ces moi que je n'avais pas revus depuis assez longtemps. Par exemple (je n'avais pas songé que c'était le jour du coiffeur), le moi que j'étais quand je me faisais couper les cheveux. J'avais oublié ce moi-là, son arrivée fit éclater mes sanglots, comme à un enterrement, celle d'un vieux serviteur retraité qui a connu celle qui vient de mourir » (25-26, *A.D.*, I). A la mort de sa mère qu'il chérissait tendrement, Proust fait, dans une lettre à Mme de Noailles, des remarques analogues : « Je suis allé dans certaines pièces de l'appartement où le hasard fait que je n'étais pas retourné et j'ai

---

1) C'est le titre employé pour un extrait paru en juin 1919 dans la N. R. F.

exploré des parts inconnues de mon chagrin qui s'étend toujours plus infini au fur et à mesure que je m'y avance. Il y a certain parquet près de la chambre de maman où l'on ne peut passer sans le faire crier, et maman qui aussitôt l'entendait me faisait avec la bouche ce petit bruit qui signifie : Viens m'embrasser. Dire qu'il faudra quitter ces lieux qui ne sont si tristes que parce qu'ils ont été si heureux et qui font partie de mon cœur » (Corr. 2, p. 108).

Ce qui également multiplie le chagrin, c'est la manière dont les autres êtres existent en nous : « Pour que la mort d'Albertine eût pu supprimer mes souffrances, il eût fallu que le choc l'eût tuée non seulement en Touraine, mais en moi. Jamais elle n'y avait été plus vivante. Pour entrer en nous, un être a été obligé de prendre la forme, de se plier au cadre du temps ; ne nous apparaissant que par minutes successives, il n'a jamais pu nous livrer de lui qu'une seule photographie. Grande faiblesse sans doute pour un être, de consister en une simple collection de moments ; grande force aussi ; il relève de la mémoire, et la mémoire d'un moment n'est pas instruite de tout ce qui s'est passé depuis ; ce moment qu'elle a enregistré dure encore, vit encore et avec lui l'être qui s'y profilait. Et puis cet émiettement ne fait pas seulement vivre la morte, il la multiplie. Pour me consoler ce n'est pas une, ce sont d'innombrables Albertine que j'avais dû oublier. Quand j'étais arrivé à supporter le chagrin d'avoir perdu celle-ci, c'était à recommencer avec une autre, avec cent autres ». (p. 100, A.D., I). Ainsi, ce qui fait que la douleur ne peut « se souffrir » et s'oublier rapidement, c'est d'une part notre complexité, la multiplicité de notre être et d'autre part le fait que nous vivons dans le temps et que nos impressions sont successives — causes simples, élémentaires, que Proust nous découvre avec une admirable sûreté psychologique.

Le second stade de l'oubli est marqué par un retournement total des croyances. C'était d'abord l'idée de la mort d'Albertine qui semblait incroyable (1) ; mais l'oubli faisant son œuvre dans l'inconscient, ce qui nous devient difficile à croire, extraordinaire, *c'est l'idée de son souvenir*. Lorsque nous en sommes à ce stade, la guérison est proche. Quant au facteur qui a produit ce renversement des croyances, il n'est pas autre que l'habitude. Ainsi quand l'idée de la culpabilité d'Albertine est devenue plus probable, plus habituelle, elle est devenue aussi moins doulou reuse. (p. 193, A.D., I).

---

1) Comme c'était l'espérance d'une réconciliation qui dictait la résolution de Marcel de ne plus voir Gilberte (p. 150, A. d., I).

Enfin, arrive ce stade, le dernier, où la pensée du malheur
ne nous cause plus de chagrin, où nous nous mettons à revivre
avec plaisir le souvenir de notre amour, et cela selon une marche
régressive, des souvenirs les moins éloignés aux plus anciens
(p. 7, *A.D.*, II). Cette revue des souvenirs terminée, l'oubli est
consommé. Nous sommes devenus indifférents. « C'est à partir
de ce moment-là, écrit Proust, que je commençai à écrire à tout
le monde que je venais d'avoir un grand chagrin, et à cesser de
le ressentir » (p. 58, *A.D.*, II).

L'OUBLI ET LA DURÉE

La cause de l'oubli, la cause qui fait qu'on oublie nécessairement, c'est que l'on change. Pourquoi ? Parce que toute réalité est en nous qui changeons : « Et j'aurais vraiment bien pu
deviner plus tôt qu'un jour je n'aimerais plus Albertine. Quand
j'avais compris, par la différence qu'il y avait entre ce que l'importance de sa personne et de ses actions était pour moi et pour
les autres, que mon amour était moins un amour pour elle, qu'un
amour en moi, j'aurais pu déduire plusieurs conséquences de ce
caractère subjectif de mon amour et qu'étant un état mental, il
pouvait notamment survivre assez longtemps à la personne, mais
aussi que n'ayant avec cette personne aucun lien véritable,
n'ayant aucun soutien en dehors de soi, il devrait comme tout
état mental, même les plus durables, se retrouver un jour hors
d'usage, être remplacé », etc... (p. 224, *A.D.*, I). L'oubli n'est
donc qu'une mort de soi-même (*A.D.*, I, 110). C'est d'ailleurs
notre multiplicité qui permet ce changement, cette guérison, car
les éléments de notre être peuvent être remplacés un à un, petit
à petit, sans que nous nous en apercevions « ... si bien qu'à la
fin un changement s'est accompli qui ne se pourrait concevoir si
l'on était un » (p. 118, *A.D.*, I) (1).

Le propre de la vie c'est, en somme « ... par des travaux
incessants d'infiniment petits, de changer la face du monde... »
(p. 138, *A.D.*, II). Et Proust conclut avec philosophie et humour
que notre amour de la vie n'est qu'une vieille liaison dont nous
ne savons pas nous débarrasser, la seule que nous n'oublions pas.
« Sa force est dans sa permanence. Mais la mort, qui la rompt,
nous guérira du désir de l'immortalité » (p. 142, *A.D.*, II).

---

1) Le fractionnement des êtres en nous vient aussi au secours
de Marcel dans l'oubli du chagrin d'amour ; lorsque l'image de
l'Albertine gentille et bonne sert d'antidote à l'image de la mauvaise
(p 181-182, *A.D.* I).

FORCE DE LA VIE AFFECTIVE

Ainsi la souffrance est inéluctable. Elle manifeste la force de la vie affective. Impossible de se réfugier dans le passé ou dans l'avenir. Le passé au contraire ne fait que renforcer par un phénomène de résonnance la douleur présente de toutes celles que nous avons souffertes au cours de notre vie : « Et c'était bien, en effet, toutes les inquiétudes éprouvées depuis mon enfance, qui à l'appel de l'angoisse nouvelle, avaient accouru la renforcer, s'amalgamer à elle en une masse homogène qui m'étouffait ». (p. 16, *A.D.*, I). (Et aussi, p. 54, *A.D.*, I). Tandis que le plaisir, lorsqu'il se réalise échappe au présent (1), la douleur ne manifeste que les affres de la vie présente. Il y a de l'inquiétude au fond de toute souffrance. Dans une belle analyse (*G.*, II, p. 15), Proust montre que la souffrance (physique) est bien le tenaillement du présent, un besoin d'adaptation qu'on ne peut réaliser. C'est à propos de sa grand'mère malade : « ... elle recommençait perpétuellement un certain mouvement qui lui était difficile à accomplir sans gémir : pour une grande part, la souffrance est une sorte de besoin de l'organisme de prendre conscience d'un état nouveau qui l'inquiète, de rendre la sensation adéquate à cet état. On peut discerner cette origine de la douleur dans le cas d'incommodités qui n'en sont pas pour tout le monde. Dans une chambre remplie d'une fumée à l'odeur pénétrante, deux hommes grossiers entreront et vaqueront à leurs affaires ; un troisième, d'organisation plus fine, trahira un trouble incessant. Ses narines ne cesseront de renifler anxieusement l'odeur qu'il devrait, semble-t-il, essayer de ne pas sentir et qu'il cherchera chaque fois à faire adhérer, par une connaissance plus exacte, à son odorat incommodé. De là vient sans doute qu'une vive préoccupation empêche de se plaindre d'une rage de dents » (p. 15-16, *G.*, II). S'il y a de l'inquiétude dans toute souffrance (2), cela explique que le chagrin nous oblige à nous connaître, qu'il ait des effets intellectuels heureux : « Le chagrin pénètre en nous et nous force par la curiosité douloureuse à pénétrer ». Il est vrai que le chagrin est en outre une force et que, nous le verrons plus loin, il nous permet de vaincre notre naturel paresseux. « D'où, ajoute Proust en pensant sans doute à lui-même, des vérités que nous ne nous sentons pas le droit de cacher, si bien qu'un athée

---

1) Excepté dans la griserie, toutefois.

2) Proust n'a pas toujours pris nettement conscience de cette identification de la souffrance à une inquiétude, comme on le voit p. 209, *Pr.* II. Pourtant il l'a bien observé dans le passage ci-dessous.

moribond qui les a découvertes, assuré du néant, insoucieux de la gloire, use pourtant ses dernières heures à tâcher de les faire connaître » (p. 199, *Pr.*, I, et aussi p. 20, *A.D.*, I).

★
★ ★

LES PLAISIRS ESTHÉTIQUES

Si la vie ne nous dispense que des souffrances et des plaisirs éphémères, illusoires ou du moins des plaisirs qui n'apportent pas avec eux-mêmes la garantie de leur valeur, n'allons-nous pas désespérer. Il est certain que tout espoir s'évanouirait pour Marcel Proust si l'art ne venait par intermittences produire son message étonnant et mystérieux. Et c'est toujours selon sa méthode de « positiviste », soucieux des faits avant tout, que Proust va essayer d'analyser et d'interpréter les avertissements merveilleux et obscurs qu'il reçoit de l'art : il va analyser ses impressions, il va tenter la psychologie des grands artistes, examiner les rapports de l'œuvre et de l'auteur, les réactions du public, avec la merveilleuse intelligence qu'il a des choses de l'art. Et s'il ne parvient pas d'emblée à découvrir la clef du mystère, du moins aura-t-il analysé certaines données importantes, mis de l'ordre dans sa conscience et frayé des voies vers la vérité.

A l'origine, sur les livres comme sur l'amour, le jeune Marcel a certaines idées, les mêmes idées toutes faites. Il se figure que les livres contiennent, prisonnières entre leurs feuillets, la richesse philosophique, la vérité, la beauté (81, *Sw.*, I (1). Il n'échappe même pas à un certain conventionalisme puisqu'il y a des choses qu'il n'aime pas dans la vie et qui lui paraîtraient belles dans un livre (143, *Sw.*, I). Enfin ses exigences sont surtout intellectuelles, au sens étroit du mot.

VALEUR SPIRITUELLE
DE LA LECTURE

Mais ce point de vue naïf n'est pas longtemps le sien : très vite par ses remarques sur la lecture, sur les rapports de l'œuvre à l'auteur, sur ses impressions esthétiques, il acquiert le sentiment, très vif quoique encore ignorant de ses raisons d'être, de la beauté.

---

1) Voir aussi la préface sur la lecture (*Sésame et les Lys*, traduction page 38 et suivantes). Seule la vérité de l'érudit est, dit Proust, *dans* un livre.

Proust a analysé deux fois très longuement ses impressions de lecteur : dans sa fameuse préface sur la Lecture, où M. Benjamin Crémieux (XXe *Siècle*) voit à juste titre le point de départ de l'esthétique (1) et même de l'œuvre entier de Proust, et dans *Du Côté de chez Swann* (I, 81-84). Chaque fois du reste, il mêle aux impressions spécifiques, que lui procure la lecture, toutes sortes d'impressions accidentelles sur les circonstances et le lieu où il lit (ce qui d'une part, donne une impression de réalité plus intense à ses notes, mais, d'autre part complique la tâche de celui qui cherche à analyser sa pensée). Cette manière psychologique de traiter la question lui permet de ruiner la théorie de Descartes et de Ruskin qui considèrent la lecture comme une conversation avec les plus honnêtes gens de tous les temps et de tous les pays : « ... ce qui diffère essentiellement entre un livre et un ami, ce n'est pas leur plus ou moins grande sagesse, mais la manière dont on communique avec eux, la lecture, au rebours de la conversation, consistant pour chacun de nous à recevoir communication d'une pensée, mais tout en restant seul, c'est-à-dire en continuant à jouir de la puissance intellectuelle qu'on a dans la solitude et que la conversation dissipe immédiatement... » (*Sésame et les Lys*, préface, p. 29) (2). Plus loin, dans une note, Proust insiste sur cette manière dont nous communiquons avec d'autres et il note les influences sociales, morales que créent la présence d'un interlocuteur, le rôle déformant du son comme intermédiaire. « Bien plus, ajoute-t-il, la pensée, en devenant pensée parlée, se fausse, comme le prouve l'infériorité d'écrivain de ceux qui se complaisent et excellent trop dans la conversation. (Malgré les illustres exceptions que l'on peut citer, malgré le témoignage d'un Emerson lui-même, qui lui attribue une véritable vertu inspiratrice, on peut dire qu'en général la conversation nous met sur le chemin « des expressions brillantes ou de purs raisonnements, presque jamais d'une impression profonde »). (70-71).

Il y a vraiment, selon l'expression d'E. Kinds (3), une « mo-

---

1) Cependant certaines des idées de Proust sur l'art sont bien antérieures à l'année 1905 où paraît cette Préface, à la *Renaissance latine*, sous forme d'article. Dès *Les Plaisirs et les Jours* et dès 1896 dans l'article intitulé « Contre l'obscurité », paru dans la *Revue Blanche*, Proust manifeste un sens très sûr de la nature de l'art. Cependant, on peut admettre que la *Préface* sur la lecture marque le moment où Proust prend pleinement possession de lui-même.

2) Nous avons déjà cité certains passages de ce texte plus haut quand nous étudiions la conversation en tant que plaisir spécifique de l'amitié.

3) *Etude sur Marcel Proust*. Le Rouge et le Noir, 1933 (Voir le dernier chapitre de ce travail).

rale de la solitude » chez Proust. Ce n'est d'ailleurs pas seulement dans la conversation que la présence d'un partenaire nous
empêche d'être nous-même : « ... Albertine admira, *et par sa
présence m'empêcha d'admirer,* les reflets des voiles rouges sur
l'eau hivernale et bleue, une maison blottie au loin comme un
seul coquelicot, etc... » (*Pr.*, I, 238). Dans l'amour en particulier,
nous l'avons vu, la présence nécessaire et avidement recherchée
de l'objet aimé, est aussi ce qui nous empêche d'être vraiment
heureux en nous enlevant notre pouvoir de penser, de rêver,
c'est-à-dire de jouir. C'est pourquoi E. Kinds estime qu'il n'y a
qu'un seul moment d'amour parfait dans *La Recherche*, c'est la
contemplation par Marcel du sommeil d'Albertine. « Par là, reconnaît lui-même Proust, son sommeil réalisait, dans une certaine
mesure la possibilité de l'amour... Quand elle dormait, je n'avais
plus à parler, je savais que je n'étais plus regardé par elle, je
n'avais plus besoin de vivre à la surface de moi-même » (*Pr.*,
I, 92).

Il ne faudrait pas croire, d'autre part, que par la vertu de la
lecture, s'opère un transfert de la pensée d'autrui en nous-même.
Il y a là une impossibilité. Certes la lecture nous fait vivre de la
vie des héros dont nous lisons l'histoire, et nous permet d'éprouver les mêmes transes et les mêmes joies. Mais cette opération
se réduit à une sorte de mimétisme. Quel est donc le rôle profond
de la lecture ? La lecture ne peut que nous donner des désirs,
provoquer en nous des incitations. C'est son rôle, un rôle à la
fois « essentiel et limité ». Ce qui est le terme de la sagesse des
grands artistes, n'est que le commencement de la nôtre. Il y a là,
selon Proust, une « loi singulière et d'ailleurs providentielle de
l'optique des esprits » — « loi qui signifie peut-être que nous ne
pouvons recevoir la vérité de personne et que nous devons la
créer nous-même » (32-33, préface). En d'autres termes, il n'y
a de vie spirituelle possible qu'en nous-même, qu'au plus profond de nous-même. Dans *A l'Ombre des Jeunes Filles en Fleurs,*
il écrit également : « On ne reçoit pas la sagesse, il faut la découvrir soi-même, après un trajet que personne ne peut faire pour
nous, ne peut nous épargner, car elle est un point de vue sur les
choses » (II, 149). Proust note accessoirement, dans la Préface,
que la lecture et le savoir donnent « les belles manières de l'esprit », que « les lettrés restent malgré tout, comme les gens de
qualité de l'intelligence » et qu'ignorer certain livre restera toujours même chez un homme de génie, « une marque de roture
intellectuelle ». « La distinction et la noblesse, ajoute-t-il, consistent dans l'ordre de la pensée aussi, dans une sorte de franc-

maçonnerie d'usages, et dans un héritage de traditions » (50-51). Mais toujours est-il, que : « La puissance de notre sensibilité et de notre intelligence, nous ne pouvons la développer qu'en nous-mêmes, dans les profondeurs de notre vie spirituelle », et que la lecture devient dangereuse quand elle tend à se substituer à la vie personnelle de l'esprit, quand par un fétichisme, dont nul d'ailleurs, n'est complètement exempt, le livre devient une idole.

⁂

LES RAPPORTS DE L'ŒUVRE
A L'AUTEUR

C'est, pour le jeune Marcel, un spectacle déconcertant que celui que lui offre la personne des artistes dont il a lu, vu ou entendu les œuvres. Il n'est pas facile, en particulier, de saisir le rapport qui existe entre le physique de l'auteur et son génie. Comment concilier le souvenir de pages merveilleuses avec l'impression que produisent la barbiche et le nez en colimaçon de Bergotte. Etait-il possible de reconnaître dans l'humble professeur de musique de Combray, le génial auteur de la Sonate et du Septuor ? La valeur est quelque chose d'intérieur qui n'est pas inscrit sur le visage des gens. Proust se plaît à noter que le génie apparaît souvent sous des apparences modestes et trompeuses, et que nous commettons couramment de grossières erreurs dans l'appréciation du mérite personnel notamment en ce qui concerne nos amis : « Nous avons des amis qui nous semblaient, dans l'intimité, extraordinaires, et qui s'étant ensuite « produits », n'ont rien « donné ». Inversement, à d'autres il manquait pour que nous proclamions le talent ou le génie que nous leur reconnûmes plus tard, que de ne pas dîner en ville avec nous, que de ne pas avoir cet aspect familier de camarades sous lequel on ne se figure pas d'habitude, dans des imaginations fort arbitraires d'ailleurs et conventionnelles, l'homme éminent » (*Corr.*, III, 115-116).

La conversation même, d'un écrivain, déconcerte et déçoit. Proust dans une longue analyse du langage de Bergotte, (*A l'.*, 113-120) cherche à découvrir le rapport qui peut exister entre ses phrases parlées et ses phrases écrites. Nous connaissons l'opinion de Proust sur la conversation. Toutefois dans ce passage il semble que le jeune Marcel assiste non à une véritable conversation, mais

à une sorte de morceau littéraire parlé de Bergotte. Ce que dit
celui-ci est inférieur à ce qu'il écrit. Mais entre ce qu'il dit et ce
qu'il écrit existe néanmoins une correspondance indirecte, car la
voix sans l'exprimer est cependant en rapport avec l'âme humaine.
Seul le style exprime l'âme, révèle à découvert le visage vrai de
l'écrivain et non le masque que nos yeux voient. Cependant, Bergotte « ... voyait dans ce qu'il disait une beauté plastique indépendante de la signification des phrases... » (113). Rien n'altère
autant les qualités matérielles de la voix que de contenir la pensée, dit Proust. Et chez Bergotte « ... un débit prétentieux, em-
phatique et monotone était le signe de la qualité esthétique de ses
propos et l'effet, dans sa conversation, de ce même pouvoir qui
produisait dans ses livres la suite des images et l'harmonie » (1).

La vie privée elle-même de l'artiste ne ressemble pas à son
œuvre. Il y a même entre elles des contradictions fréquentes.
Bergotte est parfois égoïste, ambitieux et cherche à se faire valoir
auprès des puissants et des riches, « lui qui dans ses livres, dit
Proust, quand il était vraiment lui-même avait si bien montré,
pur comme celui d'une source, le charme des pauvres » (120,
A l'., I) (2). *Quand il était vraiment lui-même,* dit Proust, c'est
donc que les défauts de Bergotte ne font pas partie de sa personnalité profonde. En effet, car Proust, parlant d'autres vices du
même Bergotte (amour à demi-incestueux, indélicatesse qui con-
tredisaient d'une manière choquante certain souci « scrupuleux »,
« douloureux », du bien dans ses derniers romans), « ... ces vices
ne prouvaient pas cependant, dit-il, à supposer qu'on les imputât
justement à Bergotte, que sa littérature fût mensongère, et tant
de sensibilité, de la comédie ». Première explication : « De même
qu'en pathologie certains états d'apparence semblable, sont dûs,
les uns à un excès, d'autres à une insuffisance de tension, de
sécrétion, etc..., de même il peut y avoir vice par hypersensibilité, comme il y a vice par manque de sensibilité ». Deuxième
explication : « peut-être n'est-ce que dans des vies réellement
vicieuses que le problème moral peut se poser avec toute sa force

---

1) Proust donne une autre raison de sa déception que nous
retrouvons plus loin : c'est que Bergotte fait du Bergotte, c'est-à-dire
quelque chose qui tout en portant la marque de sa personnalité est
pourtant différent de tout ce qu'il a fait jusqu'ici. Nous laissons de
côté, l'analyse des influences que le langage Bergotte a subies
(famille, amis etc...) détails qui n'ont pas leur place ici et qui,
d'ailleurs, ont été fournis plus haut.

2) Dans le *Temps Retrouvé*, II, 35, Proust nous parle encore
d'une dédicace au Prince de Guermantes de Bergotte « d'une flagor-
nerie et d'une platitude extrêmes ».

d'anxiété (1). Et à ce problème l'artiste donne une solution non pas dans le plan de sa vie individuelle mais dans ce qui est pour lui sa vraie vie, une solution générale, littéraire ». C'est de la connaissance des péchés que les grands docteurs de l'Eglise tirèrent leur sainteté personnelle, et les artistes la règle morale de tous. Aussi ceux-ci ont-ils peint dans leurs œuvres les vices de leur milieu, sans en purger, du reste, leur vie privée, noyée pour Bergotte, par exemple, « dans le flot de toutes les vies qu'il imaginait ». Cette sensibilité profonde permet à celui-ci, en outre, de se mettre à la place de ceux qui souffrent et d'avoir parfois pour eux des soins délicats et touchants (120-121). Ce problème de la vie privée de l'artiste est assurément un de ces sujets auquel Proust a souvent pensé. Il y revient à plusieurs reprises en particulier à propos d'Elstir et surtout de la marquise de Villeparisis.

Pour Elstir sa prétentieuse vulgarité à ses débuts ne lui est pas personnelle. Elle provenait de la bande d'artistes à laquelle il appartenait. Cela ne l'empêchera pas plus tard de manifester un bon goût supérieur. L'exemple de la marquise de Villeparisis est plus caractéristique.

La mauvaise langue, la vie scandaleuse que l'on attribue à la marquise ne l'a pas empêchée de parler dans ses livres d'une façon exquise et sensible de la pudeur et de la bonté. Proust serait tenté de dire « au contraire » ! Pour parler de la mesure de façon adéquate, il faut remarque-t-il une exaltation peu mesurée (2). C'est que Mme de Villeparisis comme Bergotte ne vit pas dans le plan de l'action, mais dans un autre plan, cette vraie vie de Ber-

---

1) Idée déjà exprimée à propos du sadisme de Mademoiselle Vinteuil. Lorsqu'Albertine s'étonne qu'il y ait tant de crimes chez Dostoïevsky, Marcel admet qu'il devait être « un peu criminel » comme ses héros, pour cette raison qu'il avait dû connaître le péché, « probablement sous une forme que les lois interdisent ». Cependant Marcel reconnaît que son hypothèse n'est pas nécessaire et qu'il est possible que les créateurs soient tentés des formes de vie qu'ils n'ont pas personnellement éprouvées ». Il en donne pour preuve : Choderlos de Laclos « qui a écrit le plus effroyablement pervers des livres » et qui fut pourtant « honnête homme par excellence » et le « meilleur des maris » — et Mme de Genlis « qui écrivit des contes moraux et ne se contenta pas de tromper la duchesse d'Orléans, mais la supplicia en détournant d'elle ses enfants » (Pr., II, 240) — On ne peut pas s'empêcher, quand on voit comment Proust insiste sur ce point, de supposer qu'il pense à lui-même et transpose son propre cas. Ce que Maurice Sachs nous a révélé sur sa vie privée nous incline fortement à le croire.

2) De même : « ...un ouvrage, même s'il s'applique seulement à des sujets qui ne sont pas intellectuels, est encore une œuvre de l'intelligence et pour donner dans un livre ou dans une causerie qui en diffère peu, l'impression achevée de la frivolité, il faut une dose de sérieux dont une personne frivole serait incapable » (G., I, 167).

gotte, la vie de l'artiste qui n'éprouve pas de devoir plus grand que celui d'exprimer, « d'imaginer d'autres vies » : « ... ceux qui non seulement parlent bien de certaines vertus, mais même en ressentent le charme et les comprennent à merveille..., sont souvent issus mais ne font pas eux-mêmes partie de la génération muette, fruste et sans art qui les pratique. Celle-ci se reflète en eux, mais ne s'y continue pas » (166, *G.*, I). Il est remarquable d'ailleurs que pour Marcel Proust les êtres qui possèdent la délicatesse et les scrupules plus grands soient presque nécessairement affectés de vices complémentaires. Le même paradoxe (?) se retrouve selon lui sur le plan social : c'est au fur et à mesure que se corrompt la société que les notions de moralité vont s'épurant (120, *A l'.*, I).

Mais aussi, ce ne sont pas les qualités morales qui caractérisent l'artiste (1). Certes, pour Marcel Proust, les grands artistes sont au fond, malgré certaines défaillances, des êtres supérieurs en tout, par la sensibilité, l'intelligence (166, *G.*, I), la distinction même. A côté de celle d'un grand artiste, l'amabilité d'un grand seigneur, si charmante soit-elle, a l'air d'un jeu d'acteur, d'une simulation. Saint-Loup cherchait à plaire. Elstir aimait à donner, à se donner. Tout ce qu'il possédait, idées, œuvres, et le reste qu'il comptait pour bien moins, il l'eût donné avec joie à quelqu'un qui l'eût compris » (*A l'.*, II, 117). La pensée de Proust c'est que les qualités supérieures dont l'artiste fait preuve par son talent impliquent la possession de qualités mineures qu'il n'exerce pas toujours (Swann trouvait Elstir mufle) mais qu'il peut, s'il le veut, manifester. Néanmoins il y a une qualité qui est essentielle, seule essentielle (bien qu'elle semble en indiquer d'autres), c'est le don d'expression. Un artiste est avant tout un homme qui possède un don d'expression : « ... le génie, même le grand talent, vient moins d'éléments intellectuels et d'affinement social supérieurs à ceux d'autrui, que de la faculté de les transformer, de les transposer. Pour faire chauffer un liquide avec une lampe électri-

---

1) Il est vrai qu'il y a une manière spéciale, mais fort élevée, de comprendre la moralité de l'artiste. Pour Marcel Proust la moralité de l'artiste, c'est « ...l'instinct qui, les (les réalités supérieures que l'artiste grâce à son talent exprime) lui faisant considérer sous un aspect d'éternité (quelque particulières que ces réalités nous paraissent), le poussait à sacrifier au besoin de les apercevoir et à la nécessité de les reproduire pour en assurer une vision durable et claire, tous ses plaisirs, tous ses devoirs et jusqu'à sa propre vie, laquelle n'avait de raison d'être que comme étant la seule manière possible d'entrer en contact avec ces réalités, de valeur que celle que peut avoir pour un physicien un instrument indispensable à ses expériences ». (Préface à la traduction de *La Bible d'Amiens*, p. 11).

que, il ne s'agit pas d'avoir la plus forte lampe possible, mais une
dont le courant puisse cesser d'éclairer, être dérivé et donner,
au lieu de lumière, de la chaleur... De même que ceux qui produisent des œuvres géniales ne sont pas ceux qui vivent dans le
milieu le plus délicat, qui ont la conversation la plus brillante, la
culture la plus étendue, mais ceux qui ont le pouvoir, cessant
brusquement de vivre pour eux-mêmes, de rendre leur personnalité pareille à un miroir, de telle sorte que leur vie, si médiocre
d'ailleurs qu'elle pouvait être mondainement et même, dans un
certain sens, intellectuellement parlant, s'y reflète, le génie consistant dans le pouvoir réfléchissant et non dans la qualité intrinsèque du spectacle reflété » (117, *A l'.*, I) (1). Ce don d'expression il ne faudrait pas, du reste, le concevoir comme une sorte
de pouvoir négatif et sans valeur intrinsèque, nous le verrons
dans le troisième chapitre. Et nous verrons, en particulier, dans
quel sens la vie d'un grand artiste peut être médiocre « intellectuellement parlant ». Il n'est pas nécessaire d'attendre les révélations du *Temps Retrouvé* pour savoir ce que Proust pense — du
moins provisoirement — de l'art et des artistes. En particulier, il
montre, il affirme (sans connaître encore les raisons de ses affirmations) que le pouvoir de l'artiste est un pouvoir effectif, que
l'artiste est avant tout une personnalité, un homme qui a une manière de voir entièrement originale, un inventeur.

PSYCHOLOGIE DE L'AMATEUR

Il y a au premier abord quelque chose de nécessairement
décevant (2) dans une œuvre d'art de réelle valeur. L'esprit
n'aperçoit même pas les nouveautés qui sont comme recouvertes
d'un « déguisement uniforme » (192, *Sw.*, II) qui restent invisi-
bles par le pouvoir de leur seule beauté (96, *A l'.*, I). Il arrive
par suite souvent que l'artiste soit incompris pendant des années,
des siècles même. Question de « recul », dit-on, communément.
Ce n'est pas l'avis de Proust. Certes, il faut du temps pour comprendre une œuvre d'art qui ne ressemble à aucune autre. Mais
pour être comprise elle devra féconder elle-même les esprits capables de la comprendre : « Ce sont les quatuors de Beethoven (les
quatuors XII, XIII, XIV et XV) qui ont mis cinquante ans à faire

---

1) Pour reprendre le terme employé par Ch. Lalo, il y a, en
somme chez l'artiste, selon Proust, une aptitude « technique » caractéristique.

2) Voir *Pr.*, II, p. 233, où il parle de la déception que causent
d'abord les chefs-d'œuvres.

naître, à faire grossir le public des quatuors de Beethoven, réalisant ainsi comme tous les chefs-d'œuvre un progrès sinon dans la valeur des artistes, du moins dans la société des esprits, largement composée aujourd'hui de ce qui était introuvable quand le chef-d'œuvre parut, c'est-à-dire d'êtres capables de l'aimer. Ce que l'on appelle postérité, c'est la postérité de l'œuvre... Si donc l'œuvre était tenue en réserve, n'était connue que de la postérité, celle-ci, pour cette œuvre, ne serait pas la postérité mais une assemblée de contemporains ayant simplement vécu cinquante ans plus tard » (97, *A l'.*, I). Chaque artiste nouveau est comme une « ... espèce de premier individu isolé d'une espèce qui n'existe pas encore et qui pullulera » (*G.*, II, 188). Nous avons déjà analysé ces illusions. C'est à tort qu'on se figure que les œuvres du passé n'ont pas suscité la même incompréhension que celles d'aujourd'hui, celles de Chardin que celles d'Elstir : « Mais on ne profite d'aucune leçon parce qu'on ne sait pas descendre jusqu'au général et qu'on se figure toujours se trouver en présence d'une expérience qui n'a pas de précédents dans le passé » (*G.*, II, 101).

Ainsi chaque artiste agit sur notre esprit, transforme ou enrichit notre manière de voir, de sentir ou de comprendre.

C'est par leurs yeux et avec leur âme que nous voyons et que nous sentons (19-20, *G.*, II). Aussi les œuvres des imitateurs des grands artistes que nous connaissons, nous sont-elles immédiatement intelligibles. Mais nous sommes impuissants à reconnaître de prime abord, dans un génie nouveau et particulier, l'idée générale que nous avons du génie parce que cette idée n'est faite que de la somme des impressions qu'ont produites sur nous les grands artistes des temps passés et aussi parce que notre idée de la beauté est une idée abstraite, tandis que la connaissance de la beauté est un sentiment concret. « Nous disons plutôt (comme Swann de Bergotte) originalité, charme, délicatesse, force ; et puis un jour nous nous rendons compte que c'est justement cela, le talent » (94, *Sw.*, I).

C'est de cette manière que s'explique par exemple la déception du jeune Marcel en présence de la Berma à laquelle il avait préféré des artistes de second plan (1). Certes, il avait eu le tort la première fois qu'il l'avait entendue, d'aller à elle avec un trop

---

1) Pour ceux-ci, il lui suffisait de déduire de l'interprétation, la part de l'auteur pour savoir ce que les acteurs lui ajoutaient, tandis que l'interprétation de la Berma constitue comme une œuvre d'art originale, et indivisible, une création véritable. Aussi la Berma joue-t-elle aussi bien les mauvaises pièces que les bonnes.

grand désir. Mais surtout : « L'impression que nous cause une
personne, une œuvre (ou une interprétation) fortement caractérisées est particulière. Nous avons apporté avec nous les idées de
« beauté », « largeur de style », « pathétique », que nous pourrions à la rigueur avoir l'illusion de reconnaître dans la banalité
d'un talent, d'un visage corrects, mais notre esprit attentif a
devant lui l'insistance d'une forme dont il ne possède pas d'équivalent intellectuel, dont il lui faut dégager l'inconnu... Et à cause
de cela ce sont les œuvres vraiment belles, si elles sont sincère-
ment écoutées, qui doivent le plus nous décevoir, parce que dans
la collection de nos idées il n'y en a aucune qui réponde à une
impression individuelle... Mais nous sentons dans un monde, nous
pensons, nous nommons dans un autre » (44-45, G., I).

ROLE DE LA MÉMOIRE

La difficulté que nous éprouvons à goûter un chef-d'œuvre
nouveau provient donc de ce que notre esprit ne contient aucune
notion qu'il puisse lui appliquer. Comment s'opère cette « fécondation » des esprits par les grands artistes : problème psychologique du plus haut intérêt assurément. Nous savons en tout cas que
ce n'est pas par l'intelligence, au sens étroit du mot, que nous
y parviendrons, si celle-ci ne nous fournit que des idées abstraites
relatives à notre expérience passée devenue habituelle. Quels
sont donc les facteurs qui interviennent dans cette opération qui
est pourtant une opération d'intelligence, s'il en fût. C'est ce que
les exemples de Proust vont nous aider à comprendre.

Les premières lectures de Bergotte ne font pas sur le jeune
Marcel une impression bien agréable. Puis certains passages lui
semblent receler une grande beauté. Mais c'est seulement au troisième ou au quatrième qu'il éprouve vraiment une grande joie.
L'opération doit se décomposer en deux phases : il a dû vaincre
d'abord des difficultés matérielles de perception ; il lui a fallu,
ensuite, extraire de la comparaison de plusieurs passages de Bergotte, une sorte de Bergotte essentiel ; et alors : « ...je n'eus plus
dit-il, l'impression d'être en présence d'un morceau particulier
d'un certain livre de Bergotte, traçant à la surface de ma pensée
une figure purement linéaire, mais plutôt du « morceau idéal » de
Bergotte, commun à tous ses livres et auquel tous les passages
analogues qui venaient se confondre avec lui, auraient donné une
sorte d'épaisseur, de volume, dont mon esprit semblait agrandi »
(90, Sw., I).

Si nous comprenons bien Proust, il ne peut y avoir perception que si nous avons pu comparer certains passages identiques
de l'œuvre d'art pour en extraire la ressemblance qualitative. Cela
suppose l'intervention d'une faculté, qui, dans l'esthétique de
Proust, joue un rôle capital, la mémoire. C'est en analysant des
impressions musicales surtout que Proust a pu approfondir ce rôle
de la mémoire dans l'intelligence de l'art (1). Lorsque Swann
entend pour la première fois la sonate de Vinteuil, il éprouve des
sensations sonores dont il goûte d'abord seulement la qualité matérielle. Son plaisir croît et devient déjà grand lorsque, plus tard,
ses impressions se traduisent en une sorte de géométrie mou-
vante. Mais tout à coup il éprouve une impression ineffable, *sine
matéria*. Elle tend quoique inétendue et absolument originale « à
couvrir devant mes yeux des surfaces de dimensions variées, à

---

1) Nous n'analysons, dans les passages qui suivent, que les impressions musicales purement esthétiques. Mais Proust n'ignore pas
que, souvent, la musique engendre en nous des impressions anesthétiques. Si la musique procure à Swann des impressions profondes et
artistiques, il lui en demande aussi d'autres qui sont moins pures.
C'est ainsi qu'il associe constamment (dans le temps de sa passion)
la Sonate de Vinteuil à la pensée d'Odette. Il considérait en général
« la petite phrase », moins en elle-même « que comme un gage, un
souvenir de son amour... » (*Sw.*, I, 202). C'est que la musique est
« trop peu exclusive pour écarter absolument ce qu'on nous suggère
d'y trouver » (*A l'.*, I, 98). Proust nous explique pourquoi (du moins
il semble que ce soit l'explication) dans un passage de *Swann* : c'est
que la musique ne correspond à rien d'*objectif*. « Mais la petite
phrase dès qu'il (Swann) l'entendait, savait rendre libre en lui l'espace qui pour elle était nécessaire, les proportions de l'âme de
Swann s'en trouvaient changées ; une marge y était réservée à une
jouissance qui, elle non plus, ne correspondait à aucun objet extérieur et qui pourtant au lieu d'être purement individuelle comme
celle de l'amour, s'imposait à Swann comme une réalité supérieure
aux choses concrètes. Cette soif d'un charme inconnu, la petite
phrase l'éveillait en lui, mais ne lui apportait rien de précis pour
l'assouvir. De sorte que ces parties de l'âme où la petite phrase
avait effacé le souci des intérêts matériels, les considérations humaines et valables pour tous, elle les avait laissées vacantes et en blanc,
et il était libre d'y inscrire le nom d'Odette » (II, 23).

Plus tard, lorsque sa passion sera éteinte, Swann continuera à
associer à la Sonate des sentiments anesthétiques. Ce n'est plus son
amour que celle-ci évoquera pour lui, mais d'autres sensations de
sa vie passée. Au jeune Marcel il explique, non sans talent, que le
côté essentiel de l'œuvre de Vinteuil est « le côté statique du clair
de lune ». Cette façon de la considérer, aurait pu, remarque Marcel
« fausser pour plus tard ma compréhension de la Sonate ». Mais il
s'aperçoit que ce qui se produit en Swann est, en réalité, un phénomène d'association d'idées et que ce clair de lune est celui du Bois
où il allait dîner et entendre la Sonate avec Odette. Elle éveille alors,
en lui, Swann s'en rend du reste bien compte, tout ce à quoi il ne
faisait pas attention à cette époque : arbres, feuillages, etc... (*A l'.*, I
98-99). — Sur Proust et la musique on lira avec fruit l'agréable et
judicieuse étude de Florence Hier : *La Musique dans l'œuvre de
Marcel Proust,* ainsi que les essais de MM. Cœuroy et Benoist-Méchin.

tracer des arabesques » etc..., mais « ... les notes se sont éva-
nouies avant que ces sensations soient assez formées en nous pour
ne pas être submergées par celles qu'éveillent déjà les notes suivantes ou simultanées. Et cette imprécision continuerait à enve-
lopper de sa liquidité, de son « fondu » les motifs qui par instants
en émergent, à peine discernables, pour plonger aussitôt et disparaître, connus seulement par le plaisir particulier qu'ils donnent,
impossibles à décrire, à se rappeler, à nommer, ineffables, — si
la mémoire comme un ouvrier qui travaille à établir des fonda-
tions durables au milieu des flots, en fabriquant pour nous des
facs-similés de ces phrases fugitives, ne nous permettait de les
comparer à celles qui leur succèdent et de les différencier » (193-
194, *Sw.*, I). Grâce à la mémoire ces impressions ne sont plus
insaisissables.

Lorsqu'à son tour le jeune Marcel analyse ses propres impressions en entendant la même sonate, il note cette première
phase pendant laquelle on ne perçoit, « on n'entend rien ». Mais
il faut tout de même qu'il ait eu une impression, car au bout de
deux ou trois auditions il connaît le morceau parfaitement. « Si
l'on n'avait vraiment, comme on l'a cru, rien distingué à la première audition, la deuxième, la troisième seraient autant de premières, et il n'y aurait pas de raison pour qu'on comprît quelque
chose de plus à la dixième ». Mais quel facteur d'intelligibilité,
nous manque la première fois ? — Ce n'est probablement pas la
compréhension, dit Proust, *c'est la mémoire* —. « Car la nôtre,
ajoute-t-il, relativement à la complexité des impressions auxquelles elle a à faire face pendant que nous écoutons, est infime, aussi
brève que la mémoire d'un homme qui en dormant pense mille
choses qu'il oublie aussitôt, ou d'un homme tombé à moitié en
enfance, qui ne se rappelle pas la minute d'après ce qu'on vient
de lui dire » (95, *A l'.*, I). C'est attribuer à la mémoire un rôle
considérable, on le voit. Toutefois il est impossible que la mémoire toute seule, ou avec le secours de l'attention, suffise à nous
faire accéder aux plus hauts degrés de l'intelligence. Ce qu'elle
permet, comprenons-le bien, c'est de percevoir. Il n'y a pas de
perception, et même il n'y a pas d'intelligence sans reconnaissance. Pour reconnaître et goûter les nuances d'une œuvre d'art,
il est nécessaire d'en mûrir des équivalents dans notre propre
cœur ; c'est la conséquence, heureuse après tout, de la loi de
subjectivité que Proust rencontre partout.

L'intelligence de l'œuvre d'art ne se fait pas d'une seule
traite, une fois déclenchée. Elle est progressive et successive :
« non seulement on ne retient pas tout de suite les œuvres vrai-

ment rares, mais même au sein de chacune de ces œuvres-là, et cela m'arriva pour la Sonate de Vinteuil, ce sont les parties les moins précieuses qu'on perçoit d'abord... De là, la mélancolie qui s'attache à la connaissance de tels ouvrages, comme de tout ce qui se réalise dans le temps. Quand ce qui est le plus caché dans la Sonate de Vinteuil se découvrit à moi, déjà entraîné par l'habitude hors des prises de ma sensibilité, ce que j'avais distingué préféré tout d'abord, commençait à m'échapper, à me fuir. Pour n'avoir pu aimer qu'en des temps successifs tout ce que m'apportait cette sonate, je ne la possédai jamais toute entière : elle ressemblait à la vie... Dans la Sonate de Vinteuil les beautés qu'on découvre le plus tôt sont aussi celles dont on se fatigue le plus vite et pour la même raison sans doute, qui est qu'elles diffèrent moins de ce qu'on connaissait déjà. Mais quand celles-là se sont éloignées, il nous reste à aimer telle phrase que son ordre trop nouveau pour offrir à notre esprit rien que confusion, nous avait rendue indiscernable et gardée intacte ; alors, elle devant qui nous passions tous les jours sans le savoir et qui s'était réservée, qui par le pouvoir de sa seule beauté était devenue invisible et restée inconnue, elle vient à nous la dernière. Mais nous la quitterons aussi en dernier. Et nous l'aimerons plus longtemps que les autres, parce que nous aurons mis plus longtemps à l'aimer » (96, A l'., I). Voir aussi p. : 232-233, Pr., II : « De cette musique de Vinteuil des phrases inaperçues chez Mme Verdurin, larves obscures alors indistinctes, devenaient d'éblouissantes architectures ; et certaines devenaient des amies que j'avais à peine distinguées au début... comme ces gens antipathiques au premier abord et qu'on découvre seulement tels qu'ils sont une fois qu'on les connaît bien ».

LA QUALITÉ

Essayons de préciser, de savoir exactement ce qui produit ce plaisir esthétique. Ce sont chez Bergotte certaines expressions archaïques, certaine effusion musicale, certaine philosophie idéaliste (90, Sw., I). Ce sont de même deux ou trois phrases que Proust enfant (il l'avoue dans la préface de Sésame et les Lys, p. 30-31) aimait particulièrement dans Le Capitaine Fracasse de Th. Gautier, phrases qui lui apparaissaient comme les plus originales et les plus belles de l'ouvrage. Par exemple : « Le rire n'est point cruel de sa nature ; il distingue l'homme de la bête, et il est, ainsi qu'il appert en l'Odyssée d'Homerus, poète grégeois, l'apanage des Dieux immortels et bienheureux qui rient olympien-

nement tout leur saoul durant les loisirs de l'éternité » (1).
Lorsqu'Elstir peint des roses, il crée ces roses, il enrichit la
famille des roses d'une nouvelle variété. Et chez tout artiste il
y a ainsi quelque chose d'original et de précieux qu'il faut saisir
pour comprendre. C'est la raison pour laquelle il est nécessaire
de lire plusieurs livres d'un auteur pour le connaître, d'entendre
plusieurs fois le même morceau d'un musicien pour l'apprécier,
de voir plusieurs tableaux d'un peintre pour découvrir ce qui lui
est personnel. « Nous retrouvons dans un second livre, dans un
autre tableau, les particularités dont la première fois nous aurions
pu croire qu'elles appartenaient au sujet traité autant qu'à l'écrivain ou au peintre. Et du rapprochement des œuvres différentes
nous dégageons des traits communs dont l'assemblage compose
la physionomie de l'artiste. Quand plusieurs portraits peints par
Rembrandt, d'après des modèles différents, sont réunis dans une
salle, nous sommes aussitôt frappés par ce qui leur est commun
à tous et qui est les traits mêmes de la figure de Rembrandt ». Et
Proust considère que le rôle du critique consiste d'abord à aider
le lecteur à être impressionné par ces traits singuliers » (Avant-
Propos à *La Bible d'Amiens,* p. 9-10). Chaque artiste a un mode
selon lequel il « entend » l'univers. « Cette qualité inconnue d'un
monde unique et qu'aucun autre musicien ne nous avait jamais
fait voir, peut-être est-ce en cela, disais-je à Albertine, qu'est la
preuve authentique du génie, bien plus que le contenu de l'œuvre
même ». (235, *Pr.,* II). « Il en est de même ajoute Marcel dans
tous les arts, même en littérature ». Et dans un long et remarquable morceau critique, intercalé dans *la Prisonnière,* il s'efforce
de retrouver « la qualité unique » de Barbey d'Aurévilly, Th.
Hardy, Dostoïevsky, Stendhal, etc... (236-242, *Pr.,* II).

Au premier stade de son initiation spirituelle il semble à
Proust que cette « ... sensation de l'individualité, que nous cherchons en vain dans l'existence quotidienne » (216, *Pr.,* I), correspond à un monde supérieur dont elle est la révélation. C'est ce
que Curtius a excellemment appelé le « platonisme de Marcel
Proust ». « Swann tenait les motifs musicaux pour de véritables
idées voilées de ténèbres ». On pourrait presque écrire « idée »

---

1) Cet exemple nous laisse supposer que certains des caractères
attribués à Bergotte sont empruntés à Th. Gautier, l'archaïsme en
particulier, à moins qu'il ne le soit à France. Cette phrase est, du
reste, inventée par Proust: c'est un pastiche, si l'on veut. Mais
Proust aurait pu citer cette phrase de la même veine que nous
extrayons de la préface de *Mademoiselle de Maupin*: « L'occupation
la plus séante à un homme policé me paraît être de ne rien faire,
ou de fumer analytiquement sa pipe ou son cigare ».

avec une majuscule. Quant à la petite phrase de Vinteuil « ... elle existait latente dans son esprit au même titre que certaines autres notions sans équivalent, comme les notions de la lumière, du son, du relief, de la volupté physique... » (121, *Sw.*, II). Il est vrai que Proust dit « dans son esprit ». Mais plus loin Proust déclare explicitement que la petite phrase semble avoir épousé notre condition humaine, mais qu'elle appartient pourtant « à un ordre de créatures surnaturelles ». Ces créatures surnaturelles nous ne les avons jamais vues, mais, malgré cela, nous les reconnaissons avec ravissement quand « quelque explorateur de l'invisible » arrive à en capturer une, l'amener du monde divin où il a accès, briller quelques instants au-dessus du nôtre : et c'est l'hypothèse de la réminiscence. Enfin nous périrons, « ... mais nous avons pour otages ces captives divines qui suivrons notre chance. Et la mort avec elles a quelque chose de moins inglorieux, peut-être de moins probable » (1) : et c'est un argument de Platon en faveur de l'immortalité de l'âme.

VALEUR DE L'ŒUVRE D'ART

Enfin Proust note (et cela ne nous étonnera pas si l'on se rapporte à ce que nous avons dit plus haut des conditions du plaisir) que l'art possède une véritable puissance régénératrice. Le bonheur qu'elle procure est si intense qu'il fait reprendre goût à la vie. C'est ce qui arrive à Swann pourtant blasé de tout (195, *Sw.*, I) (2). Il y a là un fait, dont on ne peut saisir la raison avant *Le Temps Retrouvé*, mais un fait sur lequel Proust insiste. Cette joie, Proust l'affirme, est la preuve de la valeur de l'œuvre. Et du septuor de Vinteuil, Marcel déclare qu'il ne cessera plus jamais de l'entendre « ... comme la promesse et la preuve qu'il existait autre chose réalisable par l'art sans doute... » que le néant qu'il avait trouvé dans tous les plaisirs et l'amour même ; et que si sa vie lui semblait si vaine, du moins n'avait-elle pas tout accompli (82, *Pr.*, II).

Mais ces actes de foi sont souvent suivis par l'esprit du doute ; c'est « l'autre hypothèse, l'hypothèse matérialiste, celle

---

1) Ceci rappelle la fameuse phrase de Bergson qui termine l'*Evolution Créatrice*.

2) De même, lorsque le jeune Marcel, en voyage, aperçoit, à une halte du train, entre deux montagnes, portant une jarre de lait, une paysanne qui lui apparaît comme un produit du sol au charme particulier, il ressent devant elle « ce désir de vivre qui renaît en nous chaque fois que nous prenons de nouveau conscience de la beauté et du bonheur » (*A l'.*, I, 207).

du néant » (*Pr.*, II, 243), qui se représente à Proust. Dans *La Prisonnière*, où il se trouve si près du but et où à trois reprises différentes la musique de Vinteuil le transporte de joie, jamais l'hypothèse de la réalité de l'art et de l'éternité de l'âme (voir *Pr.*, II, p. 233) n'arrive à triompher définitivement (1). A lui se présentent des objections qui jettent une ombre sur ses espérances. Analysant le génie de certains grands artistes du dix-neuvième siècle, après s'être enthousiasmé sur la double diversité de ces œuvres dont l'une exprime l'essence qualitative des sensations de l'artiste, l'autre celles des caractères des personnages que l'auteur nous peint (2), après avoir admiré comment ces grands artistes (Balzac, Wagner, Michelet) ont introduit dans leur œuvre après coup une unité pourtant « vitale » et non « logique », Proust, brusquement, se met à craindre que cette originalité foncière qu'il admire dans ces œuvres et à laquelle il attache une importance exceptionnelle, soit seulement le fruit « d'un labeur industrieux », le « reflet d'une réalité plus qu'humaine », une « illusion ». « Si l'art n'est que cela, il n'est pas plus réel que la vie et je n'avais pas tant de regrets à avoir » (217-220, *Pr.*, I). Il est vrai qu'à la première audition du septuor de Vinteuil (63-80, *Pr.*, II), la joie de Marcel semble sans mélange. « Je savais bien, dit-il, que cette nuance nouvelle de la joie, cet appel vers une joie supra-terrestre, je ne l'oublierais jamais ». Et il ajoute : « Mais serait-elle jamais réalisable pour moi ? Cette question me paraissait d'autant plus importante que cette phrase (3) était ce qui aurait pu le mieux caractériser — comme tranchant avec tout le reste de ma vie, avec le monde visible — ces impressions qu'à des intervalles éloignés je retrouvais dans ma vie comme les points de repère, les amorces, pour la construction d'une vie véritable : l'impression éprouvée devant les clochers de Martinville, devant une rangée d'arbres près de Balbec » (79). Mais après une deuxième audition du septuor (*Pr.*, II, 232-244), l'esprit du doute le travaille à nouveau : « Je me mettais à douter, je me disais qu'après tout il se pourrait que, si les phrases de Vinteuil semblaient l'expression de

---

1) Si Proust hésite entre deux hypothèses, c'est aussi que les affirmations définitives sont réservées pour le *Temps Retrouvé*.

2) « Là où un petit musicien prétendrait qu'il peint un écuyer, un chevalier, alors qu'il ferait chanter la même musique, au contraire, sous chaque dénomination, Wagner met une réalité différente, et chaque fois que paraît un écuyer, c'est une figure particulière, à la fois compliquée et simpliste, qui, avec un entrechoc de lignes joyeux et féodal, s'inscrit dans l'immensité sonore. D'où la plénitude d'une musique que remplissent en effet tant de musiques dont chacune est un être » (*P. R.*, I, 217).

3) Du morceau de Vinteuil.

certains états de l'âme analogues à celui que j'avais éprouvé en
goûtant la madeleine trempée dans la tasse de thé, rien ne m'assurait que le vague de tels états fût une marque de leur profondeur, mais seulement de ce que nous n'avons encore su les analyser, qu'il n'y aurait donc rien de plus réel en eux que dans d'autres ». Objection très juste, à vrai dire, et, dans *Le Temps Retrouvé*, Proust devra tenter précisément cette analyse que, jusqu'ici, il n'a pas eu la force de faire. « Pourtant, ajoute-t-il, ce
bonheur, ce sentiment de certitude dans le bonheur, pendant que
je buvais la tasse de thé, que je respirais aux Champs-Elysées
une odeur de vieux bois, ce n'était pas une illusion ». Mais, se
dit encore Proust, même si ces états sont plus profonds que d'autres, rien ne prouve que le charme de la musique de Vinteuil ait
la même profondeur. Il leur ressemble parce qu'il est lui aussi
inanalysable, mais si la beauté d'une phrase de musique pure
paraît facilement la parente d'une impression intellectuelle, c'est
simplement parce qu'elle est, elle, inintellectuelle » (243). C'est
dans ces termes que se pose le problème : peut-on raccorder, au
moyen d'une analyse psychologique, les impressions que nous
donne parfois la vie aux impressions esthétiques ? C'est à cette
question que notre dernier chapitre répondra par la révélation du
temps retrouvé et de la vie spirituelle.

II. - LA VIE SPIRITUELLE

ou

LES TROIS DÉCOUVERTES
DE PROUST

———

" *Barrès oublie souvent que ce qu'il
appelle dédaigneusement « un
récit » est plus difficile à faire
qu'une réflexion philosophique* ".
(J. RENARD - *Journal* - 1891).

PROUST est arrivé à la vie spirituelle, à cette vie qui se suffit à elle-même, par une expérience, une voie toutes nouvelles. Il était entré dans la vie avide de bonheur, mais d'un bonheur réel ; il disait même à ce moment-là « matériel ». Seulement ce bonheur, il ne le trouvait nulle part, nous l'avons vu. De plus, s'il a bien un grand amour pour l'écrivain Bergotte et pour toutes les formes de l'art : théâtre, peinture, musique, il se sent incapable d'écrire, car tout le laisse indifférent. Toutefois ces moments de platitude extrême sont coupés par des expériences tout à fait exaltantes, uniques par leur qualité.

LES SOUVENIRS AFFECTIFS
PURS INVOLONTAIRES

La première est célèbre, mais il nous faut la rappeler en raison de son importance : « ... un jour d'hiver, comme je rentrais à la maison, ma mère, voyant que j'avais froid, me proposa de me faire prendre, contre mon habitude, un peu de thé. Je refusai d'abord et, je ne sais pourquoi, me ravisai. Elle envoya chercher un de ces gâteaux courts et dodus appelés Petites Madeleines qui semblent avoir été moulés dans la valve rainurée d'une coquille de Saint-Jacques. Et bientôt, machinalement, accablé par la morne journée et la perspective d'un triste lendemain, je portai à mes lèvres une cuillerée du thé où j'avais laissé s'amollir un morceau de madeleine. Mais à l'instant même où la gorgée mêlée des miettes du gâteau toucha mon palais, je tressaillis, attentif à ce qui se passait d'extraordinaire en moi. Un plaisir délicieux m'avait envahi, isolé, sans la notion de sa cause. Il m'avait aussitôt rendu les vicissitudes de la vie indifférentes, ses désastres inoffensifs, sa brièveté illusoire, de la même façon qu'opère l'amour, en me remplissant d'une essence précieuse : ou plutôt cette essence n'était pas en moi, elle était moi. J'avais cessé de me sentir mé-

diocre, contingent, mortel. D'où avait pu me venir cette puissante
joie ?... je bois une seconde gorgée où je ne trouve rien de plus
que dans la première, une troisième qui m'apporte un peu moins
que la seconde. Il est temps que je m'arrête, la vertu du breu-
vage semble diminuer. Il est clair que la vérité que je cherche
n'est pas en lui, mais en moi. Il l'a éveillée, mais ne la connaît
pas... » (p. 46, Sw., I). Et cette recherche se poursuit laborieuse
et pathétique. Il comprend d'abord que ce doit être un souvenir.
Mais le souvenir de quoi ? Et, tout à coup, il s'aperçoit que
« ... ce goût c'était celui du petit morceau de madeleine que le
dimanche matin à Combray (parce que ce jour-là je ne sortais pas
avant l'heure de la messe) quand j'allais lui dire bonjour dans sa
chambre, ma tante Léonie m'offrait après l'avoir trempé dans son
infusion de thé ou de tilleul » (p. 48). C'est donc un souvenir qui
produit cette impression ; et, caractéristique importante pour
Marcel Proust, un souvenir involontaire. C'est tout ce que nous
devons retenir pour le moment.

Il y a une autre catégorie d'impressions qui ont le pouvoir
de dissiper la tristesse du jeune Marcel. Voici comment il nous
présente la première que rapporte son livre. C'était à Combray,
au cours d'une promenade. Il songe tristement au manque de dispositions pour les lettres qu'il croit constater en lui : « Les regrets que j'en éprouvais, tandis que je restais seul à rêver un peu
à l'écart, me faisaient tant souffrir, que pour ne plus les ressentir,
de lui-même par une sorte d'inhibition devant la douleur, mon
esprit s'arrêtait entièrement de penser aux vers, aux romans, à
un avenir poétique sur lequel mon manque de talent m'interdisait
de compter. Alors, bien en dehors de toutes ces préoccupations
littéraires et ne s'y rattachant en rien, tout d'un coup un toit, un
reflet de soleil sur une pierre, l'odeur d'un chemin me faisaient
arrêter par un plaisir particulier qu'ils me donnaient et aussi parce
qu'ils avaient l'air de cacher au delà de ce que je voyais, quelque
chose qu'ils m'invitaient à venir prendre et que malgré mes
efforts je n'arrivais pas à découvrir. Comme je sentais que cela
se trouvait en eux je restais là, immobile, à regarder, à respirer,
à tâcher d'aller avec ma pensée au delà de l'image ou de l'odeur...
elles me donnaient un plaisir irraisonné, l'illusion d'une sorte de
fécondité et par là me distrayaient de l'ennui, du sentiment de
mon impuissance que j'avais éprouvés chaque fois que j'avais
cherché un sujet philosophique pour une grande œuvre littéraire »
(p. 165, Sw., I). Seulement, il ne se sent jamais le courage de
savoir ce qu'il y a sous ces choses, sauf une fois pour les clochers
de Martinville et de Vieuxvicq. Il s'aperçoit alors que ce sont des

mots, de jolies phrases qui lui font plaisir, ou plutôt sans se dire
cela, il se met à écrire un petit morceau descriptif (p. 167-168,
Sw., I) : « Seuls s'élevant du niveau de la plaine et comme
perdus en rase campagne, montaient vers le ciel les deux clochers
de Martinville. Bientôt nous en vîmes trois : venant se placer en
face d'eux par une volte hardie, un clocher retardataire, celui de
Vieuxvicq, les avait rejoints..., etc... » (1). Il éprouve, une autre
fois encore une impression du même genre devant une rangée
d'arbres près de Balbec, sans parvenir à l'élucider. A vrai dire,
il n'arrive pas à déterminer si ces trois arbres « recèlent » un
souvenir ou une simple impression esthétique (*A l'.*, II, 19-20).
Un jour, par la suite, écoutant la sonate de Vinteuil il lui semble
qu'elle pouvait très bien caractériser ces impressions des trois
clochers ou de la rangée d'arbres (2). Seulement comme les joies
intellectuelles lui paraissent, à cette époque, devoir être produites
par des idées abstraites, il ne peut leur assimiler les siennes.

Il s'attache d'ailleurs davantage au premier genre d'impressions, à celles dont la cause (d'abord inconnue) est un souvenir.
Ce sont elles, nous allons le voir, qui le forceront presque à
reconnaître la vraie nature de la vie spirituelle et qui lui expli-
queront les secondes. Mais avant d'en arriver à l'explication décisive, il y a une nouvelle alerte, de ce genre, qu'il nous faut noter
non seulement parce que ces impressions sont rares, mais aussi
en raison des circonstances particulières où elle se produit. La
scène se passe aux Champs-Elysées où Marcel retrouve chaque
jour ses camarades de jeu. « Je dus quitter un instant Gilberte,
Françoise m'ayant appelé. Il me fallut l'accompagner, dans un
pavillon treillisé de vert, assez semblable aux bureaux d'octroi
désaffectés du vieux Paris, et dans lequel étaient depuis peu ins-
tallés, ce qu'on appelle en Angleterre un lavabo, et en France,
par une anglomanie mal informée, des water-closets. Les murs
humides et anciens de l'entrée où je restai à attendre Françoise
dégageaient une fraîche odeur de renfermé qui, m'allégeant aussitôt des soucis que venaient de faire naître en moi les paroles de
Swann rapportées par Gilberte (3), me pénétra d'un plaisir non

---

1) Il faut croire que ce sujet des Trois clochers lui tient à
cœur puisque, sous une forme à peine différente, il l'avait déjà traité
dans LE FIGARO du 19 novembre 1907, sous le titre d'*Impressions de
route en automobile* (Repris dans *Pastiches et Mélanges*).
2) *Pr.*, II, 79.
3) Swann considère d'un mauvais œil les relations de Marcel
avec sa fillette. Cette dernière ne cache pas la façon de voir de son
père à notre héros qui s'en trouve fort affligé.

pas de la même espèce que les autres, lesquels nous laissent plus
instables, incapables de les retenir, de les posséder, mais au contraire d'un plaisir consistant auquel je pouvais m'étayer, délicieux,
paisible, riche, d'une vérité durable, inexpliquée et certaine.
J'aurais voulu, comme autrefois dans mes promenades du côté de
Guermantes, essayer de pénétrer le charme de cette impression
qui m'avait saisi et rester immobile à interroger cette émanation
vieillotte qui me proposait non de jouir du plaisir qu'elle ne me
donnait que par surcroît, mais de descendre dans la réalité qu'elle
ne m'avait pas dévoilée ». (p. 61, *A l'.*, I). Mais il est dérangé
par « la tenancière de l'établissement ». Et ce n'est qu'en rentrant
chez lui qu'il s'aperçoit que l'image cachée était « ... celle de la
petite pièce de son (mon) oncle Adolphe à Combray, laquelle
exhalait le même parfum d'humidité » (p. 63, *A l'.*, I). Sur ce,
sans rechercher la raison de sa félicité, il se méprise de s'exalter
pour une odeur de moisi. Et pourtant la qualité affective de ces
souvenirs, quels qu'ils soient, n'est comparable qu'à certaines
phrases du septuor de Vinteuil (*Pr.*, II, 235). Il approche de la
solution. Il « brûle », mais personne n'est là pour l'en avertir et
il lui faudra attendre de nombreuses années cette explication qu'un
effort plus grand aurait peut-être pu lui fournir tout de suite.

C'est dans le *Temps Retrouvé*, au dernier tome de l'œuvre,
que la clef de toutes ces énigmes est enfin trouvée. Une série
d'expériences sera décisive un jour qu'il se rend, après une longue
absence, à l'hôtel de Guermantes. Et cette fois-ci, d'abord, ce
ne sera ni une saveur, ni une odeur qui lui donnera cette impression ineffable de bonheur, mais une sensation musculaire kinesthésique : « ... j'étais entré dans la cour de l'hôtel de Guermantes
et dans ma distraction je n'avais pas vu une voiture qui s'avançait.
Au cri du wattman, je n'eus que le temps de me ranger vivement
de côté et je reculai assez pour buter malgré moi contre des pavés
assez mal équarris derrière lesquels était une remise. Mais au
moment où me remettant d'aplomb, je posai mon pied sur un pavé
qui était un peu moins élevé que le précédent, tout mon découra-
gement s'évanouit devant la même félicité qu'à diverses époques
de ma vie m'avaient donnée la vue d'arbres que j'avais cru reconnaître dans une promenade en voiture autour de Balbec, la
vue des clochers de Martinville, la saveur d'une madeleine trempée dans une infusion, tant d'autres sensations, dont j'ai parlé et
que les dernières œuvres de Vinteuil m'avaient paru synthétiser »
(p. 7, *T.R.* II). La cause de cette sensation, « ... c'était Venise
dont mes efforts pour la décrire et les prétendus instantanés pris
par ma mémoire ne m'avaient jamais rien dit et que la sensation

que j'avais ressentie jadis sur deux dalles inégales du baptistère
de Saint-Marc, m'avait rendue avec toutes les autres sensations
jointes ce jour-là à cette sensation-là, et qui étaient restées dans
l'attente, à leur rang, d'où un brusque hasard les avait impérieuse-
ment fait sortir, dans la série des jours oubliés » (p. 8-9, *T.R.*,
II). Or, ce jour-là, ces impressions semblent avoir à cœur de se
multiplier puisqu'un domestique ayant cogné une cuiller contre
une assiette dans la salle où Marcel attendait, le même genre de
félicité l'envahit à nouveau, accompagnée d'une sensation de
grande chaleur, mêlée d'une odeur de fumée « ... apaisée par la
fraîche odeur d'un cadre forestier... ». Et il s'aperçoit qu'il s'agit
de ces arbres que peu de temps auparavant, son train ayant fait
halte en pleine campagne, il avait trouvé si ennuyeux à décrire et
du bruit du marteau d'un employé qui avait arrangé quelque chose
à une roue du train pendant l'arrêt. Aux impressions de saveur
(la madeleine), d'odeur (les water-closets) et kinesthésique (les
pavés) viennent donc s'ajouter les impressions auditives. Et presque aussitôt encore, c'est une nouvelle impression de ce genre,
mais qui ne fait pas double emploi avec les précédentes puisqu'elle
a pour cause une sensation tactile (Proust on le voit, choisit ses
exemples). Elle se produit en effet au moment où il s'essuie la
bouche après avoir bu un verre d'orangeade. Une vision d'azur
passe devant ses yeux. Il respire un air pur et salin. L'impression est si forte même qu'il croit que le domestique vient d'ouvrir
la fenêtre sur la plage : « ... la serviette que j'avais prise pour
m'essuyer la bouche avait précisément le genre de raideur et
d'empesé de celle avec laquelle j'avais eu tant de peine à me
sécher devant la fenêtre, le premier jour de mon arrivée à Balbec,
et maintenant devant cette bibliothèque de l'hôtel de Guermantes
elle déployait, réparti dans ses plis et dans ses cassures, le plu-
mage d'un océan vert et bleu comme la queue d'un paon » (p. 10-
11, *T.R.*, II). Or, sur le moment, à Balbec même, il n'avait pas
joui ainsi de la mer et de ces couleurs. Etait-ce à cause de la
fatigue ou de la tristesse du moment ?

Non, la vertu du souvenir est réelle ! Elle n'est pas simplement négative, ou relative à d'autres sensations. Déterminé à
faire, une bonne fois, un effort pour voir clair en lui-même, il
va découvrir des vérités d'une importance capitale.

LA QUALITÉ

Il ne s'arrête pas à la différence qui existe entre l'impression
vraie (celle qui lui procure le souvenir) et l'impression factice

(celles qui naissent de la réalité présente, ou de la mémoire volontaire). Il se rappelle trop ce qui arriva un jour à Swann, comment
l'indifférence régnait dans l'âme de l'amant d'Odette, et comment
la petite phrase d'un morceau de Vinteuil provoqua subitement
une souffrance en lui lorsqu'elle retentit de nouveau à son oreille,
et réveilla son douloureux amour. Il se rend compte que si la vie
nous paraît médiocre, c'est parce que nous la jugeons au moyen
de cette mémoire qu'il appelle d'abord « la mémoire uniforme »
(12), et plus loin la mémoire « volontaire ». En réalité la vie est
d'une richesse de nuances infinie. Chaque impression réelle a son
originalité. Cela tient, remarque Proust, à ce que « ... la moindre
parole que nous avons dite à une époque de notre vie, le geste le
plus insignifiant que nous avons fait était entouré, portait sur lui
le reflet des choses qui logiquement ne tenaient pas à lui... » (1).
L'intelligence les a séparés d'elles, car elle n'en avait que faire
pour les besoins du raisonnement. Mais c'est au milieu d'elles,
« ici reflet rose du soir sur le mur fleuri d'un restaurant cham-
pêtre, sensation de faim, désir des femmes, plaisir du luxe — là
volutes bleues de la mer matinale enveloppant des phrases musicales qui en émergent partiellement comme les épaules des ondi-
nes », qu'ils restent enfermés « ... comme dans mille vases enclos
dont chacun serait rempli de choses d'une couleur, d'une odeur,
d'une température absolument différentes » (12) (2).

---

1) Cette phrase et les suivantes font irrésistiblement penser à
certains passages de l'*Essai sur les Données immédiates de la
Conscience* de Bergson : « Un amour violent, une méancolie profonde
envahissent notre âme : ce sont mille éléments divers qui se fondent,
qui se pénètrent, sans contours précis... Tout à l'heure chacun d'eux
empruntait une indéfinissable coloration au milieu où il était
placé... » (p. 100).

2) Cette comparaison des différents moments de notre vie avec
des vases contenant chacun une essence originale est encore employée deux fois par la suite dans ce deuxième tome du *Temps
Retrouvé*. Page 33 : « Dans la moindre sensation apportée par le plus
humble aliment, l'odeur du café au lait, nous retrouvons cette vague
espérance d'un beau temps qui, si souvent, nous sourit, quand la
journée était encore intacte et pleine, dans l'incertitude du ciel matinal ; une lueur (*sic* ?) est un vase rempli de parfum, de sons, de
moments, d'humeurs variées, de climats ». Page 39 : « Le goût du
café au lait matinal nous apporte cette vague espérance d'un beau
temps qui jadis si souvent pendant que nous le buvions dans un bol
de porcelaine blanche, crémeuse et plissée qui semblait du lait durci,
se mit à nous sourire dans la claire incertitude du petit jour. Une
heure n'est pas une heure, c'est un vase rempli de parfums, de
projets, de climats ». Il y a là une répétition que Proust n'a vraisemblablement pas voulue. Les 79 premières pages du tome II du *Temps
Retrouvé*, où se trouve condensé l'essentiel de l'esthétique proustienne
contiennent de grandes beautés, mais il est manifeste que Proust,
bien qu'il les ait écrites très tôt, n'y a pas mis la dernière main.

Il faut ajouter à cela que ces vases « ... disposés sur toute la hauteur de nos années pendant lesquelles nous n'avons cessé de changer, fût-ce seulement de rêve et de pensée, sont situés à des altitudes bien diverses et nous donnent la sensation d'atmosphères singulièrement variées ». Sans doute ces changements, nous les avons accomplis insensiblement : « mais entre le souvenir qui nous revient brusquement et notre état actuel, de même qu'entre deux souvenirs d'années, de lieux, d'heures différentes, la distance est telle que cela suffirait, en dehors même d'une originalité spécifique à les rendre incomparables les uns aux autres » (12-13).

Notre vie réelle est purement qualitative. C'est en le constatant, que Proust note « au passage » que son œuvre rencontre de ce fait de grandes difficultés, car il en devra exécuter les parties successives dans une matière en quelque sorte différente (13).

Ainsi, le propre de ces impressions profondes est d'éveiller en nous non seulement une sensation ancienne et originale, mais tout un moment du passé lié à elle-même, et, même, l'être, la personnalité que nous étions à ce moment-là : « une chose que nous vîmes à une certaine époque... ne peut plus être repassée que par la sensibilité, par la personne que nous étions alors » (*T.R.*, II, 34). C'est, en somme, un de ces souvenirs affectifs purs, sur la réalité desquels les psychologues disputent depuis si longtemps.

Mais ce que Proust est surtout désireux de trouver, c'est la cause de la félicité et du caractère de certitude que lui apportent ces impressions. Cette cause il croit la deviner en constatant qu'elles présentent un caractère commun à savoir : qu'elles sont goûtées *à la fois dans le passé et le présent* par l'intermédiaire d'une sensation commune. Elles sont si fortes que par instant on hésite à se croire dans le présent. Et voici la conséquence capitale qu'il en tire : ...« l'être qui alors goûtait en moi cette impression, la goûtait *en ce qu'elle avait de commun dans un jour ancien et maintenant,* dans ce qu'elle avait *d'extra-temporel,* un être qui n'apparaissait que quand, par une de ces identités entre le présent et le passé, il pouvait se trouver dans le seul milieu où il pût vivre, *jouir* de l'essence des choses, c'est-à-dire en *dehors du temps* (1) » (p. 14, *T.R.*, II).

Arrêtons-nous d'abord à cet « être » dont nous parle Proust. Il ne fait plus de doute que cet être intemporel, qui ne se nourrit « que de l'essence des choses » (16), c'est notre personnalité

---

1) C'est nous qui soulignons.

profonde. Ainsi se trouve confirmé ce qui avait déjà été pressenti
dans *La Prisonnière* à propos de l'artiste. Cette « qualité d'un
monde unique » (*Pr.* II, 235), qu'il apercevait dans l'œuvre
d'art est bien la preuve de l'existence d'une personnalité profonde, au moins chez l'artiste. L'artiste ne fait jamais qu'une
seule œuvre ou plutôt réfracte à travers des milieux divers une
même beauté qu'il apporte au monde (*Pr.,* II, 235). Son chant
reste toujours identique à lui-même, quel que soit le sujet traité et
prouve « la fixité des éléments composants de son âme » (*Pr.*
II, 75). Tout cela s'explique par cet être que nous sommes lorsque
nous avons ces impressions qui, comme nous allons le voir, sont
d'essence esthétique. Cet être est donc ce qu'il y a de plus
« nous-même » (1) puisque c'est lui qui fait cette qualité unique
qu'on retrouve partout dans les œuvres d'un même artiste.

Mais ce qui nous intéresse plus particulièrement dans la
découverte de Proust, c'est qu'elle explique qu'on puisse goûter,
saisir l'essence qualificative et éternelle des choses. Il nous est
impossible en nous bornant au présent de goûter celle-ci dans ce
qu'elle a de spécifique. Non seulement parce que nous en
sommes empêchés par la nécessité de vivre, par les incessantes
sollicitations du milieu vital, mais parce que ce qu'il y a de
spécifique dans le présent n'apparaît pas, faute d'un point de
comparaison. Il faut, dit Proust, « le miracle d'une analogie »
(p. 14). Telle est la raison de cette incompatibilité de l'action
actuelle, du présent avec le bonheur, que nous avons signalée
dans le chapitre précédent. On ne peut vivre et être heureux et
(ce qui est à peu près équivalent) on ne peut vivre et jouir de
la beauté. Mais cette incompatibilité n'est pas un obstacle irréductible, parce que les souvenirs affectifs permettent précisément
de raccorder la sensation à « l'organe » du bonheur et de la
beauté, l'imagination : « Tant de fois au cours de ma vie, la
réalité m'avait déçu parce qu'au moment où je la percevais, mon
imagination qui était mon seul organe pour jouir de la beauté,
ne pouvait s'appliquer à elle en vertu de la loi inéluctable qui
veut qu'on ne puisse imaginer que ce qui est absent. Et voici
que soudain l'effet de cette dure loi s'était trouvé neutralisé,
suspendu, par un expédient merveilleux de la nature, qui avait
fait miroiter une sensation... à la fois dans le passé, ce qui
permettait à mon imagination de la goûter, et dans le présent
où l'ébranlement effectif de mes sens par le bruit, le contact,
avait ajouté aux rêves de l'imagination ce dont ils sont habituel-

---

1) Proust dit expressément p. 16 : « Notre vrai moi » (*T.R.* II).

lement dépourvus, l'idée d'existence — et grâce à ce subterfuge avait permis à mon être d'obtenir, d'isoler, d'immobiliser — la durée d'un éclair — ce qu'il n'appréhende jamais : « un peu de temps à l'état pur » (p. 15). Ce temps à l'état pur c'est l'éternité telle qu'elle se manifeste dans une essence.

Ce texte est capital.

Arrêtons-nous ici à une objection qui nous permettra d'en préciser la portée.

M. Gabriel Marcel conteste (*Bulletin de l'Union pour la Vérité* de Mars-Avril 1929) qu'il soit ainsi possible d'atteindre l'éternité : « …toute la question est de savoir, dit-il, si l'on peut concevoir un état privilégié qui nous permettrait de nous évader du temps. Je pense qu'à cette question on ne peut que répondre que négativement ; tant que nous demeurons dans l'ordre des états, nous sommes dans le temps » (p. 21). Remarquons que l'objection de M. Gabriel Marcel présuppose une métaphysique qui distingue un *ordre* des états, séparé d'un autre ordre de chose, plus profond, et qui est le réel. Cette métaphysique est d'inspiration kantienne, et rappelle la célèbre théorie des phénomènes et des noumènes. Mais il s'agirait d'abord de savoir si cet ordre des états est réel, c'est-à-dire si ces états sont réellement distincts — ou s'ils ne sont pas seulement obtenus par abstraction comme il le semble bien. La valeur qu'on accorde au mot état n'est donc pas indifférente. Quoiqu'il en soit, pour Marcel Proust, c'est un fait que l'éternité peut être appréhendée dans ce que nous appelons communément des états. Ce fait, pour être accepté, demande sans doute à être expliqué. Il l'est, pensons-nous, et nous allons le montrer, par la conception générale que Proust se fait de la vie intérieure. Remarquons que l'objection pourrait être également adressée à la vérité. On pourrait dire, en effet, aussi, que tant que l'on reste dans l'ordre des états on ne peut atteindre des vérités absolues. D'ailleurs, pour Marcel Proust, ce sont des vérités absolues que nous atteignons en même temps que l'éternité. Sa théorie, sa démonstration du *Temps Retrouvé,* signifie donc que pour lui — comme pour certains grands philosophes — l'absolu n'est pas complètement, ni toujours, hors des prises de l'esprit humain.

Remarquons bien, du reste, que le procédé par lequel nous saisissons l'essence qualitative dans le souvenir affectif n'est pas différent de celui que nous employons pour le percevoir dans l'œuvre d'art. Rappelons, en effet, que, selon Marcel Proust, ce qui fait l'originalité de l'artiste ne peut être appré-

hendé d'emblée par l'amateur (1). Il est nécessaire, si c'est un
peintre, de voir plusieurs tableaux de ce peintre. Et, si c'est
un musicien, il est nécessaire d'entendre plusieurs fois le même
morceau pour le percevoir. Il faut, dans un cas comme dans
l'autre, le miracle d'une analogie, ou si l'on veut un point de
comparaison que fournit la mémoire ou l'imagination (à laquelle
Proust semble donner dans le *Temps Retrouvé* le sens très
général de faculté de produire des images, et des souvenirs, qui
sont des sortes d'images). Bref, la qualité n'est pas donnée à
la conscience par la sensation pure et simple de ce qui se passe
en soi. C'est pourquoi notre vie ordinaire est si fade. Nous
allons voir, du reste, qu'il n'est pas davantage possible de l'apercevoir en nous par l'acte de la seule volonté.

SOUVENIRS VOLONTAIRES ET INVOLONTAIRES

Insistons sur les caractères de ces souvenirs affectifs.
Proust ne les nomme pas ainsi, mais souvenirs « involontaires ».
Il les oppose fortement aux souvenirs « volontaires ». Cette
distinction, dit-il dans une lettre à Louis de Robert (2) (*Revue de
France,* 1 et 15 janvier 1925) est capitale bien que Bergson
ne la fasse pas. La mémoire volontaire est la mémoire de l'intelligence et des yeux qui ne nous rend du passé « que des fac-
similés inexacts qui ne lui ressemblent pas plus que les tableaux
des mauvais peintres ne ressemblent au printemps. De sorte que
nous ne croyons pas la vie réelle parce que nous ne nous la
rappelons pas ; mais que nous sentions une odeur ancienne,
soudain nous sommes enivrés... » Lorsque par la mémoire
volontaire nous parcourons notre vie passée nous affirmons sans
doute la différence des sensations éprouvées à des moments
divers, mais en réalité nous ne combinons entre eux que « des
éléments homogènes », des abstractions (*T.R.,* II, p. 17). Les
renseignements qu'elle nous fournit sur le passé ne conservent
rien de lui (*Sw.* I, p. 45). Et lorsque la Sonate de Vinteuil
restitue à Swann la « réalité » de son amour, il s'aperçoit que
jusqu'ici sa mémoire (volontaire) l'a trompé puisqu'elle ne lui

---

1) Voir plus haut, page 82, § La qualité.
2) Voir aussi Dreyfus « Souvenirs sur Marcel Proust », 285-292,
le récit de l'interview de Proust par Elie Bois pour le « Temps » ou
bien le numéro du « Temps » du 12 novembre 1913. Voir encore
« *Comment parut* « *Du Côté de chez Swann* » page 60 et suivantes,
une lettre à René Blum. Dans tous ces documents Proust s'exprime
presque dans les mêmes termes.

a conservé que « l'idée vague d'aimer dans laquelle il n'y a
pas d'amour » (*Sw.* II, p. 127).

La leçon qui se dégage de l'étude de la mémoire volontaire,
c'est qu'il faut bien se garder de porter un jugement pessimiste
sur la vie qui ne paraît médiocre que si on la juge sur des
images qui ne gardent rien d'elle (*T.R.* II, p. 12). Contrairement
à ce que le jeune Marcel a cru spontanément, ce n'est pas l'intelligence abstraite qui est la source ou la matière des grandes
œuvres d'art et l'on ne saurait créer celles-ci ex-nihilo par un
miracle de la volonté.

La mémoire involontaire, au contraire, ressuscite un passé
authentique : « Ce n'était pas seulement un écho, dit Proust,
un double d'une sensation passée que venait de me faire éprouver
le bruit de la conduite d'eau, mais cette sensation elle-même »
(*T.R.* II, p. 18). La façon fortuite dont celles-ci sont rencontrées
est déjà une garantie de leur authenticité (1). Et même le passé,
comme doué d'un certain dynamisme, semble s'affirmer lui-
même dans notre conscience : « Toujours dans ces résurrections-
là, le lieu lointain engendré autour de la sensation commune,
s'était accouplé un instant comme un lutteur au lieu actuel »
(*T.R.* II, p. 19, et encore p. 25). Enfin cette joie du réel
retrouvé est aussi un critérium.

A la mémoire de l'intelligence s'ajoute la mémoire des yeux
parce que la mémoire des yeux est une mémoire trop intellectua-
lisée. Néanmoins, parmi les exemples de souvenirs involontaires
que Proust nous donne, on trouve les plus divers : et même des
souvenirs provoqués par des impressions visuelles. La vue, à
Paris, d'une « luxueuse salle à manger à demi vide, estivale et
chaude » lui permet d'évoquer (de la même manière que le
bruit du calorifère) les fins d'après-midi à Balbec (*T.R.* II, p. 18)
— un rayon oblique du couchant lui rappelle instantanément
« ...un temps auquel, dit-il, je n'avais jamais repensé et où dans
ma petite enfance, comme ma tante Léonie avait eu une fièvre
que le docteur Percepied avait craint typhoïde, on m'avait fait
habiter une semaine la petite chambre qu'Eulalie avait sur la
place de l'Eglise, etc... » (*T.R.* II, p. 27). Un peu plus loin
ce sont des mots, un titre lu, *François le Champi,* qui provoquent
en lui une sensation, cette fois-ci d'abord douloureuse. Puis avec
une émotion qui va jusqu'à le faire pleurer, il s'aperçoit que le

---

1) D'abord, précisément parce qu'ils sont involontaires, qu'ils
se forment d'eux-mêmes attirés par la ressemblance d'une minute
identique, ils ont seuls une griffe d'authenticité » (p. 290-291, R.
Dreyfus, *Souvenirs*).

titre de ce roman de George Sand est lié à des souvenirs
d'enfance et de famille « tendrement mêlés » et au charme de
cette nuit où sa mère le lui avait lu en entier à haute voix
(*T.R.* II, p. 30-32).

Ces souvenirs involontaires sont assurément assez rares. Et
dans cette antichambre du salon de la princesse de Guermantes,
il semble qu'ils se produisent avec une abondance miraculeuse.
Proust fait remarquer que celle-ci était sans doute aidée « ...par
l'excitation particulière qui fait que les jours où on se trouve en
dehors du train courant de la vie, les choses même les plus
simples recommencent à nous donner des sensations dont l'habitude fait faire l'économie à notre système nerveux » — et c'était
assurément son cas puisqu'il retournait dans le monde pour la
première fois depuis longtemps. Par ailleurs Proust fait remarquer que ces sensations ne lui sont pas propres et qu'un certain
nombre d'écrivains les ont éprouvées et utilisées : Chateaubriand
dans les *Mémoires d'Outre Tombe,* Gérard de Nerval dans
Sylvie, Baudelaire (*T.R.* II, p. 80-83) (1).

IMPORTANCE DES SOUVENIRS
INVOLONTAIRES

En tout cas, en ce qui le concerne, Proust reconnaît qu'elles
« dominent » sa vie. A examiner le tissu de son œuvre de plus
près, on s'aperçoit même qu'elles sont plus nombreuses qu'on ne
pourrait le penser à première vue et jouent un rôle plus grand
qu'on ne l'aurait cru. Outre les cas éclatants que nous avons
signalés, il en existe en effet un certain nombre d'autres moins
nets, moins évidents, mais caractéristiques tout de même. Ce
sont ces aubépines que Marcel découvre en compagnie de son
amie Andrée et qui lui rappellent les aubépines de Combray
(*A l'.* II, p. 199). C'est un geste (« incantateur » dit Proust)
qui suscite « le moi alerte et frivole » qui était le sien quand
il allait dîner avec Saint-Loup à Ribevelle (*S.G.* II, 3, 106). C'est
un air joué par une voisine qui le fait se souvenir d'Albertine
et le remplit d'un sentiment si profond qu'il se met à pleurer
(*A.D.* I, 60). C'est un foulard noué autour du cou d'une certaine

---

1) Dans son article sur le « Style Flaubert » il cite à nouveau
Châteaubriand et Gérard de Nerval en faisant remarquer à leur
propos qu'ils se servent, comme lui, des souvenirs volontaires comme
moyen de transition (Chroniques. 210). — M. Jean Pommier dans
La Mystique de Marcel Proust (Droz, 1939) cite un certain nombre
d'autres précédents littéraires. De même M. J.-O. Brien dans un
article de la Revue de Littérature comparée (1939) intitulé *La Mémoire involontaire avant Marcel Proust.*

manière qui restitue à sa mémoire le souvenir d'une promenade avec Albertine et lui fait « le plaisir de ces objets intimes ayant appartenu à une morte chérie » et qu'on nous rapporte (*A.D.*, I, p. 184), etc... (1).

On peut même se demander si toute impression capable d'engendrer en nous une émotion n'a pas pour cause la mémoire. Le passé est comme une caisse de résonnance qu'une simple impression présente peut faire vibrer. C'est une conception que les exemples de Proust nous suggèrent. Une route, parcourue un certain nombre de fois à une époque de sa vie « devint pour moi, dit-il, dans la suite, une cause de joies en restant dans ma mémoire comme une amorce où toutes les routes semblables sur lesquelles je passerais plus tard au cours d'une promenade ou d'un voyage s'embrancheraient aussitôt sans solution de continuité et pourraient grâce à elle, communiquer immédiatement avec mon cœur » (*A l'*. II, 21-22). De même si Venise est goûté par Marcel, c'est en fonction de Combray, et même grâce à Combray. S'il en est ainsi, c'est que le présent ne peut être senti qu'en fonction d'autre chose qui n'est pas lui mais lui ressemble. Les heures passées ne sont jamais absolument perdues. « Quand chantent à leur tour de nouveaux moments de plaisir qui passeraient de même aussi grêles et linéaires, elles viennent leur apporter le soubassement, la consistance d'une riche orchestration » (*G.* II, 81). « On est frappé, écrit Curtius, de voir combien chez Proust toutes les grandes manifestations de la vie ne semblent prendre leur valeur et leur sens complets que combinés avec le jeu du souvenir. » (2)

EXPLICATION

L'échec de l'intelligence abstraite comme la possibilité des souvenirs affectifs purs s'expliquent à la lumière de la conception

---

1) Aux exemples que nous avons cités ici il faut ajouter celui, le premier en date, que nous trouvons dans *Les Plaisirs et les Jours* (p. 147) : « Quelle vertu possède cette matinale odeur de lilas pour traverser tant de vapeurs fétides sans s'y mêler et s'y affaiblir ? Hélas ! en même temps qu'en moi, c'est bien loin de moi, c'est hors de moi que mon âme de quatorze ans se réveille encore, etc... ». La préface *Sur la lecture* pourrait être considérée toute entière comme une étude sur la formation des souvenirs involontaires. En tout cas elle en est faite, et les allusions à ceux-ci sont nombreuses (notamment p. 8 à 9 ; 18 et 48). C'est aussi un souvenir involontaire que la Sonate de Vinteuil provoque en Swann chez Mme de Saint-Euverte, mais il est mêlé aux impressions proprement esthétiques que la Sonate engendre en lui. Voir encore le passage d'*A.D.*, I, p. 101 que nous citons plus loin dans le § intitulé *Le Souverain Bien !*

2) *Marcel Proust*, p. 45.

proustienne de la vie intérieure. L'intelligence échoue parce que notre vie n'est pas uniforme, parce qu'elle évolue, change insensiblement, parce qu'il n'y a pas deux phénomènes psychologiques identiques, parce que la vie intérieure est diversité pure.

M. L. Dugas, dans le *Journal de psychologie* (1), constate que cette reviviscence des sentiments, telle qu'elle se produit dans les souvenirs affectifs, est inexplicable. Elle ne saurait, à notre avis, s'expliquer que par une conception générale de la vie intérieure du genre de celle qui est impliquée par la psychologie proustienne, c'est-à-dire une conception qualitative et une conception *émotive* de la vie concrète. Or, l'intelligence abstraite ne peut pas nous rendre *sensibles* les nuances de la vie intérieure. Elle les affirme, mais ne les connaît pas (d'une connaissance concrète). Heureusement, il y a en nous un autre mode de vie, celui que nous révèlent les souvenirs involontaires. Ce mode de vie est constitué par des sortes de forces latentes, nombreuses, diverses, contenues dans ces vases dont nous parle Proust, et capables d'exploser sous l'action d'un excitant spécifique pour chacune d'elle, et d'engendrer en nous les émotions les plus variées, les plus riches, les plus précieuses pour l'intelligence même.

Il y a, du reste, une autre théorie proustienne qui nous semble ici nécessaire pour faire connaître les caractères du souvenir involontaire : c'est celle qui postule au sein d'un changement continu la discontinuité de nos états de conscience et de ces groupements d'états de conscience que Proust appelle des personnalités. En un mot il faut, pour que le souvenir soit possible, et l'oubli aussi, que notre vie intérieure ne confonde pas à chaque instant ses divers états en un courant unique où ils se dilueraient, mais que ces états au contraire restent intacts. C'est à des vases superposés et contenant chacun une essence originale, que Proust compare, nous l'avons vu, les différents instants de notre vie intérieure. Dans « Albertine disparue », dans un texte qui annonce le *Temps Retrouvé,* il emploie une autre comparaison non moins significative : « ...chaque jour ancien est resté déposé en nous, dit-il, comme dans une bibliothèque immense, où il y a de plus vieux livres, un exemplaire que sans doute personne n'ira jamais demander. Pourtant que ce jour ancien traversant la translucidité des époques suivantes, remonte à la surface et s'étende en nous qu'il couvre tout entier, alors pendant un moment, les noms reprennent leur ancienne signifi-

---

1) « La Mémoire des Sentiments », N° des 15 mars et 15 avril 1930.

cation, les êtres leur ancien visage, nous, notre âme d'alors, et nous sentons, avec une souffrance vague mais devenue supportable et qui ne durera pas, les problèmes devenus depuis longtemps insolubles et qui nous angoissaient tout d'abord. Notre moi est fait de la superposition de nos états successifs. Mais cette superposition n'est pas immuable comme la stratification d'une montagne. Perpétuellement des soulèvements font affleurer à la surface des couches anciennes » (p. 205, *A.D.* I). Ce texte semble bien prouver que pour Marcel Proust la possibilité des souvenirs affectifs purs est liée à cette hypothèse. Elle explique que les états de conscience ne se mêlent à rien d'étranger, qu'ils restent intacts. Elle rend concevable leur conservation et leur réapparition (1). Cette hypothèse explique aussi que le souvenir affectif ressuscite avec lui l'être que nous étions à ce moment-là, avec ses préoccupations et ses désirs.

INTERMITTENCES ET SOUVENIRS INVOLONTAIRES

Au fond, le souvenir involontaire ou affectif comme on voudra le nommer, n'est pas foncièrement différent du phénomène de l'intermittence. Dans un cas comme dans l'autre le moi passé est ressuscité, recréé, revivifié. Il est même révélé. Cependant il y a une différence importante. L'intermittence n'est pas strictement contemplative comme le souvenir affectif. Elle est aussi de l'ordre de l'action. Le moi qui nous envahit n'est pas instable comme dans le souvenir affectif, lequel ne se prolonge pas du reste sans fatigue. Il s'impose à nous, s'installe en nous et nous nous mettons à vivre une nouvelle vie. Et c'est sans doute parce qu'elle est de l'ordre de l'action qu'elle n'engendre pas — en dépit du sentiment très intense de réalité qu'elle nous donne — la même félicité.

LE SOUVERAIN BIEN

Pour Marcel Proust, ce plaisir de reminiscence est véritablement le souverain bien. Le signe de l'irréalité des autres plaisirs

---

1) Une autre condition de leur conservation c'est l'oubli (*T.R.*, II. 151). Proust insiste là-dessus : les évocations successives et prolongées d'un souvenir font en quelque sorte s'évaporer la substance de la mémoire. Dans les *Plaisirs et les Jours* l'histoire de cet officier qui sur le point de mourir relit sa correspondance pour se remémorer sa vie est symbolique. Il arrive un moment où, à force de les évoquer, ses souvenirs se flétrissent, et comme des papillons qu'on veut attraper, perdent, ôté par les doigts « un peu du mirage de leurs ailes » (189).

« ...ne se montre-t-il pas assez, soit dans leur impossibilité à
nous satisfaire comme par exemple les plaisirs mondains qui
causent tout au plus le malaise provoqué par l'ingestion d'une
nourriture abjecte, ou l'amitié qui est une simulation puisque
pour quelques raisons morales qu'il le fasse l'artiste qui renonce
à une heure de travail pour une heure de causerie avec un ami
sait qu'il sacrifie une réalité pour quelque chose qui n'existe
pas (..), soit dans la tristesse qui suit leur satisfaction, comme
celle que j'avais eu le jour où j'avais été présenté à Albertine
de m'être donné un mal pourtant bien petit afin d'obtenir une
chose — connaître cette jeune fille — qui ne me semblait petite
que parce que je l'avais obtenue. Même un plaisir plus profond
comme celui que j'aurais pu éprouver quand j'aimais Albertine,
n'était en réalité perçu qu'inversement par l'angoisse que j'avais
quand elle n'était pas là... » (p. 20, *T.R.* II). Le principe
commun de nos déceptions est dans ce fait qu'on ne peut les
réaliser dans l'action : « ...je sentais bien que la déception du
voyage, la déception de l'amour n'étaient pas des déceptions
différentes, mais l'aspect varié que prend selon le fait auquel
il s'applique, l'impuissance que nous avons à nous réaliser
dans la jouissance matérielle, dans l'action effective » (p. 23,
T.R. II). Il n'y a pas de plaisir hors de nous. Le bonheur ne
peut être qu'intérieur et personnel; telle est la leçon du *Temps
Retrouvé*.

Avant même la révélation du *Temps Retrouvé* le jeune
Marcel avait constaté, nous l'avons dit, que ce qui avait fait la
douceur de sa vie, c'était justement « à l'appel de moments
identiques la perpétuelle renaissance de moments anciens ».
« Par le bruit de la pluie m'était rendue l'odeur des lilas de
Combray, par la mobilité du soleil sur le balcon, les pigeons
des Champs-Elysées, par l'assourdissement des bruits dans la
chaleur de la matinée, la fraîcheur des cerises, le désir de la
Bretagne ou de Venise par le bruit du vent et le retour de
Pâques ». (*A.D.* I, 101). Mais avec le *Temps Retrouvé,* ce
plaisir, mieux connu, plus conscient, est sans doute aussi devenu
plus grand. Quoi qu'il en soit, Proust constate qu'il est seul réel
et profond. Chaque fois qu'il l'éprouve, il remarque qu'en lui
s'évanouit la crainte de la mort. C'est que l'être qu'il devient
alors est un être « insoucieux des vicissitudes de l'avenir »
« extratemporel ». Il échappe à la catégorie du temps, ce qui
revient à dire qu'il entre dans l'éternité. C'est bien la béatitude
dont parlent également les philosophes. Et pour lui, comme pour
eux, elle est engendrée par la contemplation d'essences éternelles.

Sans doute les essences qu'atteint Proust sont des essences qualitatives — parce que son domaine est l'art. Mais il suffit qu'elles soient des vérités ou qu'elles soient immuables, pour que l'analogie soit valable. Nous verrons un peu plus loin, du reste, que l'art exprime aussi des vérités d'un autre ordre, des vérités simplement générales et que Proust y découvre un plaisir de même nature (1).

Mais cette béatitude, cette félicité, ce bonheur (comme on voudra l'appeler), que le souvenir engendre, est un phénomène actuel. Le passé ressuscité ne comportait nullement ce bonheur. Il nous avait paru fade lorsque nous l'avions vécu. Peut-être même avait-il été douloureux. Dans ces conditions n'est-il pas abusif de parler de souvenir affectif ? N'est-il pas illégitime de considérer comme un phénomène de mémoire du sentiment, le souvenir d'un moment douloureux ou seulement insipide de notre vie, lorsque ce souvenir produit en nous une impression qui nous ravit d'aise, comme c'est le cas pour ceux que Proust nous rapporte. Saint-Augustin, dont M. L. Dugas nous dit (2) qu'il est le premier à avoir signalé l'existence de la mémoire affective, notait déjà cette contradiction : « Quel est ce fait étrange ? Lorsque je me souviens avec joie de ma tristesse passée la joie est dans mon âme et la tristesse dans ma mémoire, et mon âme est joyeuse de ce que la joie est en elle, mais ma mémoire n'est pas triste de ce que la tristesse est en elle ». Avant le Dante, Saint-Augustin constate de même qu'il se rappelle parfois avec tristesse sa joie passée.

Cependant, nous l'avons vu, Proust n'a pas la moindre hésitation à cet égard. C'est le moment passé lui-même qui est ressuscité dans le souvenir involontaire. C'est son amour passé que la Sonate de Vinteuil restitue à Swann. S'il éprouve une souffrance actuelle à se rappeler son bonheur passé, c'est qu'il aime encore et qu'il compare le présent au passé. Cette souffrance n'est pas un élément du souvenir. C'est un phénomène

---

1) M. L. Dugas (dans l'excellent article du « Journal de Psychologie » que nous avons signalé) commentant le souvenir involontaire engendré par l'odeur de renfermé sentie dans un chalet de nécessité, se déclare incapable d'expliquer l'impression de félicité éprouvée par Proust et se donne pour excuse le fait que l'auteur lui-même y renonce. Mais M. L. Dugas n'a pas vu que l'auteur n'y renonce que provisoirement. L'épisode du chalet de nécessité n'est qu'une de ces étapes nombreuses qui conduisent au *Temps Retrouvé*. L'explication de cette félicité ne pouvait être donnée avant. Nous avons vu en quoi elle consiste.

2) Dans la *Revue de Philosophie* de janvier-février 1919, et le *Journal de Psychologie* de mars-avril 1930.

présent lié à son action présente. De même si le souvenir de sa grand'mère est douloureux pour Marcel, c'est parce qu'il fait renaître non seulement une personnalité ancienne, mais des remords et des regrets qui sont actuels et de l'ordre de l'action également. Et voici justifiée la thèse du Dante.

Celle de Musset n'est pas moins juste, du reste, mais d'un autre point de vue. La joie qu'engendre le souvenir peut s'expliquer, remarquons-le bien, de la même manière que précédemment. Nous pouvons avoir pour nous réjouir des raisons tirées de circonstances présentes. Mais la satisfaction procurée par la madeleine ou la cuiller qui heurte une assiette ne peut s'expliquer ainsi. Proust n'a aucune raison *présente* d'éprouver de la joie en mangeant sa madeleine (la satisfaction de son appétit mise à part) ou d'entendre une cuiller qui heurte une assiette. Il ne tire de cette joie ni sciemment ni autrement aucune conséquence quant au présent ou à l'avenir. Alors ? Eh bien, cette joie est fort différente, quant à sa cause du moins, de la précédente. C'est une joie *intellectuelle*. C'est parce que le passé est révélé, à celui qui l'a éprouvé sans le connaître exactement, dans sa véritable nature, avec sa véritable valeur, sa véritable tonalité, qu'une joie se produit en lui dans le souvenir affectif ou involontaire. Il apparaît non pas tel que nous avons cru qu'il était dans le passé, mais tel qu'il est, original, unique, en dehors de toute considération de temps. Voilà pourquoi Proust nous dit que le souvenir involontaire atteint la réalité et qu'il permet d'appréhender des vérités éternelles. Il en résulte que la perception consciente dans le présent est non seulement souvent erronée, mais aussi et surtout inévitablement incomplète. Nous ne nous connaissons pas dans le moment présent, nous sommes victimes d'une perpétuelle illusion sur nous-même et nous ne nous voyons ou plutôt nous ne nous sentons pas tel que nous sommes. Nous avons beau baigner dans cet écoulement qualitatif qu'est la durée, qu'est notre vie psychologique réelle, nous ne le connaissons pas. C'est pourquoi notre existence est fade. Le plaisir est lié à la perception de la qualité. En d'autres termes, pour jouir de celle-ci il faut d'une manière ou d'une autre que nous nous connaissions.

Seul le souvenir involontaire, en nous dégageant du moment présent, nous permet de saisir en nous le réel à l'état pur. Il en résulte une joie. Nous pouvons dire d'elle qu'elle est purement intellectuelle et pourtant tout à fait concrète.

On oublie cela quand on conteste, comme le fait M. Robert Brasillach par exemple, que ces simples souvenirs involontaires

renferment la possibilité d'un bonheur intégral, et lorsqu'on croit
pouvoir affirmer que Proust se mentait à lui-même quand il
assurait que la félicité suprême dépend de l'apparition en nous de
ces instants fortuits : « Après une recherche aussi passionnée,
assure M. Brasillach, le résultat obtenu peut sembler piètre. Eh
quoi ! toute cette ardeur magnifique, ces rêves d'amour et de
gloire, ces amitiés illustres, cette intelligence prodigieuse, pour
en arriver à cette conclusion : rien ici-bas. ne vaut le plaisir que
nous donne une madeleine trempée dans du tilleul, et la seule
mission de l'artiste est d'exprimer ce plaisir ! Les dernières
pages du *Temps Retrouvé* consacrent, en effet, ce fiasco lamen-
table » (*Portraits,* 74). Certes, quand on ne considère dans le
souvenir involontaire, comme le fait M. Robert Brasillach, que
la matérialité du fait (la tasse de tilleul) ou de la sensation (le
plaisir), on se condamne à trouver illusoire la solution de Proust.
Mais il faut comprendre que le souvenir involontaire ne présente
pas pour Marcel Proust une simple sensation. Il est, pour lui,
le moyen d'appréhender ce que les autres états de conscience,
les autres plaisirs, ne nous permettent pas d'obtenir, l'individuel,
le qualitatif, ou comme il dit : « un peu de temps à l'état pur ».
Aussi n'a-t-il jamais considéré le bonheur, ainsi que l'affirme
imprudemment M. Robert Brasillach, comme quelque chose
d'extérieur à nous-même (p. 71). Il est en nous. Il est lié à un
acte d'appréhension intellectuelle. Marcel Proust a même écrit
tout son livre pour nous le montrer. Les quinze volumes de la
Recherche sont la démonstration pathétique de ce nouveau
« connais-toi toi-même ».

Le contresens sur ce point devrait nous être interdit.

LES SOUVENIRS INVOLONTAIRES ET LES IMPRESSIONS ESTHÉTIQUES

D'ailleurs, Proust fait une nouvelle découverte : ce bonheur
que produisent en nous les souvenirs involontaires est, il le
remarque à plusieurs reprises, non seulement semblable mais
même *identique* à celui que lui procure la Sonate ou le Septuor
de Vinteuil. Leurs caractéristiques sont les mêmes. *C'est que
les unes et les autres nous font atteindre l'essence même des
choses.* Grâce aux souvenirs involontaires nous sommes assurés
maintenant que les satisfactions esthétiques ne sont pas superficielles, qu'il ne saurait même y en avoir de plus profondes
puisqu'elles touchent à l'absolu.

Les impressions obscures produites par une fleur, un caillou, un triangle, des arbres, des clochers, le reflet d'un toit dans l'eau (dont nous avons parlé au début de ce chapitre) ont également la même valeur. Elles sont des impressions esthétiques plus ou moins confuses suivant le cas, directement provoquées par la Nature.

Il y a, toutefois, ici un point qui reste obscur dans l'esthétique proustienne. Comment une sensation actuelle peut-elle nous faire atteindre l'essence des choses ? L'imagination qui est notre seul organe pour jouir de la beauté, nous dit Proust, ne peut s'appliquer au présent « en vertu d'une loi inéluctable qui veut qu'on ne puisse imaginer que ce qui est absent ». Or, ces impressions obscures semblent, elles aussi, cacher quelque chose que Marcel cherche à découvrir par un effort qui ressemble à l'effort de réminiscence. En réalité ce ne sont pas des souvenirs que ces impressions cachent, mais des mots, une vérité nouvelle, une image précieuse (1). Elles sont semblables à ces caractères hiéroglyphes qui ne représentent pas des objets matériels, comme on pourrait le croire, mais la traduction d'une pensée (T.R. II, 23). Et dans le cas de ces impressions, comme des réminiscences, constate Proust, il s'agit de penser ce qu'on a ressenti, c'est-à-dire de faire œuvre d'art.

Celui qui n'atteint pas le stade de l'expression n'éprouve pas pleinement ces impressions et réalise bien imparfaitement le bonheur qu'elles contiennent en puissance. C'est le cas de Swann qui, pour n'avoir pas su expliciter ce qu'il avait pourtant senti, pour n'avoir pas su trouver en lui assez de ressources et de force pour être un artiste, est resté à mi-chemin de la vie spirituelle. C'est qu'il ne suffit pas de sentir, d'éprouver, mais il faut encore « penser ». Dans les deux cas, dit Proust, pour les souvenirs involontaires comme pour les impressions confuses, « ...il fallait tâcher d'interpréter les sensations comme les signes d'autant de lois et d'idées, en essayant de penser, c'est-à-dire de faire sortir de la pénombre ce que j'avais senti, de le convertir en un équivalent spirituel ».

L'INTELLIGENCE ET L'EXPRESSION

Ici intervient l'intelligence. Ces réalités extratemporelles, il s'agit de les rendre claires, de les «intellectualiser » (98, T.R.

---

1) Nous verrons plus loin, quand nous étudierons le style et la métaphore, que ce que ces mots ou ces images expriment, sont des *rapports*.

II), de les transformer en « équivalent d'intelligence » (258).
Déjà dans un essai de 1896 Proust déclarait : « Il est trop
évident que, si les sensations obscures sont intéressantes pour
le poète, c'est à condition de les rendre claires. S'il parcourt la
nuit, que ce soit comme l'Ange des ténèbres, en y portant la
lumière » (Contre l'obscurité, Chroniques 142). Ceux qui ne
voient pas cette réalité intérieure qui constitue notre « vraie
vie » et qui « habite » à chaque instant chez tous les hommes
aussi bien que chez l'artiste, ce sont ceux qui ne cherchent pas
à comprendre : « Et ainsi leur passé est encombré d'innombrables clichés qu'ils ne cherchent pas à éclaircir » (T.R. II, 48
et encore page 50, même comparaison).

On voit que Proust fait également la part belle à l'intelligence. Du reste, ce qu'il condamne c'est seulement « l'intelligence abstraite » (49), qui prétend précéder l'expérience. Toutefois c'est sur les impressions accidentelles, involontaires qu'il
insiste.

IMPORTANCE DE L'IMPRESSION

Pour lui, l'intérêt de ces impressions, des souvenirs involontaires, comme des simples impressions esthétiques c'est d'être
des « sensations » que la vie nous impose et qui nous révèlent
les êtres et les choses dans ce qu'ils ont de concret. Avec elles,
avec elles seules, nous atteignons le réel. La sensibilité est la
seule faculté qui nous permette d'atteindre le réel. Ses impressions authentiques, sensations ou souvenirs de sensation, sont la
matière première de l'art. A vrai dire, nous le verrons plus loin,
la souffrance aussi nous permet d'atteindre la vérité et le réel.
Mais cela n'infirme pas la thèse proustienne de la primauté de
la sensibilité, puisque la souffrance est essentiellement sensibilité.
La sensibilité, ou encore « l'instinct », comme dit Proust, est,
par suite, la condition nécessaire du génie. Rien ne peut
remplacer cet instinct. L'intelligence lui est subordonnée, car
c'est lui qui lui fournit, en somme, les matériaux avec lesquels
elle travaille. Et alors on comprend ce que Proust déclarait à
Elie-Joseph Bois et qui a dû paraître bien obscur à ce dernier :
« Si je me permets de raisonner sur mon livre, c'est qu'il n'est
à aucun degré une œuvre de raisonnement; c'est que ses moindres
éléments m'ont été fournis par ma sensibilité, que je les ai
d'abord aperçus au fond de moi-même, sans les comprendre,
ayant autant de peine à les convertir en quelque chose d'intelligible que s'ils avaient été aussi étrangers au monde de l'intell-

gence que, comment dire ? un motif musical. Il semble que vous
pensez qu'il s'agit de subtilités. Oh ! non, je vous assure, mais
de réalités au contraire. Ce que nous n'avons pas eu à éclaicir
nous-mêmes, ce qui était clair avant nous (par exemple, des
idées logiques) cela n'est pas vraiment nôtre, *nous ne savons
pas si c'est réel*. C'est du « possible » que nous élisons
arbitrairement ».

L'esthétique de Marcel Proust est subordonné à ces impressions. Elles l'expliquent presque toute entière.

LA SCIENCE ET L'ART

Elles expliquent, d'abord, ses comparaisons entre la
science et l'art. Contrairement à bien des esthéticiens, Proust
rapproche l'art de la science. C'est que l'art pour lui a aussi
quelque chose d'expérimental : « Seule l'impression, si chétive
qu'en semble la matière, si invraisemblable la trace, est un critérium de vérité et à cause de cela mérite seule d'être appréhendée
par l'esprit car elle est seule capable s'il sait dégager cette
vérité, de l'amener à une plus grande perfection et de lui donner
une pure joie... L'impression est pour l'écrivain ce qu'est l'expérimentation pour le savant avec cette différence que, chez le
savant, le travail de l'intelligence précède (1) et chez l'écrivain
vient après ». (26-27, *T.R.* II). En ce sens, l'art, aussi bien que
la science, est fait de découvertes.

Au concert donné dans les salons de Madame de Saint-
Euverte, Swann lorsqu'il entend la Sonate de Vinteuil, qui produit
en lui une si grande émotion, se dit dans son enthousiasme :
« O ! audace aussi géniale peut-être, que celle d'un Lavoisier,
d'un Ampère, l'audace d'un Vinteuil expérimental, découvrant
les lois secrètes d'une force inconnue, menant à travers l'inex-
ploré, vers le seul but possible, l'attelage invisible auquel il se
fie et qu'il n'apercevra jamais. » C'est aussi que l'œuvre d'art,
dans sa perfection, présente un admirable caractère de nécessité.
Swann remarque que les thèmes épars qui entrent dans la composition de la petite phrase de la Sonate sont « comme les prémisses
dans la conclusion nécessaire » ; et que la suppression des mots
humains « loin d'y laisser régner la fantaisie comme on aurait
pu croire, l'en avait éliminée » ; ...« jamais le langage parlé,
ajoute-t-il, ne fut si inflexiblement nécessité, ne connut à ce point
la pertinence des questions, l'évidence des réponses. D'abord le

---

1) C'est l'hypothèse, dont part le savant.

piano solitaire se plaignit, comme un oiseau abandonné de sa
compagne ; le violon l'entendit, lui répondit comme d'un arbre
voisin. C'était comme au commencement du monde, comme s'il
n'y avait encore eu qu'eux deux sur la terre, ou plutôt, dans ce
monde fermé à tout le reste, construit par la logique d'un créateur
et où ils ne seraient jamais que tous les deux.., etc... » (123-124,
Sw. II), C'est parce que l'art présente ce caractère de nécessité,
que selon lui il n'existe qu'une seule manière d'exprimer une
chose. A Paul Morand il reproche de ne pas toujours employer
des images « inévitables ». « L'eau bout à 100 degrés, fait-il
observer, et non à 99 ou 98 ». La beauté du style « ...c'est le
signe infaillible que la pensée s'élève, qu'elle a découvert et noué
les rapports nécessaires entre les objets que leur contingence
laissait séparés » (1). Et c'est pour la même raison, c'est parce
que l'objet de l'art est une réalité, c'est parce que la phrase de
Vinteuil possède une existence réelle « ... que tout amateur de
Vinteuil se fût tout de suite rendu compte de l'imposture, si
Vinteuil, ayant eu moins de puissance pour en voir et en rendre
les formes, avait chercher à dissimuler, en ajoutant çà et là des
traits de son cru, les lacunes de sa vision ou les défaillances
de sa main » (123, *Sw.* II).

L'IMPRESSIONNISME DE PROUST

Elles expliquent, ensuite, son impressionnisme. L'art
consiste uniquement pour lui à exprimer ces impressions irréductibles. « Le devoir et la tâche d'un écrivain sont ceux d'un
traducteur » (p. 41, *T.R.* II). L'artiste est un homme qui est
doué de ce don de traduction, d'expression. Mais ce don fait
corps avec la faculté de ressentir des impressions. Le travail de
l'artiste doit uniquement consister à amener l'impression à plus
de vérité et de netteté.

Nous verrons plus loin que le style est précisément le moyen
d'apercevoir cette réalité originale que chacun porte en soi,
généralement à son insu — et qu'il n'est nullement une question
de procédés, mais de vision de cette réalité.

L'effet d'une œuvre d'art est précisément, pour Marcel
Proust, celui d'une opération chirurgicale de la vue qui nous
rendrait sensibles à des choses jusqu'alors inconnues de nous.
Chaque opération chirurgicale que nous inflige tout nouvel artiste

---

1) *Pour un ami,* préface à *Tendres Stocks* de Paul Morand,
publiée également par la *Revue de Paris,* Tome 6, nov.-déc. 1920, p.
270-280.

a d'ailleurs pour effet de nous faire paraître moins original l'art qui précéda. En ceci l'art ressemble de nouveau à la science. Un art nouveau fait oublier le précédent, comme la science d'aujourd'hui éclipse celle d'hier. Ainsi l'art des affiches, en s'inspirant de l'impressionnisme d'un Monet (ou d'un Elstir) a fait perdre à ceux-ci de leur originalité par la vulgarisation de leur propre manière (126, *A l'*. II). « Et j'arrivais à me demander s'il y avait quelque vérité en cette distinction que nous faisons toujours entre l'art qui n'est pas plus avancé qu'au temps d'Homère et la science aux progrès continus. Peut-être l'art ressemblait-il au contraire en cela à la science ; chaque nouvel écrivain original me semblait en progrès sur celui qui l'avait précédé ; et qui me disait (si) dans vingt ans, quand je saurai accompagner sans fatigue le nouveau d'aujourd'hui, un autre ne surviendrait pas, devant qui l'actuel filerait rejoindre Bergotte » (20, *G.* II). Bien entendu cette relativité de l'art n'est pas absolue pour Marcel Proust, puisque par ailleurs il nous montre que l'art atteint le fond des choses. Mais il est certain que cette conception contient une grande part de vérité psychologique. (1)

Cet impressionnisme, ainsi que nous en avertissions le lecteur dans notre introduction est un impressionnisme critique, c'est-à-dire le contraire de l'attitude qui consiste à vivre d'une vie superficielle et paresseuse. Ce travail de l'artiste, écrit Proust « ...c'est exactement le travail inverse de celui que, à chaque minute, quand nous vivons détourné de nous-même, l'amour-propre, la passion, l'intelligence et l'habitude aussi accomplissent en nous ». (49, *T.R.*, 2). Contre la paresse, les passions et l'intelligence, Proust dresse un long réquisitoire.

LA PARESSE ET LES PASSIONS

La paresse et les passions nous détournent d'approfondir ces avertissements que nous donne la nature par les souvenirs involontaires et les impressions esthétiques. Et nous avons vu que,

---

1) De même, sa comparaison entre la science et l'art n'est vraie pour lui que dans une certaine mesure. Dans le texte d'*A l'Ombre des Jeunes Filles en Fleurs* cité plus haut, Proust commence son parallèle entre l'art et la science par une réserve. Il reconnaît qu'on dit avec raison qu'il n'y a pas de progrès, ni de découverte, en art et « que chaque artiste en recommençant pour son compte un effort individuel ne peut y être aidé, ni entravé par les efforts de tout autre ». La ressemblance entre l'art et la science n'est vraie que dans une certaine mesure (plus grande qu'on ne le pense communément) et d'un certain point de vue. (Voir encore *T.R.*, II, p. 198 : « Je me rendais compte que le temps qui passe n'amène pas forcément le progrès dans les arts, etc... »).

ce faisant, elles nous enlevaient la connaissance de nous-même et le bonheur véritable — et nous incitaient à porter un jugement pessimiste sur une vie que nous ne goûtions pas.

L'art digne de ce nom doit redresser les erreurs que nous font commettre la passion, l'amour-propre et l'amour en particulier. Redressement malaisé « contre quoi boude notre paresse » ; redressement douloureux même, comme dans le cas de l'amour, car « c'est abolir tout ce à quoi nous tenions le plus » (42). Il y faut « du courage de tout genre et même sentimental », car « c'est cesser de croire à l'objectivité de ce qu'on a élaboré soi-même, et au lieu de se bercer une centième fois de ces mots : « elle était bien gentille » lire au travers : « j'avais du plaisir à l'embrasser » (50).

L'ÉRUDITION

C'est parce que l'effort qui consiste à creuser ses impressions est trop pénible, qu'un certain nombre d'intellectuels se détournent d'eux-mêmes pour rechercher *les objets*. « Même dans les joies artistiques qu'on recherche pourtant en vue de l'impression qu'elles donnent, nous nous arrangeons le plus vite possible à laisser de côté comme inexprimable ce qui est précisément cette impression même et à nous attacher à ce qui nous permet d'en éprouver le plaisir sans le connaître jusqu'au fond... ». Nous versons dans ce que Proust appelle *l'érudition* et qu'il définit une fuite loin de notre propre vie. Au lieu de nous tourner vers l'impression qu'une phrase musicale ou la vue d'une église a produite en nous, nous rejouons la symphonie, nous retournons voir l'église jusqu'à ce que nous les connaissions parfaitement. « Aussi, remarque Proust, combien s'en tiennent là qui n'extraient rien de leur impression, vieillissent inutiles et insatisfaits, comme des célibataires de l'art. Ils ont les chagrins qu'ont les vierges et les paresseux, et que la fécondité dans le travail guérirait » (42-43) (1).

---

1) Proust ne condamne l'érudition que sous la forme où il la présente ici et qui n'est qu'une façon superficielle de comprendre l'art. Il ne nie pas la valeur de la grande critique, ainsi que le prouve la réserve qu'il fait à ce sujet un peu plus loin : « Et quant à la jouissance que donne à un esprit parfaitement juste, à un cœur vraiment vivant, la belle pensée d'un maître, elle est sans doute entièrement saine, mais si précieux que soient les hommes qui la goûtent vraiment (combien y en a-t-il en vingt ans ?) elle les réduit tout de même à n'être que la pleine conscience d'un autre » (46-47). Dans l'avant-propos de sa Préface à la *Bible d'Amiens*, Proust assigne deux tâches essentielles au critique d'art : 1°) discerner les traits essentiels du génie de l'écrivain ; 2°) aller plus loin encore, en essayant de reconstituer ce que pouvait être « la singulière vie spirituelle » de ce dernier (p. 10 et 11).

Parce qu'ils ne peuvent approfondir leurs impressions ou négligent de le faire, les « érudits » se répandent en manifestations extérieures plus vives, plus bruyantes que celles des vrais artistes : « ...ils croient accomplir un acte en hurlant à se casser la voix : « Bravo, Bravo », après l'exécution d'une œuvre qu'ils aiment. Mais ces manifestations ne les forcent pas à éclaircir la nature de leur amour, ils ne la connaissent pas. Cependant celui-ci inutilisé, reflue même sur leurs conversations les plus calmes, leur fait faire de grands gestes, des grimaces, des hochements de tête quand ils parlent d'art, etc... » S'ils ont toujours besoin de joies artistiques, c'est qu'ils n'assimilent pas ce que l'art a de vraiment nourricier et ne sont jamais rassasiés. Cependant, si risibles qu'ils soient, ces érudits « sont les premiers essais de la nature qui veut créer l'artiste, aussi informes, aussi peu viables que ces premiers animaux qui précédèrent les espèces actuelles et qui n'étaient pas constitués pour durer » (43-44).

LES THÉORIES ET LES ECOLES

Ce sont ces « érudits », « demis-esprits » « toujours voués aux engouements dont s'abstiennent des esprits plus scrupuleux et plus difficiles en fait de preuves », qui font le succès des théories et des écoles. Précisément parce qu'ils sont de demis-esprits « ...ils ont besoin de se compléter dans l'action; ils agissent ainsi plus que les esprits supérieurs, attirent à eux la foule et créent autour d'eux non seulement les réputations et les dédains injustifiés mais les guerres civiles et les guerres extérieures... » (45-46). Nées d'un besoin d'action, les théories et les écoles sont faites pour satisfaire ce besoin et détournent l'artiste du vrai but de l'art qui est en lui-même. Elles se font de la souveraineté littéraire une idée « trop matérielle ». « Zola, remarque Proust dans une lettre à Robert Dreyfus, dit très naturellement : « Je suis sûr de rester encore assez longtemps au pouvoir. Les autres partis littéraires n'ont pas assez de cohésion pour rallier les suffrages. Comment s'empareront-ils de la place ? » (*Souvenirs,* p. 109). Elles assignent à l'art des buts sociologiques ou moraux. On dit, par exemple, que l'artiste doit traiter des sujets sérieux et non frivoles, parler non des oisifs mais des hommes actifs et supérieurs. On dit encore que l'art doit être populaire ou bien que l'artiste doit servir sa patrie. On disait encore que le chemin de fer tuerait la contemplation. Autant d'absurdités ! Tout d'abord l'artiste ne peut servir sa patrie qu'en étant artiste « ...c'est-à-dire qu'à condition au moment où il étudie les lois de l'art, institue ses expériences et fait ses découvertes, aussi délicates que celles de la science, de ne pas penser à autre chose — fût-ce à la patrie — qu'à la vérité qui est devant lui » (*T.R.*, II, 38). Ensuite et surtout l'objet de l'art est intérieur. L'œuvre la plus profonde n'est pas celle qui a une portée sociale ou religieuse. C'est celle qui atteint cette réalité intérieure. Les artistes qui y parviennent sont fort rares.

Remarquons que Proust a ainsi répondu d'avance de manière pertinente à ceux qui lui reprocheront de s'être acharné à décrire avec une patience excessive les aventures médiocres de médiocres salonnards.

Comme les extrêmes les plus opposés se rencontrent généralement dans leur extrémisme, leur méconnaissance des nuances, et finalement de la spécificité de certaines réalités, le communiste Radek et le royaliste nationaliste Léon Daudet se sont rencontrés pour adresser ce reproche à Proust.

Mais M. François Mauriac répond fort bien à l'écrivain communiste et sa réponse est valable pour son adversaire nationaliste : « On ne recrée pas l'homme. Une révolution politique et sociale le modifie, elle ne le recrée pas. Je salue d'avance ce Proust inconnu qui peut-être aujourd'hui, dans quelque ville perdue de la Russie, étudie l'intérieur de cette humanité dont nous ne savons rien... Rien n'est trop bas pour lui ; aucun type humain ne lui semble médiocre ; toute aventure est digne d'être rapportée dans la mesure où elle est révélatrice... » (*Nouvelles littéraires* du 8 décembre 1934. — *Le Proust russe attendu*).

Sans s'en rendre compte, ces détracteurs de Proust transposent dans la littérature les exigences de l'histoire. C'est l'histoire qui se désintéresse des individus médiocres et de leurs faits et gestes. Mais un individu dénué d'intérêt historique peut prendre un grand intérêt esthétique ou humain aux yeux d'un artiste ou d'un moraliste.

Au surplus, remarque Proust, une théorie est une indélicatesse : « Une œuvre où il y a des théories est comme un objet sur lequel on laisse la marque du prix ». Elles nous semblent le signe chez ceux qui les soutiennent d'une sorte d'infériorité, « comme un enfant vraiment bien élevé qui entend des gens chez qui on l'a envoyé déjeuner dire : « Nous avouons tout, nous sommes francs », sent que cela dénote une qualité morale inférieure à la bonne action pure et simple qui ne dit rien » (28-29).

LE « RÉALISME »

Il est une théorie, ou une forme d'art, à laquelle Proust
réserve ses plus grandes sévérités, c'est le réalisme, ou ce qu'il
nomme ainsi. Le premier tome du *Temps Retrouvé* commence
par un merveilleux « à la manière » des Goncourt qui constitue
sous une apparence inoffensive une condamnation de l'art superficiel, épidermique des deux célèbres frères (1). L'art réaliste
est un art qui se contente de décrire les choses, ou, comme dit
Proust, de les « décimer ». Il nous donne « un misérable relevé
de lignes et de surfaces», ou se réduit à un « défilé cinématogra-
phique » des choses. Il ne cherche pas à aller au delà de
l'expression mensongère et sans profondeur que nous donnons
généralement de ce que nous ressentons, de ce dont nous nous
souvenons, de ce « déchet » identique pour tous de l'expérience
quand nous disons : un mauvais temps, une guerre, une station
de voitures, etc..., ou quand nous nous écrions devant un beau
spectacle : c'est admirable ! Aussi cet art est-il sans valeur. La
réalité est *sous* les choses qu'il note. L'épithète de *réaliste* ne lui
convient nullement, car il est le plus éloigné de la réalité (2).
Enfin c'est un art sans joie, précisément parce qu'il coupe toute
communication entre le moi présent et le passé dont les choses
gardent l'essence. Ne parlât-il que de gloire et de grandeur, il
nous appauvrit car la profondeur n'est pas inhérente à certains
sujets comme le croient ces romanciers « matériellement spiritualistes ». Et Proust de se demander comment cet art, double
emploi si vain et si ennuyeux de ce que vos yeux voient ou de
ce que votre intelligence constate, peut fournir à celui qui s'y
livre « l'étincelle joyeuse et motrice, capable de le mettre en
train » (*T.R.,* II, pp. 28, 34, 40, 47, 48, 52).

De même le « pittoresque » n'est pas le beau. « Qu'un
grand peintre fasse une transcription sublime de la locomotive,
combien nous la préférerons à toutes les caravelles de Ziem ».
Précisément c'est de ce pittoresque que les grands artistes nous
ont appris à délivrer la beauté (*Corr.,* 3, 324).

A vrai dire, sous le nom de réalisme, c'est à une tendance

---

1) Voir *Corr.* III, (112-113) ce que Proust dit du « roman artiste »:
« Je sais que les romans que nous aimons le mieux, parus depuis cinquante ans nous ont habitués à l'idée qu'il n'était pas négligeable de
mentionner à côté d'un état d'âme curieux ou d'une vérité importante, tel petit fait qui s'est trouvé sur notre chemin à ce moment-là
et qui n'était lui ni curieux, ni important. Mais c'est ce qui a rendu
le roman artiste si facile à faire et lui a ôté toute valeur logique, etc... ».

2) « L'art prétendu réaliste » dit Proust.

littéraire plutôt qu'à une école déterminée que s'en prend Marcel
Proust. Sans doute, il vise les Goncourt. Mais il ne nomme personne d'autre. Et, par ailleurs, Proust est bien lui-même un réaliste, au sens que l'on donne communément à ce mot. Le tableau
qu'il fait des mœurs, et notamment de l'inversion, est réaliste
s'il en fût. Il est, en effet, d'accord au moins sur un point avec
Zola et son école, sinon avec les Goncourt, c'est qu'il n'existe
pas de sujet défendu. L'art peut extraire de la vérité et de la
beauté de tout.

L'hôpital « sans style » qu'Elstir peint dans un de ses tableaux n'a pas moins de beauté, remarque Proust, que la cathédrale de Balbec qui figure à côté de lui dans le même tableau ;
et la dame « un peu vulgaire » qu'il peint dans un autre tableau
et « qu'un dilettante en promenade éviterait de regarder, excep-
terait du tableau poétique que la nature compose devant lui »,
cette dame « ...est belle aussi, sa robe reçoit la même lumière
que la voile du bateau » ; « ...et il n'y a pas, ajoute-t-il, de
choses plus ou moins précieuses, la robe commune et la voile en
elle-même jolie sont deux miroirs du même reflet, tout le prix est
dans les regards du peintre » (G., II, 102).

L'INVERSION ET L'ART

Comment en serait-il autrement ? Comment y aurait-il des
sujets interdits, si, comme le pense Proust, la matière même de
l'art est renfermée dans la profondeur de nos impressions, dans
la façon de sentir et de voir de l'artiste. Et c'est certainement en
grande partie pour donner une démonstration éclatante de cette
vérité essentielle à l'art que Proust a tellement tenu, malgré
toutes sortes de risques, à nous tracer l'extraordinaire tableau
de *Sodome et Gomorrhe* dont l'exécution est poursuivie à travers
plusieurs tomes de son œuvre — et auquel il attribue tant d'importance — qu'à l'exemple de Baudelaire qui songea à intituler
les *Fleurs du Mal*, *Les Lesbiennes*, il voulut d'abord intituler la
Recherche du Temps Perdu, *Sodome et Gomorrhe* (1).

Proust a marqué lui-même à deux reprises le caractère esthétique de l'épisode le plus « réaliste » de son œuvre, celui de la
« conjonction » Jupien-Charlus dans le premier tome de *Sodome*

---

1) Du moins, c'est Léon Pierre-Quint (*Marcel Proust*, p. 212) et
Henri Massis (*Le Drame de Marcel Proust*, p. 43, note 1) qui nous
l'affirment. En 1912-1913, Marcel Proust, en tout cas, songeait à : *Les
Intermittences du Cœur* (*Lettres à la N.R.F.*, 101) et à : *Les Intermittences du Passé* (*Corr.* IV, 56).

et Gomorrhe. C'est d'abord ce qu'on pourrait appeler la scène
des œillades, des regards significatifs et alternés que se lancent
le baron et le giletier. Proust compare ces derniers aux phrases
interrogatives de Beethoven, « répétées indéfiniment, à intervalles égaux, et destinées avec un luxe de préparations — à amener
un nouveau motif, un changement de ton, une « rentrée ». Et il
parle de la beauté de ces regards où il lui semble que le ciel de
quelque cité orientale, dont il n'avait pas encore deviné le nom,
venait de se lever (*Sod.,* I, 259).

Ensuite, toute la scène est associée et assimilée à l'histoire
de la fécondation d'une orchidée par un bourdon. « Les ruses
les plus extraordinaires que la nature a inventées, écrit-il finalement, pour forcer les insectes à assurer la fécondation des
fleurs, qui, sans eux, ne pourraient pas l'être parce que la fleur
mâle y est trop éloignée de la fleur femelle, « ...ne me semblaient
pas plus merveilleuses que l'existence de la sous-variété d'in-
vertis destinée à assurer les plaisirs de l'amour à l'inverti devenant vieux... ». « Dès que j'eus considéré cette rencontre de ce
point de vue tout m'y sembla empreint de beauté » (278-279).

Enfin dans le premier tome de *La Prisonnière,* Proust inter-
rompant de manière imprévue le fil continu de son récit, refute
une objection que l'on pourrait faire du point de vue esthétique
à son tableau de Sodome et de Gomorrhe. On pourrait dire, fait-il
remarquer « que tout cela nous est étranger et qu'il faut tirer la
poésie de la vérité toute proche ». « L'art extrait du réel le plus
familier, répond-t-il, existe en effet et son domaine est peut-être
le plus grand. Mais il n'en est pas moins vrai qu'un grand intérêt,
parfois de la beauté peut naître d'actions découlant d'une forme
d'esprit si éloignée de tout ce que nous sentons, de tout ce que
nous croyons, que nous ne pouvons même arriver à les comprendre, qu'elles s'étalent devant nous comme un spectacle sans
cause. Qu'y a-t-il de plus poétique que Xerxès, fils de Darius,
faisant fouetter de verges la mer qui avait englouti ses vais-
seaux ? » (62).

L'INTELLIGENCE

Notre intelligence, pas plus que la perception actuelle ou la
mémoire volontaire ne saurait remplacer la réalité profonde qui
est l'objet de l'art. L'être qui en nous se nourrit de l'essence des
choses languit, remarque Proust, « ...dans l'observation du présent où les sens ne peuvent la lui apporter, dans la considération

d'un passé que l'intelligence lui dessèche, dans l'attente d'un avenir que la volonté construit avec des fragments du présent et du passé auxquels elle retire encore de leur réalité ne conservant d'eux que ce qui convient à la fin utilitaire, étroitement humaine qu'elle leur assigne » (16).

Seules les vérités extraites des impressions que nous dicte la réalité sont nécessaires et profondes. Les idées formées par l'intelligence « ...n'ont qu'une vérité logique, une vérité possible, leur élection est arbitraire » (26). « Ce que nous n'avons pas eu à déchiffrer, à éclaircir par un effort personnel, ce qui était clair avant nous, n'est pas à nous. Ne vient de nous-même que ce que nous tirons de l'obscurité qui est en nous et que ne connaissent pas les autres » (27).

Ce que Proust condamne, ce n'est pas, du reste, n'importe quelle forme d'intelligence, mais ainsi qu'il le note lui-même, l'intelligence « abstraite » (49). C'est elle qui engendre les théories dont nous avons vu Proust condamner le caractère arbitraire (1) et superficiel. Comme la mémoire volontaire, qui est directement sous son contrôle, elle affirme la « différence des sensations » mais combine « des éléments homogènes » (17) (2). C'est pourquoi l'artiste doit faire un effort pour se débarrasser de toutes les notions et de toutes les recettes apprises, pour retrouver une sorte de naïveté. « L'effort qu'Elstir faisait pour se dépouiller en présence de la réalité de toutes les notions de son intelligence était d'autant plus admirable que cet homme qui, avant de peindre, se faisait ignorant, oubliait tout par probité, car ce qu'on sait n'est pas à soi, avait justement une intelligence exceptionnellement cultivée » (A l'., II, 128).

Tant s'en faut cependant que l'intelligence ne joue aucun rôle dans l'art. Proust nous présente le travail d'expression artistique, nous l'avons vu, non seulement comme pénible, mais comme un effort de pensée vers la clarté. Le destin de ces impressions profondes qui constituent la matière première de l'art n'est pas de demeurer dans les ténèbres, mais d'être amenées à la lumière de la conscience. Elles sont comparables à des « clichés » qui encombrent l'esprit si l'intelligence ne les développe pas (48). Proust n'a jamais connu d'hésitation à ce sujet. Quand pour la première fois il se demande comment il pourra fixer l'essence des

---

1) « Mais dès que l'intelligence raisonneuse veut se mettre à juger des œuvres d'art, il n'y a plus rien de fixe, de certain : on peut demander tout ce qu'on veut » (45).

2) G.I., p. 11 : « les tons conventionnels et tous pareils de la mémoire volontaire ».

choses que lui révèlent les souvenirs involontaires, il répond sans
hésiter : Ce ne sera pas en partant à la recherche des choses
mêmes, ni dans la jouissance matérielle, ni dans l'action effective ; car toute son expérience antérieure — cette expérience
négative que le temps perdu a laissée en lui — l'amour, comme
l'amitié, comme la mondanité, voire même comme le voyage,
condamne cette illusion qui nous fait croire que la réalité est
objective. Et c'est bien sûr de ce qu'il avance, qu'il annonce qu'il
atteindra cette essence en allant *au fond de soi-même* et en rendant *claires* ces impressions jusque dans leur *profondeur* (22-23).

LE STYLE

C'est ici que se manifeste la nécessité du style.

Le style n'est pas ce qu'un vain peuple de théoriciens, de
critiques ou de gens du monde pense. Proust reproche à la critique de s'arrêter aux modes littéraires pour juger de la valeur d'un
écrivain et non à « la réalité du talent ». « Elle· sacre prophète à
cause de son ton péremptoire, de son mépris affiché pour l'école
qui l'a précédé, un écrivain qui n'apporte nul message nouveau ».
C'est pourquoi un écrivain « ...devrait presque préférer être jugé
par le grand public (si celui-ci n'était incapable de se rendre
compte même de ce qu'un artiste a tenté dans un ordre de recherches qui lui est inconnu) ». « Car il y a plus d'analogie entre la
vie instinctive du public et le talent d'un grand écrivain qui n'est
qu'un instinct religieusement écouté, au milieu du silence imposé
à tout le reste, un instinct perfectionné et compris, qu'avec le
verbiage superficiel et les critères changeants des juges attitrés »
(45-46).

On condamne souvent le style en assurant qu'il est bon seulement pour les oisifs, pour les gens du monde. Proust s'insurge
et raille. C'est, dit-il, faire un « honneur immérité » aux gens du
monde que de les croire capables d'apprécier le style (45). Il
assure qu'il a assez fréquenté les gens du monde pour savoir,
« ...que ce sont eux les véritables illettrés et non les ouvriers
électriciens ». « A cet égard proclame-t-il, un art populaire par la
forme eût été destiné plutôt aux membres du Jockey qu'à ceux de
la Confédération générale du travail » (38).

Les gens mêlés aux « réalités » du temps présent, remarque
Proust, « ...pour peu qu'ils soient diplomates ou financiers, croient
volontiers que la littérature est un jeu de l'esprit destiné à être
éliminé de plus en plus dans l'avenir ». C'est cette conviction qui
est à l'origine des « simples théories » de M. de Norpois « contre

les joueurs de flûtes » (30). Mais la grandeur de l'art véritable, « ...au contraire de celui que M. de Norpois eût appelé un jeu de dilettante, c'était de retrouver, de ressaisir, de nous faire connaître cette réalité loin de laquelle nous vivons, de laquelle nous nous écartons de plus en plus au fur et à mesure que prend plus d'épaisseur et d'imperméabilité la connaissance conventionnelle que nous lui substituons, cette réalité... qui est tout simplement notre vie, la vraie vie..., etc... » (48). Or, cette vraie vie, c'est le style qui seul l'exprime.

Toute l'importance de l'art, pour Marcel Proust apparaît avec le problème du style. Marcel Proust renverse les rapports que nous établissons ordinairement entre la forme et le fond. Pour lui c'est la forme qui joue le rôle capital en art, « le fond des idées étant toujours dans un écrivain l'apparence et la forme la réalité » (1).

Le style ne se réduit pas, en effet, à des fioritures, à des bagatelles comme le pense M. de Norpois. C'est au contraire quelque chose de très sérieux et de très profond. La beauté d'une image exprime une valeur « intellectuelle et morale » — quel que soit le sujet — plus grande que le genre d'esthétique que l'on adopte (29). Et les plus jolies phrases de Bergotte, que méprisent les partisans de l'art à prétentions sociales ou morales, ont exigé « un bien plus profond repli sur soi-même », que l'art d'écrivains « ...qui semblaient, dit Proust, plus profonds simplement parce qu'ils écrivaient moins bien » (45). Opposer l'art à la vie est un non-sens, puisque seul, il nous la fait connaître.

LE QUALITATIF ET LE STYLE

Le style « ...est la révélation qui serait impossible par des moyens directs et conscients de la différence qualitative qu'il y a dans la façon dont nous apparaît le monde, différence qui, s'il n'y avait pas l'art, resterait le secret éternel de chacun. Par l'art seulement, nous pouvons sortir de nous, savoir ce que voit un autre de cet univers qui n'est pas le même que le nôtre et dont les paysages nous seraient restés aussi inconnus que ceux qu'il peut y avoir dans la lune. Grâce à l'art, au lieu de voir un seul monde, le nôtre, nous le voyons se multiplier et autant il y a d'(2) artistes,

---

1) Préface à la *Bible d'Amiens,* p. 80.
2) Le texte porte : « et autant qu'il y a des », qui nous paraît une erreur.

autant nous avons de mondes à notre disposition, plus différents
les uns des autres que ceux qui roulent à l'infini, et qui bien des
siècles après qu'est éteint le foyer dont ils émanaient, qu'il s'ap-
pelât Rembrandt ou Ver Meer, nous envoient leur rayon spécial » (49).

L'expression du qualitatif est l'objet essentiel de l'art et du
style. La correction grammaticale « existe », certes ! Mais l'absence de fautes est « ...une qualité purement subalterne, nullement esthétique ». Et « ...dans l'appréciation d'un style, c'est, à
mon avis, dit Proust, par une incompréhension absolue de ce
qu'est le style, qu'on croit que la pureté du style a un rapport
quelconque avec l'absence de fautes ». Le style ne consiste pas
davantage dans un certain « maniérisme », comme d'aucuns se le
figurent. Proust a une horreur instinctive pour toutes les formes
d'affectation en art. Parlant, dans une lettre à un de ses amis (1),
de l'enseignement d'un de ses anciens maîtres de rhétorique, il
attribue à ce dernier le mérite et lui adresse le compliment significatif de reposer « des imbéciles qui arrondissent leurs phrases ».
La principale qualité d'un style c'est l'originalité. « Chaque écrivain, écrit-il à Mᵐᵉ Strauss, est obligé de se faire sa langue, comme chaque violoniste est obligé de se faire son « son ». Et entre
le son de tel violoniste médiocre, et le son (pour la même note) de
Thibaut, il y a un infiniment petit, qui est un monde ! Je ne veux
pas dire que j'aime les écrivains originaux qui écrivent mal, je
préfère — et c'est peut-être une faiblesse — ceux qui écrivent
bien. Mais ils ne commencent à écrire bien qu'à condition d'être
originaux, de faire eux-mêmes leur langue ». En ce sens, tout
grand écrivain, tout grand classique, commence par donner l'impression d'être un révolutionnaire. Et l'on ne peut faire « bonne
figure » auprès des écrivains d'autrefois « ...qu'à condition d'avoir
cherché à écrire tout autrement » (2)

C'est au nom de ces vérités que Proust s'insurge contre la
thèse soutenue par Anatole France dans la *Revue de Paris* (Septembre 1920), où le grand écrivain déclare que toute singularité
dans le style doit être rejetée, vante l'uniformité de la période
classique, et prétend qu'à l'époque de Beyle la prose française

---

1) Une lettre écrite en 1888, c'est-à-dire à 17 ans. Marcel Proust
va entrer en philosophie.

2) Les sources de ce § sont : *Corr.* III, lettre à J.-E. Blanche,
p. 168 ; lettre à R. Dreyfus dans « Souvenirs sur Marcel Proust ».
p. 28 ; et surtout une importante lettre à Mᵐᵉ Strauss (*Corr.* VI,
93-94) tout entière consacrée au style.

était « tout à fait perdue ». Comment croire à l'unité du style,
répond Proust « puisque les sensibilités sont singulières ». Le
caractère d'originalité du style pour lui, en effet, est loin d'être
arbitraire. Il est l'expression de la réalité, de la seule réalité que
nous puissions atteindre, celle qui est en nous ou que nous inté-
grons en nous. C'est essentiellement en cela que consiste le
talent, en « ...un rapprochement de l'artiste vers l'objet à exprimer » et non dans une manière uniforme et élégante de traiter les
sujets. « Tant que l'écart subsiste, ajoute Proust, la tâche n'est
pas achevée. Ce violoniste joue très bien sa phrase de violon,
mais vous voyez ses effets, vous y applaudissez, c'est un virtuose.
Quand tout cela aura fini par disparaître, que la phrase de violon,
de chant, ne feront plus qu'un avec l'artiste entièrement fondu en
elle, le miracle se sera produit ». Aussi, se demande-t-il si la proposition contraire à celle d'A. France ne serait pas aussi vraie :
« Dans les autres siècles, il semble qu'il y ait toujours eu une
certaine distance entre l'objet et les plus hauts esprits qui discou-
rent sur lui (1). Mais chez Flaubert, par exemple, l'intelligence
qui n'était peut-être pas des plus grandes, cherche à se faire tré-
pidation d'un bateau à vapeur, couleur des mousses, îlot dans une
baie. Alors arrive un moment où on ne trouve plus l'intelligence
(même l'intelligence moyenne de Flaubert) on a devant soi le
bateau qui file « rencontrant des trains de bois qui se mettaient à
onduler sous le remous des vagues ». Cette ondulation-là, c'est
de l'intelligence transformée, qui s'est incorporée à la matière.
Elle arrive aussi à pénétrer les bruyères, les hêtres, le silence et
la lumière des sous-bois. Cette transformation de l'énergie où le
penseur a disparu et qui traîne devant nous les choses, ne serait-
ce pas le premier effort de l'écrivain vers le style ? » (2).

Comprenons bien Proust, si le penseur a disparu, c'est que
la sensibilité a pris sa place. La sensibilité est « singulière », personnelle. Ne peut être beau, fait remarquer Proust dans la lettre
à Mme Strauss que nous avons déjà citée, « que ce qui peut porter
la marque de notre choix, de notre goût, de notre incertitude, de
notre désir et de notre faiblesse ». C'est parce que le style est lié
ainsi à ce qu'il y a de qualitatif, de plus intime en nous, que
Proust croit pouvoir trouver en lui, nous l'avons vu, la preuve de

---

1) Ce qui n'empêche pas Proust d'admirer nos grands classiques
et principalement le 17e siècle qui avait une manière très simple de
dire des choses très profondes, ainsi qu'il le fait remarquer dans une
note de son article sur le style Flaubert.

2) *Pour un ami,* Revue de Paris, Nov.-Déc. 1920, pp. 271 et 276.

l'existence de la personnalité (1). Pour atteindre l'originalité, il suffit à l'artiste d'exprimer sa vie profonde. Aussi le style n'est-il pas le résultat de procédés ou de recettes ingénieusemen utilisées : « ...le style pour l'écrivain, aussi bien que pour le peintre, est une question non de technique, mais de vision » (48) — Et dans son interview par E.-J. Bois, Proust dit, avec plus de précision : « ...c'est comme la couleur chez les peintres — une *qualité* de la vision, la révélation de l'univers particulier que chacun de nous voit et que ne voient pas les autres ». Aussi l'effet de l'œuvre d'art, l'effet du style est-il de renouveler notre manière de voir les choses. Pour exprimer cette pensée, Proust compare à plusieurs reprises l'artiste à un oculiste. « Les gens de goût remarque-t-il, nous disent aujourd'hui que Renoir est un grand peintre du XVIIIᵉ siècle. Mais en disant cela ils oublient le Temps et qu'il en a fallu beaucoup même en plein XIXᵉ siècle pour que Renoir fût salué grand artiste. Pour réussir à être ainsi reconnus, les peintres originaux procèdent à la façon des oculistes. Le traitement par leur peinture, par leur prose, n'est pas toujours agréable. Quant il est terminé, le praticien nous dit : Maintenant regardez ! Et voici que le monde (qui n'a pas été créé une fois mais aussi souvent qu'un artiste original est survenu), nous apparaît entièrement différent de l'ancien mais parfaitement clair. Des femmes passent dans la rue, différentes de celles d'autrefois puisque ce sont des Renoir, ces Renoir où nous nous refusions à voir jadis des femmes » (G. II, 20) (2). L'ouvrage d'un écrivain est encore comparable à un instrument d'optique qui permet au lecteur « de discerner ce que sans ce livre, il n'eût peut-être pas vu en soi-même ». Chaque lecteur est ainsi en réalité le lecteur de soi-même. Il peut arriver que le livre soit trop savant, trop obscur pour le lecteur naïf et ne lui présente ainsi « qu'un verre trouble ». Il peut arriver aussi que certaines particularités (comme l'inversion) obligent le lecteur à lire d'une certaine manière. Peu importe ! Tout ce que demande l'auteur au lecteur c'est de lui

---

1) Proust tient pour une vérité profonde le mot de Buffon : « Le style c'est l'homme ». Il cite de Buffon, dans la préface à la *Bible d'Amiens* (p. 76), une phrase qui ressemble, par la forme et le fond à celles qu'il emploiera dans *Le Temps Retrouvé* pour caractériser le style : « Comme Buffon a dit que « toutes les beautés intellectuelles qui s'y trouvent (dans un beau style), tous les rapports dont il est composé sont autant de vérités aussi utiles et peut-être aussi précieuses pour l'esprit public que celles qui peuvent faire le fond du sujet », les vérités dont se compose la beauté des pages de la *Bible* sur le *Beau Dieu* d'Amiens ont une valeur indépendante de la beauté de cette statue ».

2) Dans *Pour un ami* (préf. à *Tendres Stocks*) ce texte de *Du Côté de Guermantes,* est repris presque mot pour mot.

dire « ...si c'est bien cela », si les mots qu'ils lisent en eux-
mêmes sont bien ceux que l'auteur a écrits (*T.R.* II, p. 70 et
140). De même Flaubert par son style, « par l'usage entièrement
nouveau et personnel qu'il a fait du passé défini, du passé indéfini, du participe présent, de certains pronoms et de certaines
prépositions, a, remarque Proust, renouvelé presque autant notre
vision des choses que Kant, avec ses Catégories, les théories de
la Connaissance et de la Réalité du monde extérieur » (*Chroniques*, p. 193).

LA MÉTAPHORE

L'existence de l'art prouve que le langage n'est pas incapable de traduire ce qu'il y a de qualitatif dans nos souvenirs et
dans nos sensations. Et même, la sensation esthétique (comme
celle des trois clochers ou de la rangée d'arbres) diffère, semble-t-il, des sensations ordinaires en ce qu'elle renferme sous une
forme confuse un commencement d'expression. C'est cela qui en
elle veut venir à l'être (1).

Quoi qu'il en soit, le « contenu » du beau style est constitué
par cette essence « extratemporelle », dont l'existence a été révélée à Marcel Proust par les souvenirs involontaires, mais qui est
incluse également dans les sensations esthétiques pures. Cette
essence extratemporelle est la réalité même. Et la réalité « ...est
un certain rapport entre ces sensations et ces souvenirs qui nous
entourent simultanément ». C'est ce « rapport unique », révélateur de l'essence extratemporelle et qualitative, que l'écrivain
pressent dans le souvenir ou la sensation ; c'est lui qu'il « ...doit
retrouver pour en enchaîner à jamais dans sa phrase les deux termes différents ».

On comprend alors l'importance attribuée par Proust à la
Métaphore. Dans son article sur le style de Flaubert il écrit :
« Pour des raisons qui seraient trop longues à développer ici, je
crois que la métaphore seule peut donner une sorte d'éternité au
style... ». Bien que Proust ne nous les ait jamais données, ces
raisons sont faciles à deviner. La métaphore n'a-t-elle pas pour
point de départ la perception d'un rapport, d'une analogie ? Ne
consiste-t-elle pas dans l'expression de ce rapport, de cette analogie ? Et ce rapport, cette analogie ne constituent-ils pas le procédé le plus important employé par l'artiste pour révéler l'essence
qualitative ?

---

1) Et c'est parce que l'expression découvre le qualitatif que cette
sensation procure la même félicité que le souvenir affectif pur.

Et voici un texte qui précise encore l'idée que Proust se fait du style et de la métaphore : « On peut faire se succéder indéfiniment, écrit Proust, les objets qui figuraient dans le lieu décrit, la vérité ne commencera qu'au moment où l'écrivain prendra deux objets différents, posera leur rapport, analogue dans le monde de l'art à celui qu'est le rapport unique, de la loi causale, dans le monde de la science et les enfermera dans les anneaux nécessaires d'un beau style, ou même, ainsi que la vie, quand en rapprochant une qualité commune à deux sensations, il dégagera leur essence en les réunissant l'une et l'autre pour les soustraire aux contingences du temps, dans une métaphore, et les enchaînera par le lien indescriptible d'une alliance de mots » (*T.R.* II, 39-40). Ce texte révèle que la vérité esthétique pour Marcel Proust est toujours incluse dans des *rapports,* que le style est constitué par ces rapports et qu'il nous apparaît de ce fait avec un caractère de nécessité. Quant à la métaphore, elle nous est expressément donnée comme possédant la vertu de dégager la qualité commune à deux sensations. « Ainsi que la vie », dit Proust. La vie, c'est le souvenir involontaire. Ainsi, de même que les souvenirs involontaires en nous faisant goûter la sensation dans une circonstance toute autre, la « libèrent de toute contingence » (Interview de E.-J. Bois — *Le Temps,* 12 nov. 1913), la métaphore donne l'éternité par un procédé analogue.

Le fond de la pensée de Proust sur ce point, c'est que la qualité, essence des choses, ne peut pas nous être donnée autrement que dans un rapport. Au « miracle » de la vie qui, avec le souvenir involontaire, nous révèle la qualité dans le rapport d'une sensation actuelle à une sensation passée, correspond le miracle de l'expression réalisé par l'artiste qui saisit cette même qualité dans le rapport exprimé par le style ou par le lien « indescriptible » d'une alliance de mots.

LES IMAGES INVOLONTAIRES

Mais si les métaphores, et d'une manière générale les images, doivent exprimer la réalité profonde et individuelle qui est en nous, leur naissance ne saurait être artificielle. Elles ne sauraient en particulier pour Marcel Proust être l'œuvre de la volonté et de l'intelligence. Elles doivent en quelque sorte être l'œuvre de la nature. Elles doivent naître des profondeurs qui sont en nous, puisque seul mérite d'être exprimé ce qui en provient (1).

---

1) Voir *Carnets de Marcel Proust* (Figaro du 25-9-39).

Proust s'est expliqué plusieurs fois à ce sujet dans sa correspondance. A. M. Camille Vettard, il écrit, parlant du style : « Je me suis efforcé de rejeter tout ce que dicte l'intelligence pure, tout ce qui est rhétorique, enjolivement et, à peu près, images voulues et cherchées (ces images que j'ai dénoncées dans la préface à Morand) (1) pour exprimer mes impressions profondes et authentiques et respecter la marche naturelle de ma pensée » (*Corr*. III, 195). Dans une lettre à son ami Maurice Duplay, il blâme la tendance qui consiste à faire de l'image « la servante pratique et utilitaire du raisonnement ». Et il déclare que « l'image doit avoir sa raison d'être en elle-même, (dans) sa brusque naissance toute divine » (Revue Nouvelle, juillet 1929). Enfin il écrit au peintre-écrivain J.-E. Blanche : « …je trouve les images nées d'une impression supérieures à celles qui servent seulement à illustrer un raisonnement ». Il ne méprise pas positivement les autres images (« dont Taine faisait aussi un grand usage »), mais il préfère celles « …où, que vous parliez des hommes ou de la nature, vous délivrez de la vérité et de la poésie » (*Corr*. III, 109).

LE QUALITATIF ET L'UNIVERSEL

Ces vérités que l'art a pour but d'exprimer, sont, on le voit, des vérités qualitatives. Mais, en même temps, Proust nous affirme avec insistance leur caractère général, nécessaire, éternel. L'œuvre d'art, le style, dénotent, selon lui, une valeur intellectuelle incontestable. Il écrit à M. Jacques Boulenger : « Vous trouvez qu'il n'y a pas de pensée dans les vers de Baudelaire. Mon opinion est tout opposée… » (2). Et dans sa préface à *Tendres Stocks* de Paul Morand, il fait remarquer que la beauté du style « …est le signe infaillible que la pensée s'élève, qu'elle a découvert et noué des rapports nécessaires entre des objets que leur contingence laissait séparés ».

On se demande alors comment il concilie ces caractères de nécessité, de généralité ou d'universalité qu'il confère aux vérités esthétiques avec le caractère accidentel et transitoire qui semble appartenir à ce qui est qualitatif, individuel. La réponse à cette

---

1) Il reproche à Morand, nous le savons, d'user d'images différentes pour exprimer une même chose. Mais à part cela, on ne voit pas très bien où les « images voulues et cherchées » sont dénoncées dans la préface. Sans doute, et cela revient au même, il y a condamné le style impersonnel et appris « la prose coloriée à des fins didactiques » de Taine, et leur a opposé les styles de Baudelaire et de Flaubert.

2) M. Jacques Boulenger assure, du reste, qu'il ne disait pas cela (*Corr*. III. 239).

question ne se trouve pas dans *Le Temps Retrouvé* ; mais elle est
donnée dans un texte que nous avons déjà cité, un article paru
dans la *Revue Blanche* le 15 juillet 1896 et intitulé : *Contre
l'obscurité*. On peut considérer que ce texte exprime, malgré sa
date ancienne la pensée définitive de Proust sur ce point.

D'abord, Proust fait remarquer que la profondeur artistique
ne doit pas être confondue avec la profondeur philosophique. Le
littérateur et le poète peuvent aller, pense-t-il, « aussi profond
dans la réalité des choses que le métaphysicien même », mais
c'est « par un autre chemin » : « Ce n'est pas par une méthode
philosophique, c'est par une sorte de puissance instinctive que
Macbeth est, à sa manière, une philosophie ». De même le poète
n'utilise pas les mots de la même manière que le philosophe. Les
mots pour le philosophe ont une valeur « scientifique ». Ce sont
de « purs signes » pour lui. Pour le poète le mot garde « dans sa
figure ou dans son harmonie » quelque chose « *du charme* de son
origine ou de la grandeur de son passé », et possède de ce fait
« sur notre imagination et sur notre sensibilité une puissance
d'évocation au moins aussi grande que sa puissance de stricte
signification ». « Ce sont ces affinités anciennes et mystérieuses
entre notre langage maternel et notre sensibilité qui, au lieu d'un
langage conventionnel comme sont les langues étrangères, en font
une sorte de musique latente que le poète peut faire résonner en
nous avec une douceur incomparable ».

Ensuite et surtout, l'universel et l'éternel ne sont nullement
inconciliables avec l'individuel. C'est une des lois de la vie (que
Proust reproche à certains symbolistes de son époque d'ignorer) (1) « de réaliser l'universel ou éternel, mais seulement dans
les individus ». « Dans les œuvres comme dans la vie, ajoute-t-il,
les hommes pour plus généraux (2) qu'ils soient, doivent être fortement individuels (Cf. *La Guerre et la Paix, Le Moulin sur la
Floss*) et on peut dire d'eux, comme de chacun de nous, que c'est
quand ils sont le plus eux-mêmes qu'ils réalisent le plus largement
l'âme universelle » (3).

LA POÉSIE

Et la Poésie ? Proust en dit peu de chose. Il lui consacre
page 27 dans le deuxième tome du *Temps Retrouvé* une phrase

---

1) « En prétendant négliger les accidents de temps et d'espace
pour ne nous montrer que des vérités éternelles », en écrivant de
froides allégories.

2) Nous corrigeons « généreux » en « généraux ».

3) Contre l'obscurité, *Chroniques*, 140 à 143.

qu'il reproduit (est-ce par inadvertance ?) à peu près identiquement page 52. Voici la seconde de ces phrases : « Et comme l'art recompose exactement la vie, autour des vérités qu'on a atteintes en soi-même flottera toujours une atmosphère de poésie, la douceur d'un mystère qui n'est que le vestige de la pénombre que nous avons dû traverser, l'indication, marquée exactement comme par un altimètre, de la profondeur d'une œuvre ». La poésie est donc pour lui une « atmosphère », « la douceur d'un mystère », et, surtout peut-être, « l'indication » d'une certaine « profondeur ». En d'autres termes, c'est parce que nous avons atteint en nous une certaine profondeur qu'il y a poésie. Et telle est bien la signification essentielle de cette pensée de Proust, puisque dans une phrase entre parenthèses, qui suit immédiatement celle que nous venons de citer, il écrit : « Car cette profondeur n'est pas inhérente à certains sujets comme le croient ces romanciers matérialistement spiritualistes puisqu'ils ne peuvent pas descendre au-delà du monde des apparences et dont toutes les nobles intentions, pareilles à ces vertueuses tirades habituelles chez certaines personnes incapables du plus petit effort de bonté, ne doivent pas nous empêcher de remarquer qu'ils n'ont même pas eu la force d'esprit de se débarrasser de toutes les banalités de forme acquises par l'imitation ».

Cette profondeur nous savons que nous pouvons l'atteindre de deux manières : dans les souvenirs involontaires, et dans les impressions esthétiques que certains accidents de l'existence ou de la perception nous imposent et dont nous pouvons dire également qu'elles sont involontaires. Que cette profondeur soit contenue dans nos souvenirs involontaires pour Marcel Proust, cela est bien prouvé par ce que son héros, Marcel, déclare après les révélations que Gilberte lui fait sur Albertine qui est morte : « Aussi me fallait-il, à tant d'années de distance, faire subir, dit-il, une retouche à une image que je me rappelais si bien, opération qui me rendit assez heureux... et que je trouvai poétique à cause de la longue série d'années au fond de laquelle il me fallut l'accomplir » (212). Enfin dans la préface à *La Bible d'Amiens,* parlant des citations de Ruskin qu'il donne en note pour servir « d'écho » au texte de *La Bible d'Amiens*, il fait la remarque suivante : « Mais aux paroles de *La Bible d'Amiens,* ces échos ne répondront pas sans doute, ainsi qu'il arrive dans une mémoire qui s'est faite elle-même, de ces horizons inégalement lointains, habituellement cachés à nos regards et dont notre vie a mesuré jour par jour les distances variées. Ils n'auront pas, pour venir rejoindre la parole présente dont la ressemblance les a attirés à traverser la résistante douceur de cette atmosphère interposée qui a l'étendue même de notre vie et qui est toute la poésie de la mémoire. » (page 10). Quant aux impressions esthétiques involontaires elles ne peuvent pas ne pas engendrer cette même poésie, elles ont trop de caractères essentiels communs avec les souvenirs involontaires et elles présentent en particulier cette même profondeur, qui est liée pour Marcel Proust, à la poésie même.

Mais s'il en est ainsi, la poésie a même source, au fond, que le style qui, lui aussi, a pour but d'exprimer ce qu'il y a de profond dans nos impressions. La preuve, c'est qu'il arrive selon lui, un âge où « ces vérités mystérieuses », c'est-à-dire ces impressions involontaires que le style s'efforce de rendre, n'apparaissent plus. C'est, dit-il, expressément, l'âge où il est passé d'être poète (68). Cela n'empêche pas les grands écrivains de continuer à écrire, car ils peuvent alors avoir recours, nous allons le voir, à leur intelligence ; et, note Proust, « les livres de leur âge mûr ont à cause de cela plus de force que ceux de leur jeunesse, mais ils n'ont plus le même velours » (52, *T.R.*, II).

L'INTELLIGENCE,
LE « GÉNÉRAL »
ET L'ŒUVRE D'ART

Proust va, en effet, faire une troisième découverte (1). Découverte « moins éclatante » que la précédente qui lui fit apercevoir que l'œuvre d'art était « le seul moyen de retrouver le temps perdu », mais importante cependant et qui produit « une nouvelle lumière » en lui. Il s'aperçoit, en effet, qu'à côté de ces vérités que nous ramenons du fond de notre être, il en est d'autres que nous cueillons directement, « à claire voie » comme il dit ; qu'à côté des vérités « involontaires » et mystérieuses, il en existe de fort différentes que l'intelligence appréhende « devant elle en pleine lumière » (52-53).

Ces vérités nouvelles sont des vérités relatives « aux passions, aux caractères, aux mœurs » (53). Pendant toute notre vie, en effet, nous emmagasinons une foule de matériaux qui serviront à l'œuvre d'art et qui sont constitués par notre vie passée, ou plus exactement par les éléments de notre vie passée auxquels notre

---

1) Rappelons que la première est la découverte de la nature des souvenirs involontaires, la raison de la félicité et du sentiment de certitude qu'ils procurent — la deuxième, la découverte de l'identité du plaisir que produisent les impressions esthétiques et les souvenirs involontaires.

attention s'est attachée : « ...mû par l'instinct qui était en lui,
l'écrivain, bien avant qu'il crût le devenir un jour, omettait régu-
lièrement de regarder tant de choses que les autres remarquent,
ce qui le faisait accuser par les autres de distraction et par lui-
même de ne savoir ni écouter ni voir ; pendant ce temps-là il dictait à ses yeux et à ses oreilles de retenir à jamais ce qui semblait
aux autres des riens puérils, l'accent avec lequel avait été dite
une phrase et l'air de figure et le mouvement d'épaules qu'avait
fait à un certain moment telle personne dont il ne sait peut-être
rien d'autre, il y a de cela bien des années et cela parce que cet
accent il l'avait déjà entendu, ou sentait qu'il pourrait le réenten-
dre, que c'était quelque chose de renouvelable, de durable » (55).

Car il y a en nous un sens du général qui sélectionne ainsi
presque à notre insu, des éléments qui entreront plus tard dans
la composition de l'œuvre d'art. Au sortir de la lecture du *Journal*
des Goncourt (1), qui est relatée au tome I du *Temps Retrouvé,*
Proust note son inaptitude à accumuler les faits et les détails à la
manière de Goncourt. Il constate que ce que racontaient les gens
lui échappait, « ...car ce qui m'intéressait, dit-il, c'était non ce
qu'ils voulaient dire, mais la manière dont ils le disaient, en tant
qu'elle était révélatrice de leur caractère ou de leurs ridicules, ou
plutôt c'était un objet qui avait toujours été plus particulièrement
le but de ma recherche parce qu'il me donnait un plaisir spécifique, le point qui était commun à un être et à un autre ». « J'avais
beau dîner en ville, ajoute-t-il, je ne voyais pas les convives,
parce que quand je croyais les regarder, je les radiographiais. Il
en résultait qu'en réunissant toutes les remarques que j'avais pu
faire dans un dîner sur les convives, le dessin des lignes tracées
par moi figurait un ensemble de lois psychologiques où l'intérêt
propre qu'avait eu dans ses discours le convive ne tenait presque
aucune place » (p. 36-37). Dans cette disposition d'esprit, les individus « répétant comme des perroquets ce que disent les gens de
caractère semblable » apparaissent comme « les oiseaux prophé-
tes, les porte-paroles d'une loi psychologique » (*T.R.* II, 53).

Ces vérités générales ne sont pas à dédaigner par l'artiste
et quoique d'une matière « moins pure » que les impressions involontaires, elles peuvent servir à « enchasser » et à « pénétrer
d'esprit » ces dernières « ...qui plus précieuses sont aussi trop
rares pour que l'œuvre d'art puisse être composée seulement avec
elles » (53). Et même il n'est pas certain « ...que pour créer une
œuvre littéraire, l'imagination et la sensibilité ne soient pas des

---

1) Du pastiche que nous en donne Proust.

qualités interchangeables... ». Grâce surtout à la souffrance nous allons le voir, la souffrance qui nous force à pénétrer en nous, la sensibilité pourrait remplir, selon Proust, à l'égard de l'imagination une sorte de fonction vicariante : « Un homme né sensible et qui n'aurait pas d'imagination pourrait malgré cela écrire des romans admirables. La souffrance que les autres lui causeraient, ses efforts pour la prévenir, les conflits, qu'elle et la seconde personne cruelle, créeraient, tout cela interprété par l'intelligence pourrait faire la matière d'un livre non seulement aussi beau que s'il était imaginé, inventé, mais encore aussi extérieur à la rêverie de l'auteur (1) s'il avait été livré à lui-même et heureux... qu'un caprice fortuit de l'imagination » (56, *T.R.*, II).

On voit que le rôle de l'intelligence pour ces sortes d'œuvres d'art est bien plus important que pour les autres où elle se bornait à intellectualiser une matière qui ne venait pas d'elle. Cette fois, c'est elle qui dégage les vérités de la réalité de nos joies et de nos souffrances. Et elle les dégage, nous dit Proust, directement par une sorte d'induction spontanée. Dans ces sortes d'ouvrages, l'imagination ne joue plus le même rôle. Point n'est besoin de percevoir la spécificité et par suite la beauté de chaque chose. Certes il faut encore être doué de sensibilité. Mais il s'agit non d'exprimer grâce au style ce qu'on a ressenti, d'en extraire des essences particulières et éternelles, mais directement, grâce à un sens du général, grâce à l'intelligence, d'en dégager des vérités sur les passions et les caractères.

LA SOUFFRANCE ET L'ART

C'est notre sensibilité, c'est la faculté d'éprouver, qui nous fournit la matière de ces vérités générales. Ce sont nos joies, même médiocres, ce sont nos souffrances, bref tout ce que nous ressentons. A vrai dire, ce sont surtout nos souffrances. Dans les chapitres antérieurs nous avons déjà eu l'occasion de signaler le

---

1) Marcel Proust attache beaucoup d'importance à ce caractère d'extériorité. Dans la préface à *La Bible d'Amiens,* il écrit : « Le sujet du romancier, la vision du poète, la vérité du philosophe s'imposent à eux d'une façon presque nécessaire, *extérieure* pour ainsi dire à leur pensée. Et c'est en soumettant son esprit à rendre cette vision, à approcher de cette vérité que l'artiste devient vraiment lui-même » (94) C'est que le romancier, le poète, aussi bien que le philosophe, atteignent par la pensée une réalité, la réalité. Ils expriment, avec leurs impressions profondes, des vérités. L'œuvre médiocre reste fonction de son auteur, ne vit pas d'une vie propre. Telle est l'explication de ce caractère d'extériorité que Proust attribue aux œuvres profondes.

rôle intellectuel de la souffrance. Dans le *Temps Retrouvé*, Proust écrit des pages admirables sur le rôle du chagrin : « Le bonheur est salutaire pour le corps, mais c'est le chagrin qui développe les forces de l'esprit. D'ailleurs, ne nous découvrît-il pas à chaque fois une loi, qu'il n'en serait pas moins indispensable pour nous remettre chaque fois dans la vérité, nous forcer à prendre les choses au sérieux, arrachant chaque fois les mauvaises herbes de l'habitude, du scepticisme, de la légèreté, de l'indifférence... » (p. 63, *T.R.*, II). Et plus loin, il dit : « Les idées sont des succédanés des chagrins... » (p. 64) (1). Et enfin cette conclusion : « Un écrivain peut se mettre sans crainte à un long travail. Que l'intelligence commence son ouvrage, en cours de route surviendront bien assez de chagrins qui se chargeront de le finir. Quant au bonheur, il n'a presque qu'une seule utilité, rendre le malheur possible » (65).

De ce point de vue le chagrin apparaît non comme un mal, mais comme un bien. Sans doute Proust n'ignore pas qu'un minimum de bien-être physique est nécessaire pour recevoir des impressions esthétiques. Mais il s'agit surtout ici de la souffrance morale. C'est d'elle qu'il écrit ceci : « ...comme on comprend que la souffrance est la meilleure chose que l'on puisse rencontrer dans la vie, on pense sans effroi, presque comme à une délivrance, à la mort » (68).

L'humour, et d'une manière générale l'esprit de la conversation, qui nous place dans une disposition d'esprit opposée au chagrin, est du même coup aussi peu propice que possible à l'éclosion de l'œuvre d'art : « Plus que tout, dit Proust, j'écarterais ces paroles que les lèvres plutôt que l'esprit choisissent, ces paroles pleines d'humour comme on (en) dit dans la conversation, et qu'après une longue conversation avec les autres on continue à s'adresser facticement et qui nous remplissent l'esprit de mensonges, ces paroles toutes physiques qu'accompagne chez l'écrivain qui s'abaisse à les transcrire le petit sourire, la petite grimace qui altère à tout moment par exemple la phrase parlée d'un Sainte-Beuve... »

C'est pour la même raison que, déjà dans les *Plaisirs et les Jours,* Proust remarque que les pièces gaies sont inférieures aux pièces tristes : Soyons reconnaissants, fait-il remarquer, « ...aux personnes qui nous donnent du bonheur, mais soyons plus recon-

---

1) « Succédanés dans l'ordre du temps seulement d'ailleurs, ajoute-t-il, car il semble que l'élément premier ce soit l'idée — et le chagrin, seulement le mode selon lequel certaines idées entrent d'abord en nous » (64).

naissants encore aux femmes méchantes ou seulement indifférentes, aux amis cruels ». « En brisant, continue-t-il, tous les petits
bonheurs qui nous cachaient notre grande misère, en faisant de
notre cœur un préau mélancolique, ils nous ont permis de le
contempler enfin et de le juger. Les pièces tristes nous font un
bien semblable; aussi faut-il les tenir pour bien supérieures aux
gaies, qui trompent notre faim au lieu de l'assouvir : le pain qui
doit nous nourrir est amer. Dans la vie heureuse les destinées de
nos semblables ne nous apparaissent pas dans leur réalité, que
l'intérêt les masque ou que le désir les transforme. Mais dans le
détachement que donne la souffrance, dans la vie, et le sentiment
de la beauté douloureuse, au théâtre, les destinées des autres
hommes et la nôtre même font entendre enfin à notre âme atten-
tive l'éternelle parole inentendue de devoir et de vérité. L'œuvre
triste d'un artiste véritable nous parle avec cet accent de ceux qui
ont souffert, qui forcent tout homme qui a souffert à laisser là tout
le reste et à écouter » (200-201). Dans le même ordre d'idées,
Proust note que la tare morale dont souffre M. de Charlus, en
rouvrant sans cesse en lui « un courant douloureux », « ...l'empêche de s'arrêter, de s'immobiliser, dans une vue ironique ou
extérieure des choses... » (*T.R.*, I, 187). Et Proust de déplorer
que M. de Charlus n'ait pas été poète ou romancier, car il aurait
eu beaucoup de choses profondes à dire.

A ce point de vue, la fréquentation des gens vulgaires vaut
celle des génies. C'est la souffrance qui est importante; celui ou
celle qui nous l'inflige importe peu. La valeur de ce que peint
l'artiste ne compte guère : « ...ce qu'il s'agit de faire sortir,
d'amener à la lumière, ce sont nos sentiments, nos passions,
c'est-à-dire les passions, les sentiments de tous. Une femme
dont nous avons besoin nous fait souffrir, tire de nous des séries
de sentiments autrement profonds, autrement vitaux qu'un homme
supérieur qui nous intéresse » (*T.R.*, II, 64).

Enfin la souffrance possède encore une vertu pour l'artiste.
Elle est motrice. C'est une « étincelle joyeuse » qui pousse l'artiste à écrire quand les impressions « involontaires » illuminent
son esprit. C'est la douleur qui l'aiguillonne lorsqu'il s'attache à
exprimer le général. « L'imagination, la pensée, peuvent être des
machines admirables en soi, mais elles peuvent être inertes. La
souffrance les met alors en marche ». C'est pourquoi Marcel
estime, contrairement à sa gouvernante Françoise, qu'Albertine
lui a été plus utile, en lui infligeant des souffrances, qu'une secrétaire qui eût mis de l'ordre dans ses papiers. Cependant cet
état de choses donne un aspect tragique à l'existence de l'artiste.

Les années heureuses, pour lui, sont les années perdues. Le chagrin s'associe à l'idée de travail et de création. La vie d'un tel être « finit par être bien lassante ». « Les chagrins, conclut Proust, sont des serviteurs obscurs, détestés, contre lesquels on lutte, sous l'empire de qui on tombe de plus en plus, des serviteurs atroces, impossibles à remplacer et qui par des voies souterraines nous mènent à la vérité et à la mort. Heureux ceux qui ont rencontré la première avant la seconde, et pour qui, si proches qu'elles doivent être l'une de l'autre, l'heure de la vérité a sonné avant l'heure de la mort » (67, 68, 69).

LE GÉNÉRAL ET LE BONHEUR

Cependant s'il est nécessaire de souffrir pour atteindre la vérité, la perception de la vérité en elle-même est une joie. La souffrance en s'intellectualisant devient bonheur. Déjà, nous nous en souvenons, lorsque Proust notait l'impossibilité (qu'il déplorait) de ne pouvoir éprouver un plaisir réel dans l'amitié, et notamment de ne ressentir qu'ennui en la compagnie de son ami Saint-Loup, il avait remarqué toutefois que la présence de son ami lui causait de la joie lorsqu'il découvrait le grand seigneur caché en lui, c'est-à-dire lorsqu'il pouvait rattacher ses faits et gestes à quelque grande loi psychologique générale. Ces vérités sont le plus souvent extraites des souffrances (1); mais ces souffrances se transforment en joies pures, lorsqu'elles se subliment en vérités générales : « Chaque personne qui nous fait souffrir peut être rattachée par nous à une divinité, dont elle n'est qu'un reflet fragmentaire et le dernier degré, divinité, dont la contemplation en tant qu'idée nous donne aussitôt la joie au lieu de la peine que nous avions. Tout l'art de vivre, c'est de nous servir des personnages qui nous font souffrir, (que) comme d'un degré permettant d'accéder à la forme divine et de peupler ainsi journellement notre vie de divinités » (*T.R.*, II, 53).

Ici, comme plus haut, le bonheur est lié à la perception des vérités. Les vérités dont les souvenirs involontaires et les impressions esthétiques involontaires sont gros, sont des vérités purement qualitatives. Elles expriment l'individuel. Celles qu'appréhende l'intelligence sont des vérités psychologiques, générales. Mais, perception du qualitatif ou perception du général, dans un cas comme dans l'autre nous éprouvons un bonheur sans mélange, car nous sommes transportés hors du temps.

---

1) Mais aussi de « joies médiocres », comme de simples impressions.

Dans la perception de ces vérités, Proust, comme avant lui Descartes et Spinoza, découvre, avec la joie, le principe de la sagesse. Dans l'amour, par exemple, l'œuvre d'art nous apprend que « le général gît à côté du particulier, et à passer du second au premier par une gymnastique qui fortifie contre le chagrin en faisant négliger sa cause pour approfondir son essence. En effet, comme je devais l'expérimenter par la suite, même au moment où on souffre, si la vocation s'est enfin réalisée, dans les heures où on travaille, on sent si bien l'être qu'on aime se dissoudre dans une réalité plus vaste qu'on arrive à l'oublier par instants, et qu'on ne souffre plus de son amour en travaillant, que comme de quelque mal purement physique où l'être aimé n'est pour rien, comme d'une sorte de maladie de cœur... ». Il est vrai que si le travail vient plus tard, l'effet peut paraître inverse. Car, il nous fait d'abord ressusciter nos chagrins anciens et souffrir à nouveau, avant d'en extraire la « généralité ». Proust compare ce travail à celui du médecin « qui recommence sur lui-même la dangereuse piqûre ». Mais en même temps, ajoute-t-il, il nous fait penser notre souffrance particulière « sous une forme générale qui nous fait dans une certaine mesure échapper à son étreinte, qui fait de tous, les co-partageants de notre peine, et qui n'est même pas exempte d'une certaine joie. Là où la vie emmure, l'intelligence perce une issue, car s'il n'est pas de remède à un amour non partagé, on sort de la constatation d'une souffrance, ne fût-ce qu'en en tirant les conséquences qu'elle comporte. L'intelligence ne connaît pas ces situations fermées de la vie sans issue. Aussi fallait-il me résigner, puisque rien ne peut durer qu'en devenant général et, si l'esprit ment à soi-même (1), à l'idée que même les êtres qui furent le plus cher à l'écrivain n'ont fait en fin de compte que poser pour lui comme chez les peintres » (61, 62).

LA « LEÇON » D'IDÉALISME

Les conclusions que Proust tire de son esthétique sont donc des plus générales. L'acte de foi dans l'art se prolonge sans solution de continuité du reste, sans que l'on puisse discerner de soudure artificielle, en un acte de foi dans les réalités supérieures de l'esprit. Le morceau capital qui sert d'introduction au deuxième tome du *Temps Retrouvé*, et qui contient l'essentiel de la pensée de Proust sur l'art et les plus hauts problèmes touchant la philosophie de la vie, se termine par l'affirmation du caractère idéal — c'est-à-dire spirituel — de la vie, de la vraie vie.

---

1) Ou plutôt : « ne ment pas à soi-même » ?

Cette leçon peut se dégager à la fois de la psychologie et de l'esthétique de Proust, laquelle repose sur cette psychologie. Nous l'avons déjà dégagée dans les chapitres qui précèdent et notamment dans le livre I. Et si Proust en souligne lui-même l'importance dans le *Temps Retrouvé,* c'est qu'il y attache une importance très grande.

« De ma vie passée, écrit-il, je compris encore que les moindres épisodes avaient concouru à me donner la leçon d'idéalisme dont j'allais profiter aujourd'hui » (69).

Cette leçon lui a été donnée, remarque-t-il, aussi bien par la germanophilie de M. de Charlus (1), que par la psychologie de l'amour et surtout de l'inversion. Et si le rêve, dit-il, l'a toujours tant intéressé c'est parce qu'il permet de comprendre ce qu'a de subjectif l'amour en nous faisant aimer passionnément « avec une vitesse prodigieuse » une laide — « ...ce qui dans la vie réelle eût demandé des années d'habitude, de collage... » (2) (70-71). Bref, la perception « grossière et erronée place tout dans l'objet quand tout est dans l'esprit » (3). La vérité n'est pas comme le croit le vulgaire un certain fait « ...que les ministres, le médecin possèdent, un oui ou un non qui n'a pas besoin d'interprétation, qui fait qu'un cliché radiographique indiquerait sans interprétation ce qu'a le malade, etc... » (75). Proust n'admet de vérité que spirituelle. Sa pensée sur ce point rejoint celle de Descartes. Elle va peut-être plus loin même. Proust affirme souvent que ce qui est réel ce ne sont pas les êtres mais les idées. C'est ce qu'on peut appeler avec Curtius le platonisme de Proust. Ce n'est pas une doctrine, mais une tendance de son esprit. Et l'art surtout le fortifie dans cette conviction, sa méthode de composition, c'est-à-dire sa façon de faire poser souvent plusieurs êtres pour un même sentiment, voire pour un même geste. Toutes ces substitutions non seulement « ajoutent à l'œuvre quelque chose de désintéressé, de plus général », remarque-t-il, mais donnent aussi « ...une leçon austère que ce n'est pas aux êtres que nous devons nous attacher, que ce ne sont pas les êtres qui existent réellement et sont par conséquent susceptibles d'expression, mais les idées » (66).

---

1) Voir 72-73.
2) Il revient sur ce point pages 74-75.
3) Cette affirmation est produite deux fois : p. 72 et p. 75.

CONCLUSION :
LES DEUX SOURCES DE L'ART

Telle est l'esthétique de Marcel Proust. C'est vers elle que convergent les quinze ou seize volumes d'*A la Recherche du Temps Perdu*. Elle se trouve curieusement intégrée à une œuvre romanesque et poétique, grâce à un subterfuge de l'auteur, qui, simplement et naturellement, fait de la recherche du bonheur, de la beauté et de la vérité l'une des préoccupations essentielles du héros principal du livre, celui qui dit « je ».

Ainsi, la démonstration n'est pas théorique. Elle est intimement mêlée à l'exemple. Un long ouvrage nous est donné en même temps que les secrets d'art qu'il recèle. Et si finalement Proust fait œuvre philosophique, c'est sans être le moindre instant sorti du concret.

Mais laissons de côté les problèmes généraux que *La Recherche* soulève. Nous les traiterons dans notre conclusion générale. Bornons-nous ici à l'esthétique.

L'art pour Marcel Proust a deux sources principales. Ce sont l'essence et le général. Entre elles il n'établit pas de hiérarchie et les place sensiblement sur le même plan. Il se borne, d'autre part, à constater leur dualité, sans chercher à la fonder philosophiquement.

Or, bien que la distinction soit fort nette et la description des deux procédés fort détaillée et claire, elle n'a pas toujours été bien comprise. Un des « exégètes » de Marcel Proust, M. Charles Blondel, a même commis sur ce point une confusion à peu près totale. •

L'auteur de la *Psychographie de Marcel Proust* mêle en effet constamment ce que Proust dit du général et ce qu'il dit de l'essentiel (1). Et quand il s'avise que Proust distingue les vérités générales des autres, c'est pour nous affirmer qu'il les ramène, pour les recréer, aux impressions analogues à celles des souvenirs involontaires, et que « ...le mouvement de pensée qui porte

---

1) Ainsi il applique pages 54, 93 et 94 au général ce que Proust a écrit de l'essence. Page 74 c'est l'inverse. Dans cette même page on relève ce début de phrase : « Qui plus est, *le général, ce que Proust appelle* « *l'essence des choses* », fait etc... », qui prouve que dans l'esprit de M. Blondel général et essence ne sont pas distincts. Malheureusement la confusion de M. Blondel a provoqué celle de M. Sybil de Sonza qui semble en effet être parti des conclusions de M. Blondel sur ce point dans sa *Philosophie de Marcel Proust*. M. Jean Pommier (dans *La Mystique de Marcel Proust*) également induit en erreur par M. Blondel, a cependant soupçonné les difficultés qui résultent d'une confusion du général et de l'essence (14, 15, 16).

Proust à admettre l'existence de lois psychologiques a pour point
de départ ces mêmes souvenirs involontaires » (95). Aussi M.
Blondel n'insiste-t-il pas sur une distinction qu'il tient, en somme,
pour nulle et non avenue parce qu'il l'a mal aperçue. Mais comment Proust aurait-il pu ramener les vérités générales à des souvenirs involontaires (ou à des impressions esthétiques) dont les
conditions de production sont psychologiquement si différentes ?
On se condamne à ne voir que confusion dans l'esthétique de
Proust, et, même, à ne guère comprendre son art, si l'on ne distingue pas les deux sources où la matière de *La Recherche* a été
puisée.

Les vérités générales sont des vérités de même essence que
celles qui constituent des livres comme Les *Caractères* de La
Bruyère ou les *Maximes* de La Rochefoucauld. Ce sont des vérités
de moraliste ou de psychologue. On les trouve en abondance
chez certains romanciers. Elles foisonnent chez Marcel Proust.
Ce sont elles que nous nous sommes précisément proposé d'extraire de son œuvre dans le présent ouvrage. Sans doute le romancier cherche à atteindre ces vérités générales sous une forme
moins abstraite que le psychologue pur. C'est dans le concret,
dans la vie de tous les jours qu'il les poursuit, et point n'est
besoin que sa psychologie soit une psychologie consciente et
méthodique. Elle peut rester — et elle reste totalement chez certains — intuitive ou instinctive. Sur la façon dont l'artiste collecte
les vérités psychologiques qui entreront ensuite dans la composition de son œuvre, Proust nous donne d'intéressantes précisions.
C'est la sensibilité qui accumule, sans que l'artiste s'en rende
compte, des impressions, futurs matériaux de l'œuvre. Parmi ces
impressions, il en est de neutres, il en est qui sont de médiocres
joies, il en est — ce sont les plus précieuses, celles qui nous font
pénétrer plus profond en nous-même — qui sont des souffrances.
Toute la vie passée du romancier est analogue à cet album
« logé dans l'ovule des plantes et dans lequel celui-ci puise sa
nourriture pour se transformer en graine » (*T.R.*, II, 54). Ce que
l'artiste a ainsi accumulé, en lui, n'est, du reste, pas une matière
quelconque. A son insu, son attention, mue par un sens du génér-
ral, n'a retenu que certains éléments de l'expérience. Ce qu'il y
a de vrai dans ces impressions peut, du reste, n'être extrait qu'a-
près coup. Peu importe, c'est toujours l'intelligence qui pratique
l'opération. Elle opère directement sur la sensibilité, à « claire
voie » dit Proust ; et au moment où elle atteint ainsi la réalité, une
réalité qui semble bien dépasser l'existence éphémère des individus, se produit en nous une pure joie.

Les vérités que Proust classe sous la rubrique : « général » semblent être de deux ordres. Il y a, en effet, les observations purement morales. Il y a aussi les gestes, les attitudes, qui sont associés à la vie morale, mais qui peuvent être étudiés en eux-mêmes et à travers lesquels on peut également deviner quelque chose de général (*T.R.*, II, 55, 56). Proust excelle à noter les ressemblances, les attitudes, les jeux de physionomie, à discerner leur origine à travers les influences ou l'hérédité. L'art aide, du reste, souvent à déceler ce qu'il y a de général dans des traits individuels de visages que nous connaissons et qui pourtant sont ce qui nous paraît « le moins susceptible de généralité ». C'est ainsi que Swann découvre dans son cocher Rémi les traits mêmes d'un buste de Rizzo ou chez Odette une ressemblance avec la Zéphora de Botticelli (*Sw.*, II, 12-13). « Même ce que nous appelons expression individuelle, remarque par ailleurs Proust, est — comme on s'en rend compte avec tant de tristesse quand on aime et qu'on voudrait croire à la réalité unique de l'individu — quelque chose de général et a pu se rencontrer à diverses époques » (*A l'.*, I, 100).

Les vérités essentielles sont celles qui, ainsi que Proust le remarque, constituent la poésie. Ces vérités même n'apparaissent plus, en général, après un certain âge, et c'est pourquoi les artistes sont souvent obligés pour continuer à produire de s'en tenir aux vérités générales, d'écrire avec leur seule intelligence. Ce n'est pas l'intelligence, en effet, qui forme ces vérités « mystérieuses ». Elles sont senties avant d'être connues, tandis que les vérités générales semblent connues en même temps qu'elles sont senties. Et surtout nous jouissons des premières avant de les avoir rendues claires, *avant de les avoir exprimées par l'intelligence,* tandis que pour les vérités générales, si nous nous en rapportons à la description de Proust, *c'est la mise à l'œuvre de l'intelligence seulement qui produit la joie.* Cependant ces essences, bien qu'elles ne soient pas découvertes par l'intelligence, sont exprimées par elles. C'est dire que l'intelligence est tout de même pour quelque chose dans leur élaboration, car tant que ces vérités n'ont pas atteint le stade de l'expression, la joie qu'elles procurent n'est pas complète et celui qui les ressent n'a pas atteint véritablement la vie spirituelle. C'est dire que ces vérités qui ne viennent pas de l'intelligence pure ne sont pas pour autant d'essence irrationnelle.

Mais d'où viennent-elles ? C'est à la sensibilité et à l'imagination que Proust en attribue la production, surtout l'imagination, qui lui paraît indispensable au poète. C'est le jeu de nos sensa-

tions et de certaines images (qui peuvent être des souvenirs), qui
nous permet d'atteindre une réalité absolue, d'échapper aux
prises du temps. L'opération sera toujours difficile à analyser, car
à son premier stade elle est tout à fait subconsciente. Elle apparaît comme mystérieuse. Mais il faudrait se garder d'y voir autre
chose qu'un phénomène naturel. Proust en la décrivant nous ren-
seigne sur la curieuse alchimie de la création poétique et sur ce
que les poètes éprouvent, sans songer la plupart du temps à
s'analyser davantage. D'ailleurs, c'est seulement, remarquons-le,
en découvrant leurs analogies avec les souvenirs involontaires ou
affectifs que Proust a pu comprendre la véritable nature des pures
impressions esthétiques.

Mais comment se fait-il que ces impressions doivent être
saisies par d'aussi subtils instruments que la sensibilité et l'imagination, comment se fait-il que l'intelligence éprouve tant de
peine à les exprimer et que, même, seule une certaine façon d'utiliser la langue, les sons ou les couleurs ou les formes, et qui se
nomme le style, puisse y parvenir ? Tout s'éclaire, pensons-
nous, quand on fait remarquer que s'il en est ainsi, c'est que ces
impressions ont pour objet le qualitatif. Ce sont des essences qualitatives qui sont l'objet de la poésie. Ces essences quand nous
les saisissons nous transportent — Proust nous explique comment — hors du temps, dans l'éternel. Ce sont donc des vérités
éternelles, car il y a une vérité de ce qui est unique, et c'est du
reste à l'intelligence qu'il appartient finalement de la saisir, et
par conséquent de la comprendre, pour l'exprimer.

Ces vérités qualitatives nous paraissent bien différentes des
vérités générales que nous avons essayé de caractériser précédemment. Sans doute c'est au sein de l'individuel que l'artiste
et le moraliste aperçoivent le général. Mais c'est le général seul
qui les remplit d'aise et qu'ils pourchassent à travers l'individuel.
C'est au contraire ce qu'il y a de qualitatif dans l'impression
esthétique ou le souvenir involontaire qui engendre l'ineffable
satisfaction que Proust a décrite à maintes reprises. Qualitatif et
général semblent donc, au moins dans la façon dont ils sont res-
sentis, fort éloignés l'un de l'autre. D'autre part, ils ne supposent
pas le même genre de talent, puisqu'il peut arriver que l'on
perde, avec l'âge, l'aptitude de saisir les vérités poétiques.

Remarquons aussi que l'éternité des vérités qualitatives et
l'éternité des vérités générales n'ont pas non plus, dans la description que nous en fait Proust, la même source. Celle des vérités générales est issue du caractère général et, en somme,
transcendant de ces vérités. Celle des vérités qualitatives se ré-

vèle dans l'extratemporalité de deux sensations qui coïncident, sous la forme d'un élément qualitatif unique, incomparable et *immanent*.

Malheureusement pour la clarté de sa distinction, Proust ne s'est pas toujours interdit d'associer le mot « général » au mot « essence » et de parler d' « essence générale ». Dans le tome I du *Temps Retrouvé*, il est un passage (p.p. 36-37), où, précisément, il emploie l'expression « essence générale » pour désigner — ainsi que le prouve le contexte — le général. Mais à ce moment de son évolution spirituelle cette confusion est peut-être explicable. Au deuxième tome du *Temps Retrouvé* néanmoins (p. 80), il se sert à nouveau de la même expression, pour désigner, sans ambiguïté cette fois, l'essence qualitative. De même, dans ses *Carnets* publiés par le *Figaro* nous trouvons la note suivante : « Je n'ai pas plus trouvé le repos dans la solitude que dans la société, je l'ai trouvé quand, par hasard, à une impression si insignifiante qu'elle fût, le bruit répété de la trompe de mon automobile, voulant en dépasser une autre, venait s'ajouter spontanément une impression intérieure du même genre qui lui donnait une sorte de consistance, d'épaisseur et qui montrait que la joie la plus grande que puisse avoir l'être c'est de cultiver quelque *chose de général* et qui le remplisse tout entier. Certes, ces moments-là sont rares, mais ils nous donnent toute la vie ». Les impressions dont parle Proust dans ce passage sont des impressions esthétiques; or, cela ne l'empêche pas, tout comme s'il s'agissait de vérités psychologiques, de leur appliquer le mot « général » (« quelque chose de général »). L'emploi irrégulier de ce terme par Proust est sans doute ce qui a induit en erreur M. Blondel. Cette erreur est néanmoins inexcusable, car la distinction entre le général et l'essence est faite trop nettement dans le *Temps Retrouvé* et elle est trop importante pour qu'on ait le droit de la négliger. Il est possible — et cela semble même probable — que Proust se soit avisé tardivement que son art avait une double source, et ce serait pour cette raison que l'on ne trouverait pas toujours dans sa terminologie toute la netteté, toute l'unité qui seraient désirables.

Par ailleurs, cependant, on conçoit qu'il ait pu estimer légitime d'attribuer l'épithète de général aux essences qualitatives. Nous avons vu plus haut (1), que pour lui l'universel, le général ne sont pas inconciliables avec l'individuel. C'est quand un être est le plus lui-même, remarque-t-il, qu'il réalise le plus largement

---

1) Au paragraphe : Le qualitatif et l'universel.

l'âme universelle. Sans doute on pourrait se demander quelle est
la nature de cette généralité. Elle ne semble pas la même que
celle des vérités psychologiques, qui ont la généralité des *lois,*
tandis que l'individuel, le qualitatif a la généralité des réalités qui
sont *comprises de tous, tenues pour vraies par tous* (1). C'est
pourquoi, dans ce dernier cas, il serait peut-être préférable de
parler d'universalité plutôt que de généralité.

Nous laisserons de côté aussi la question de savoir si le
qualitatif se réduit en droit au général. Ce problème trop technique n'a pas été envisagé par Proust (2). Ce qui est certain c'est
qu'il distingue deux attitudes possibles pour l'artiste : Celle du
poète qui recherche le particulier, le qualitatif pour lui-même :
celle de l'artiste psychologue qui s'efforce de nous faire pressentir le général à travers le particulier.

Pour mieux faire comprendre ce qui sépare la poésie d'un
art du général selon Proust, nous citerons encore un exemple tiré
de la mine inépuisable de documents que constitue *A la Recherche du Temps Perdu.* Au passage du premier volume du *Temps
Retrouvé* que nous avons déjà cité et où Proust nous explique
comment sa façon de voir les Verdurin et leurs convives, de
découvrir leurs caractères psychologiques, est différente de celle
de Goncourt, nous en opposerons un autre de *La Prisonnière* où
Brichot lui aussi, contemple, mais d'une manière différente, toute
poétique, le salon des Verdurin.

Observant les convives des Verdurin, Marcel néglige spontanément les apparences, il fait des remarques qui, réunies, constituent un dessin de lignes figurant « un ensemble de lois psychologiques » (37). C'est cette manière de voir ses semblables
qui fait les psychologues et les romanciers.

La façon de regarder de Brichot est bien différente. Il est
vrai que ce ne sont pas les convives mais les meubles qui attirent
l'attention de Brichot. Peu importe ! Le salon du quai Conti
évoque à l'esprit de Brichot à cause de certaines ressemblances
dans la disposition des meubles, l'ancien salon Verdurin de la rue
Montalivet. Cette évocation qui le fait remonter vingt-cinq ans en
arrière, fait sourire Brichot : « A son sourire, dédié au salon
défunt qu'il revoyait, dit Marcel, je compris que ce que Brichot,

_____

1) Dans *Le Rire,* Bergson fait une distinction analogue entre
« la généralité des objets » (qu'il accorde à la comédie) « et celle des
jugements que nous portons sur eux » (qu'il réserve à la tragédie)
(p. 166).

2) Mais, pour nous, il ne fait pas de doute que sa réponse eût
été positive s'il avait dû le résoudre, car la psychologie proustienne
postule l'universel déterminisme.

peut-être sans s'en rendre compte, préférait dans l'ancien salon plus que les grandes fenêtres, plus que la gaie jeunesse des patrons et de leurs fidèles, c'était cette partie irréelle... ...de laquelle, dans un salon comme en toutes choses, la partie extérieure, actuelle, contrôlable pour tout le monde, n'est que le prolongement — c'était cette partie devenue purement morale, d'une couleur qui n'existait plus que pour mon vieil interlocuteur, qu'il ne pouvait pas me faire voir, cette partie qui s'est détachée du monde extérieur, pour se réfugier dans notre âme... s'y muant... en cet albâtre translucide de nos souvenirs duquel nous sommes incapables de montrer la couleur... ce qui fait que nous ne pouvons considérer en nous-même sans une certaine émotion, en songeant que c'est de l'existence de notre pensée que dépend pour quelque temps encore leur survie, le reflet des lampes qui se sont éteintes et l'odeur des charmilles qui ne fleuriront plus » (110-111). Or cette évocation de l'ancien salon se superpose à la vision du salon actuel et donne à ce dernier une beauté qu'il ne pouvait pas posséder pour un autre que Brichot. Et pour lui tous les objets de ce salon « ...avaient, remarque Proust, cette patine, ce velouté des choses auxquelles, leur donnant une sorte de profondeur, vient s'ajouter leur double spirituel; tout cela éparpillait, faisait chanter devant lui comme autant de touches sonores qui réveillaient dans son cœur des ressemblances aimées, etc... » (112). D'une telle façon de voir les choses on peut dire qu'elle est poétique ou sur le chemin de la poésie, car c'est en « rendant » ces impressions que Brichot, s'il en avait eu la force, eût pu être poète. Cet exemple n'a peut-être pas la profondeur des autres exemples donnés par Proust. Cependant il est plus général et permet sans doute de faire mieux comprendre ce qu'est la beauté poétique et ce qui fait les poètes.

En distinguant l'essentiel du général, Proust nous a, du même coup donné une indication précieuse pour la connaissance de son propre art. Il est possible, en effet, de retrouver dans *A la Recherche du Temps Perdu* les morceaux qui correspondent à chacune de ces deux sources d'inspiration. Il serait notamment intéressant d'extraire du livre tous les morceaux proprement poétiques de la gangue psychologique qui les entoure. Une telle opération serait fort utile pour la connaissance de Proust poète.

C'est précisément sur la différence qui existe entre les morceaux poétiques et les morceaux psychologiques qu'Albert Feuillerat a basé la thèse qu'il soutient dans son intéressant ouvrage, intitulé *Comment Marcel Proust a composé son Roman* (Yale University Press, 1934). Feuillerat a eu la bonne fortune de retrou-

ver les épreuves du manuscrit du 2ᵉ tome de l'ouvrage complet
en 3 tomes qu'en 1913 Proust avait remis à l'éditeur Grasset et
dont le premier tome seul parut chez cet éditeur sous le titre de
Du Côté de chez Swann. Ce 2ᵉ tome correspond à peu près à *A
l'Ombre des Jeunes Filles en Fleurs* et *Le Côté de Guermantes.*
L'intérêt de sa découverte est considérable : il permet de connaître ce qu'étaient ces deux ouvrages dans leur version primitive
et dans quel sens s'est effectué le travail d'approfondissement
auquel Proust a soumis son texte. M. Feuillerat étudie avec beaucoup de soin son évolution d'un texte à l'autre. De 1913 à 1919
la matière du livre de Proust a plus que doublé. C'est dire l'importance des transformations — lesquelles consistent presque
uniquement en additions. Feuillerat a établi de manière irréfutable, que les morceaux d'ordre psychologique sont pour la plupart
plus récents que les autres. Ils ont été ajoutés par Proust pendant
que l'œuvre était à l'impression, et comme cette impression s'est
étalée sur de nombreuses années, les derniers volumes sont devenus presqu'uniquement psychologiques. Ainsi le travail d'approfondissement de Proust a consisté essentiellement, selon l'expression qu'il a lui-même employée dans le *Temps Retrouvé,* à
« enchasser » les impressions poétiques au moyen de vérités
psychologiques. Feuillerat énumère les thèmes psychologiques
nouveaux de la seconde version de l'œuvre (1). Ceux-ci sont
en nombre imposant. Proust a, en particulier, singulièrement
développé ses observations sur la passion de l'amour. L'épisode
de l'amour pour Gilberte a été plus que triplé grâce à l'adjonc-
tion notamment de la fameuse première esquisse de l'oubli du
chagrin que cause une séparation (2).

En somme, Proust serait parti d'impressions purement poétiques. Ce seraient elles sans doute qui auraient donné à l'auteur
l'impulsion motrice joyeuse sans laquelle on n'a pas le courage
de prendre la plume et de persévérer. Puis en relisant son travail
Proust aurait éprouvé le besoin d'expliquer, de commenter, de
noter ses réflexions, ses observations. L'extraordinaire densité,
la complexité souvent déconcertante de l'œuvre proviendraient de
cette méthode de retouches et de repentirs psychologiques. Ainsi
l'importance de la distinction proustienne entre le général ou le
psychologique et l'essentiel ou poétique ne fait aucun doute. Elle

---

1) Pages 113-115, « *Comment Marcel Proust a composé* ».

2) C'est aussi dans la seconde version de l'œuvre que Proust
aurait donné à l'étude de l'homosexualité l'importance qu'elle a. Le
personnage de Morel notamment a été ajouté. Celui d'Albertine ne
l'a-t-il pas été également ?

se retrouve dans le style de l'œuvre (et Feuillerat fait remarquer que le style des morceaux poétiques est bien différent de celui des autres) et elle correspond à deux moments de sa composition.

Il est assez curieux, cependant, de constater que Feuillerat (p. 236) n'a pas aperçu de manière bien nette, lui aussi, que Proust faisait lui-même, dans le *Temps Retrouvé,* la distinction entre le général et le poétique — ou quand il s'en avise, il voit dans le passage où Proust s'exprime sur ce point un « aveu » (p. 249), comme si ce dernier avait tenté de nous dissimuler sa pensée. C'est que pour Feuillerat, Proust aurait changé d'esthétique d'une version à l'autre sans vouloir le reconnaître. Sa première esthétique serait poétique, la seconde psychologique ; et elles correspondraient à deux époques de sa vie : au Proust d'avant-guerre et au Proust de la guerre. Le premier aurait été sollicité par ses impressions de jeunesse et se serait fait une âme juvénile pour les décrire. L'autre, le Proust des retouches psychologiques, serait un Proust plus amer, mûri rapidement par la guerre. Il aurait conçu l'amour d'une façon plus sombre, insistant sur l'importance de la souffrance. et il aurait fait subir à ses personnages une évolution ou même des transformations psychologiques qui en accentueraient les travers.

Nous croyons qu'il est prouvé par ce que nous avons dit précédemment que cette façon de voir est excessive et surtout trop systématique. Il est facile, en outre, de réfuter les arguments que Feuillerat a invoqués.

D'abord il n'est pas exact que les retouches apportées par Marcel Proust à ses portraits marquent « une intention persistante de dénigrement » (116). Il est vrai, certes, qu'en approfondissant les caractères de ses personnages, Proust a souvent été obligé d'en accuser les défauts ou de dévoiler des vices ignorés et qu'il a ainsi donné à son œuvre un caractère plus sévère et plus complexe. Mais quoi de plus naturel ! Nous n'apprenons généralement à mieux connaître nos semblables qu'en découvrant des faiblesses ou des ridicules qu'une première inspection ne nous permet généralement pas d'apercevoir à travers des dehors trompeurs et faits pour tromper. Les prestiges personnels les plus grands, comme ceux que l'imagination fonde sur la lecture de belles œuvres d'art, souffrent nécessairement des confrontations avec la réalité. Que l'homme en Bergotte ne soit pas à l'image de l'œuvre, qu'y a-t-il là d'insolite ! Les rapports de l'homme à l'œuvre — que Proust a étudiés à plusieurs reprises avec tant de profondeur — ne sont pas simples. Et si les défauts de Bergotte n'empêchent pas celui-ci d'être un grand écrivain, le fait d'être un grand écrivain, de mériter à ce titre une grande admiration, n'implique pas toutes les qualités morales et physiques. Et si même Proust éprouve le besoin de nuancer cette admiration, de constater un certain déclin dans son écrivain de prédilection, cela n'implique nullement qu'il ait cessé de l'admirer ou changé de point de vue sur la valeur de son œuvre antérieure. Ce déclin d'un écrivain, qui à partir d'un certain âge se répète au lieu de continuer à créer des choses nouvelles, est également une vérité psychologique, un fait d'observation. Ajoutons que l'admiration de Marcel pour Bergotte souffre à un moment donné de cette loi de relativité que nous avons signalée au Livre III, Chap. II, § *L'impressionnisme de Proust.* Mais cette loi est tout à fait générale et ce qui arrive à Bergotte arrive à tous les écrivains si grands soient-ils sans que cela tire à conséquence. Le fait que Bergotte n'aime pas les écrivains étrangers, Tolstoï, Eliot, Ibsen et Dostoïevsky, que Proust admire, n'implique pas davantage que ce dernier soit « séparé » de « son ancienne idole ». Ce genre de méconnaissance entre grands artistes est un fait fréquent que Proust a noté en d'autres occasions et auquel il ne semble attacher d'importance que du point de vue de la psychologie de l'artiste. Et Feuillerat commet un contresens lorsqu'il découvre de l'ironie et même « quelque mépris » (p. 28) dans cette phrase sur Bergotte : « Une espèce de goût qu'il avait, de volonté de n'écrire jamais que des choses dont il peut dire : « C'est doux », et qui l'avait fait passer tant d'années pour un artiste stérile, précieux, ciseleur de riens, était au contraire le secret de sa force... ». Proust admirera au contraire toujours Bergotte. Il y a en tout cas une chose qu'il ne cessera d'admirer en lui malgré les modes littéraires : c'est précisément son style. Il revient sur ce point dans le *Temps Retrouvé.* Et l'on sait que pour Marcel Proust la vraie valeur intellectuelle en art est prouvée par la qualité supérieure du style. Comment Feuillerat peut-il dire : « En somme, Proust partage maintenant les idées autrefois jugées ridicules de M. de Norpois lequel considère Bergotte comme un bel esprit » (28), alors que l'objet de Proust dans le morceau invoqué par M. Feuillerat, est de nous faire saisir la différence qui existe entre le génie et la prétentieuse sottise du diplomate. Il ne faut pas non plus identifier Proust en toute occasion à son héros Marcel. A un moment donné ce dernier, devant les affirmations sentencieuses de l'hôte admiré de ses parents, M. de Norpois, doute de lui-même, de ses goûts, de ses admirations, de Bergotte en particulier. Mais plus tard il s'aperçoit qu'il a affaire à un solennel imbécile, à un

« béotien » prétentieux. A ce titre Feuillerat devait prendre
également pour argent comptant l'affirmation du jeune Marcel
que M. de Norpois est « mille fois plus intelligent » que lui
(*A l'*, 29) ou que le jugement de l'ambassadeur est réellement
la preuve de sa « nullité intellectuelle » et de son manque d'apti-
tudes littéraires (46) ! Qu'on ne croie pas que nous exagérons,
c'est bien de ce genre de prévention — favorable à sa thèse —
que se rend coupable Feuillerat. Que Marcel se « révolte » (en
réalité il ne fait que s'étonner), comme d'une opinion extravagante, de ce que Bergotte considère Cottard trop inintelligent
pour soigner les gens d'esprit, Feuillerat voit là un indice supplé-
mentaire du détachement de Proust à l'égard de Bergotte. Mais
Proust dans le même passage ne dit-il pas que les pensées de
son héros sont marquées de « la stupidité du bon sens », et un
peu plus tard ce dernier ne reconnaîtra-t-il pas que Bergotte
avait raison ou, du moins, ne fera-t-il pas appeler le docteur
du Boulbon, que lui a recommandé Bergotte, au chevet de sa
grand'mère malade ? (*G.I.*, 268).

Feuillerat est particulièrement malheureux dans ses asser-
tions au sujet de Bergotte, et il manifeste heureusement plus
d'esprit critique en d'autres occasions. Cependant son étude de
l'évolution — ou de ce qu'il prétend être tel — des autres
personnages n'est pas davantage convaincante. Il nous est difficile
d'admettre que Proust s'est acharné à perdre dans l'esprit du
lecteur la marquise de Villeparisis parce qu'il a insisté sur le côté
« aristocratique » de celle-ci, d'autant plus qu'il ne faisait que
développer, comme le reconnaît Feuillerat, une indication du
manuscrit primitif. Le duc de Guermantes est-il vraiment
« défiguré » parce que Proust a découvert sous le grand seigneur
un petit bourgeois insolent et même grossier parfois. Quant à la
« suave » Madame de Marsantes, Proust l'a-t-il véritablement
transformée en une « sorte de Tartufe femelle, une hypocrite »,
pour nous avoir appris à discerner à travers sa simplicité, la
grande dame, pénétrée de l'importance et de la supériorité de
sa caste, qu'elle est au fond d'elle-même à son insu ? Tout
cela est excessif. Pour notre part nous croyons que Proust a
surtout été animé par la volonté de voir plus clair en ses personnages, et que les traits nouveaux qu'il découvre en eux ont pour
effet de nous donner de leur personne une connaissance plus
profonde. Nous ne croyons pas qu'il lui était possible d'approfondir en procédant autrement. Certes, après les retouches de
Proust, l'idée que nous devons nous faire de Madame de Marsantes n'est plus aussi idéale ni aussi simple (on serait tenté

de dire : simpliste) que celle que nous nous en faisions auparavant. Mais elle a gagné en vérité. Il faut se faire une conception bien rigide et bien étroite de la psychologie humaine ou avoir mal profité des leçons de Proust pour trouver contradictoire qu'une personne puisse posséder, rassembler dans sa personne des traits de caractères divers, opposés ou de valeur morale inégale. Il ne nous paraît pas impossible qu'une cocotte, comme Odette, puisse devenir une femme distinguée, voire même instruite et raffinée, ou qu'un Rachel ait eu des débuts tout à fait louches. Il n'est pas psychologiquement contradictoire d'être à la fois bon et méchant, orgueilleux et simple, distingué et vulgaire et même intelligent et sot. Si l'on ajoute à cela que le point de vue de Proust sur ses personnages est un point de vue extérieur (1), celui que nous avons nous-mêmes sur nos contemporains, la connaissance qu'il peut nous donner de ceux-ci est nécessairement successive. Comme dans la vie, c'est petit à petit, en allant des apparences à une réalité plus profonde. que nous prenons connaissance des « hôtes » d'*A la Recherche du Temps Perdu*. Et comme dans la vie, des surprises nous attendent; des choses que nous aurions cru impossibles, nous sommes obligés de le reconnaître, sont réelles.

Il arrive aussi souvent, dans la vie, que nous rencontrions des personnes valant mieux que leur réputation. Proust ne l'a pas ignoré. Et il nous a dit que la fille de Vinteuil était loin, au fond, d'avoir mauvais cœur, et que chez le baron de Charlus l'orgueil démesuré masquait une bonté très grande. Il nous montrera à la fin de son livre l'insensible Oriane fort affectée de la mort de son neveu Robert de Saint-Loup. Dans le pauvre et timide Saniette, il nous montrera un être sympathique et intéressant, dans le modeste Vinteuil un grand musicien méconnu, etc... Il va jusqu'à accepter la thèse rousseauiste de l'universelle bonté de l'homme, sans cependant se faire beaucoup d'illusions il est vrai sur cette qualité sans grande vertu. La vertu, au sens étymologique, Proust ne la trouve vraiment que dans l'effort créateur. Un grand artiste peut avoir de petits côtés dans sa vie, et il serait bien étonnant qu'il fût exempt des travers de notre humaine condition. Cependant, il est impossible, Proust en est persuadé, qu'à son génie, à sa qualité intellectuelle supérieure ne

---

1) Sauf pour Swann. C'est pourquoi il nous paraît que Proust a mis beaucoup de lui-même dans ce personnage. Swann, selon A. Maurois, serait, d'ailleurs, un « vestige » d'une première version toute entière écrite à la troisième personne.

corresponde pas également une certaine supériorité morale (1).
C'est ce qu'il a exprimé à propos d'Elstir dans un passage que
nous avons déjà mentionné, et dont Feuillerat nous apprend qu'il
constitue une addition de la seconde version — ce qui est une
preuve de plus que Proust n'était nullement animé de cette
volonté persistante de dénigrement qu'on lui attribue.

Ainsi l'examen des retouches de Proust ne nous permet
pas de percevoir cette sorte d'Alceste aigri par la guerre, que
Feuillerat prétend découvrir en lui. Il nous paraît donc inexact et
invraisemblable même, de prétendre que Proust, de la première
à la seconde version de son œuvre, aurait changé d'esthétique.
La thèse de M. Feuillerat est, d'ailleurs, basée sur une hypothèse
chronologique qui est fausse. Feuillerat croit que Proust se serait
mis à son grand ouvrage en 1905 et qu'il en aurait entrepris la
« révision » pendant la guerre, une dizaine d'années après. C'est
donc, écrit Feuillerat, un homme riche d'une expérience accélé-
rée, plus vieux que son âge qui relit les pages écrites dans la
fraîcheur d'une âme presque enfantine (113). Or, nous mon-
trerons que Proust n'a commencé qu'en 1908 et ne s'est mis
sérieusement au travail qu'en 1909. En fait la composition de la
première version de son ouvrage ne s'est pas étalée sur un aussi
grand nombre d'années que le pense Feuillerat, et il semble bien
que Proust de 1909 à sa mort n'ait guère cessé de travailler.
Une fois « attelé » à la besogne il n'a pu s'en détacher. Le temps
pressait, du reste ; il le savait et nous l'a dit (2). A la Recherche
du Temps Perdu est le résultat d'un effort à peu près continu.

S'il fallait trouver d'autres arguments encore, on en décou-
vrirait de nombreux dans Les Plaisirs et les Jours et qui permet-
traient d'établir que le psychologue en Proust est né bien avant
la guerre de 1914. Nombreux sont les thèmes psychologiques déjà
esquissés dans cet écrit de jeunesse. En particulier, Les Plaisirs
et les Jours prouvent que Proust n'a nullement eu besoin d'enrichir sa théorie de la mémoire involontaire « d'un corollaire » qui
aurait répondu « à la façon nouvelle et tourmentée » dont il aurait
représenté l'amour dans les importantes additions aux histoires de
Gilberte et d'Albertine, « à savoir que la souffrance est salutaire

---

1) Ajouter à ce que nous avons déjà dit à ce sujet, une lettre à
Boylesve publiée à la fois dans Quelques Echanges et Témoignages
(Le Divan, 1931) p. 42 et dans la Correspondance IV, p. 155. Il y parle
des chefs-d'œuvre du Titien et de Sansovino qu'il ne sépare qu'avec
peine « ...d'un certain état, restât-il inexprimé, de moralité ».

2) Comment croire que Proust se soit mis à refondre son manuscrit pendant la guerre pour tromper son désœuvrement ou son
angoisse. C'est mal connaître Proust, l'importance qu'il attache à
son œuvre, que de lui attribuer de tels mobiles.

comme moyen accessoire d'exploration des passions » (247). Il
suffit de lire *Ephémère efficacité du chagrin* dans les *Regrets et
Rêveries* ou *Violante ou la Mondanité.* (« Elle ne connaissait pas
encore l'amour. Peu de temps après, elle en souffrit, qui est la
seule manière dont on apprenne à le connaître ») et *La Fin de la
Jalousie,* pour voir qu'il y avait beau temps en 1914 ou 15 que
Proust s'était rendu compte des effets intellectuels de la souffrance, qu'il avait aperçu dans l'amour d'autres thèmes plus douloureux et moins poétiques que celui du désir « détachant en fugue
ses parties légères » (1). Enfin s'il est vrai que le travail d'approfondissement de Proust consistera presque exclusivement en
retouches et en développements d'ordre psychologique, cependant
Feuillerat lui-même nous apprend que des morceaux essentiellement poétiques, d'importants passages du dîner de Ribevelle et
le morceau sur les cris de Paris dans *La Prisonnière* (2) datent
de la seconde version et il serait facile, croyons-nous, d'en découvrir un certain nombre d'autres dans les derniers volumes de
l'œuvre. Enfin le premier volume *Du côté de chez Swann,* qui
n'est pas moins riche que les suivants en matière psychologique,
et qui contient toute l'histoire de l'amour de Swann, de sa jalousie
et de ses souffrances, est imprimé en 1913, c'est-à-dire avant
la période pendant laquelle, selon Feuillerat, Proust aurait changé
d'esthétique. Il est inexact de parler à propos de *Du Côté de chez
Swann,* du « charme de la première version » car cet ouvrage
représente une version retouchée sur les épreuves. Et puis ne
retrouve-t-on pas le même charme dans *A l'Ombre des jeunes
filles en fleurs ?* Ce qui distingue surtout ces deux ouvrages et
même *Le Côté de Guermantes* des autres, c'est que le style
davantage travaillé, est moins touffu, moins pénible à déchiffrer.
Voilà pourquoi les amateurs préfèrent — à juste titre — les premiers tomes d'*A la Recherche du Temps Perdu* aux autres, dont
certains, *Albertine disparue* notamment, ne sont que de magnifi-
ques brouillons.

Nous conclurons en affirmant, contre Feuillerat, l'unité de
l'esthétique de Proust. Il est possible que Proust ait pris
conscience assez tard de l'existence de deux sources d'inspiration, de deux catégories d'artistes. Il se peut même — nous le
concédons d'autant plus volontiers à Feuillerat que Proust a lui-
même admis le fait d'une manière générale dans le *Temps*

---

1) Feuillerat p. 259.

2) Dont Proust parle à M. B. Crémieux dans une lettre de 1922.
(*Du Côté de chez Proust,* p. 169). M. Feuillerat dit : *Sodome III.*
Mais *Sodome III* est devenu *La Prisonnière.*

Retrouvé — qu'à partir d'un certain âge le psychologue l'ait emporté en lui sur le poète. Mais la conception que Proust se fait de l'art n'a pas changé. Sa vision de l'humanité en particulier reste la même. Proust avait à la fois en lui un poète et un romancier ou un mémorialiste. Il possédait tous les dons, comme le remarque René Boylesve (1). L'on ne voit pas pourquoi ces dons auraient été exclusifs les uns des autres, du moins dans le temps ; et pourquoi le talent poétique et le talent psychologique correspondraient à deux esthétiques différentes et successives. Le talent psychologique en particulier lui a toujours appartenu ainsi qu'en témoignent des écrits de jeunesse. Il a seulement atteint dans les dernières années un degré de développement très grand parce que les œuvres ne sont pas seulement profitables aux lecteurs, mais aux auteurs pour lesquels elles sont, non seulement un aboutissement, mais un exercice, un progrès et un enseignement.

Cependant Feuillerat a eu le mérite de montrer l'importance des deux sources d'inspiration de Proust. Elles correspondent sinon à deux moments de sa vie, du moins à des fonctions distinctes de son esprit et à des parties différentes de son œuvre. On se prive en les méconnaissant ou en refusant d'en reconnaître la valeur d'une des plus authentiques clefs d'*A la Recherche du Temps Perdu* (2).

*
* *

APPENDICE

Il y a tout lieu de penser que les pages inédites publiées par Louis Abatangel (*Marcel Proust et la Musique,* une brochure de 46 pages imprimées par l'Imprimerie des Orphelins apprentis d'Auteuil — sans date, mais vraisemblablement de 1941) constituent la première version du commencement d'*Un Amour de Swann*. La découverte de Louis Abatangel permettrait donc de compléter, partiellement, celle de Feuillerat.

Abatangel croit qu'il s'agit du texte définitif retouché, émondé selon un idéal de sobriété qu'il qualifie d'attique et de classique.

---

1) *Quelques échanges*, p. 78. M. Benoist-Méchin est, de son côté frappé par « l'universalité de sa sensibilité et de sa culture ». « Rien ne l'a laissé indifférent, ajoute-t-il. Il a perdu son temps avec une rare intelligence » (*La Musique et l'Immortalité dans l'Œuvre de Marcel Proust*, p. 26).

2) Notons que finalement Feuillerat chante les louanges du psychologue en Proust et soutient que sa gloire la plus durable sera fondée sur ses remarquables observations du cœur humain. Cette conclusion surprend un peu. Car la valeur d'une psychologie à laquelle on estime qu'une volonté systématique de dénigrement a présidé, devrait paraître plus contestable.

Mais après la découverte de Feuillerat, il ne peut pas faire de doute que ce texte, où Odette est appelée à un moment donné *Suzanne* et Vinteuil *Berget* est le commencement de la première version d'*Un Amour de Swann*. Tous les morceaux qu'il contient ont été utilisés par Proust sans changements importants, mais ils ont été distribués de manière nouvelle. Tout ce qui a trait à Forcheville et à Brichot a été reporté plus loin, ainsi que l'épisode des Catleyas. Ce qui a trait à la Sonate est resté à peu près intact, sauf quelques phrases qui ont été transférées au concert de la réception Sainte-Euverte (tome II de *Du Côté de chez Swann*). C'est selon la méthode de développement décrite par Feuillerat que ce morceau ait été utilisé par Proust. La modification la plus importante que ce dernier, dans ses nouveaux arrangements, apportera à *Un Amour de Swann* consistera à distinguer dans l'amour de Swann deux temps qui constitueront ce que l'auteur appellera le premier et le second amour de Swann. Dans la seconde version, en effet, Forcheville, avec lequel Odette trompe Swann, n'apparaîtra qu'à une réception ultérieure des Verdurin. Et l'épisode des Catleyas (situé non après un retour de chez les Verdurin, mais après une recherche angoissée d'Odette par Swann dans tous les restaurants de Paris) servira à déclancher la jalousie de ce dernier. Ici, comme plus tard dans le récit de l'amour de Marcel pour Gilberte, dans *A l'Ombre des jeunes filles en Fleurs,* Proust a développé son étude de la psychologie de l'amour.

Abatangel a sans doute édifié son hypothèse sur le fait que le manuscrit qu'il publie se trouve coupé au fol. 5 et prolongé par un texte imprimé qui semble provenir d'une épreuve de l'ouvrage. Mais, puisque selon un renseignement oral mais « autorisé », Abatangel nous apprend que ce texte devait paraître dans le *Petit Parisien,* on peut supposer qu'il s'agit de « bonnes feuilles » et que Proust se sera servi d'un bout d'épreuve pour faire une correction.

CONCLUSION GÉNÉRALE :

SENS ET PORTÉE

DE

L'EUDÉMONISME ESTHÉTIQUE

DE PROUST

---

*" Souvent je voyais que mon esprit,
en se tournant vers ces pensées,
se détournait des passions et mé-
ditait sérieusement une règle nouvelle; et ce fut pour moi une
grande consolation, car je compris
ainsi que ces maux n'étaient pas
de ceux qu'aucun remède ne peut
guérir. Et bien que, dans les com-
mencements, ces moments fussent
rares et de courte durée, cependant à mesure que la nature du
vrai bien me fut mieux connue,
ils devinrent et plus longs et plus
fréquents "* (SPINOZA, *Réforme de
l'Entendement*, début).

D ANS l'avant-propos de sa préface à *La Bible d'Amiens,* de Ruskin, Proust assignait pour tâche suprême au critique de reconstituer la vie spirituelle singulière de l'artiste. Au terme de cette étude nous pensons que le lecteur est déjà en mesure de comprendre ce que fut celle de Proust. Mais la pensée de Proust est intimement mêlée à son art, et, à bien des égards, notre travail peut être considéré comme une introduction à l'étude purement littéraire de son œuvre.

Certes, nous avons limité notre champ d'investigation à la psychologie et à l'esthétique du grand écrivain. Pour pénétrer plus avant encore dans sa vie spirituelle, il faudrait forcer les secrets de la vie privée et mériter, à force de patience érudite et compréhensive, sa familiarité. Mais, sur son art, un certain nombre d'études remarquables ont déjà paru. Quant à la vie privée de l'homme, tous les documents, qui seraient nécessaires, ne nous ont pas encore été révélés; la correspondance n'a pas encore été entièrement publiée : aussi l'entreprise paraît-elle encore prématurée (1).

Cependant, par ce travail, la partie la plus considérable de cette tâche est accomplie — du moins pour nous. Il nous reste maintenant à en tirer les conclusions qu'il comporte et dont l'importance est capitale.

---

1) Nous écrivions ceci en 1941. Mais il serait possible aujourd'hui de faire ce qui était difficile alors. André Maurois, d'ailleurs, nous en a récemment fourni la preuve en publiant son *A la Recherche de Marcel Proust.* Cet ouvrage éclipse, par sa documentation, celui de L. P.-Quint, qui eut le mérite, en 1924, de révéler l'homme étrange qu'était Marcel Proust à ses innombrables amis inconnus, mais qui, comme la plupart des biographies, a vieilli au fur et à mesure qu'étaient publiés, lettres ou souvenirs, des documents nouveaux. André Maurois a éclairé complètement pour nous, quoique d'une façon discrète, la vie privée de Marcel Proust.

Sur l'art de Marcel Proust, accordons une mention particulière aux ouvrages ou articles de E. R. Curtius, B. Crémieux, J. Rivière, E. Jaloux, R. Fernandez, J. Mouton.

De toutes les traces qu'un homme laisse de son passage en notre monde, l'œuvre, la pensée réfléchie écrite, est la plus importante. Celle de Proust se présente comme un édifice immense et multiple dont il est presque impossible, même après un long commerce, d'embrasser les différents aspects dans un seul acte de l'esprit. Néanmoins, le dessin de cette œuvre est net, la pensée claire dans sa richesse. Les interprètes ne sont pas toujours d'accord, certes ! Mais nous croyons que ces divergences sont imputables non à Proust mais à eux, et résultent soit des défaillances de l'attention, soit de l'esprit de synthèse anticipée. Proust était singulièrement conscient du but qu'il poursuivait. Le hasard des associations de l'esprit semble gouverner sa plume et la digression son procédé de composition. Pure apparence d'une œuvre où la contingence elle-même est préméditée et calculée, et dont la dernière page était écrite plusieurs années avant que l'ensemble fût terminé !

« Quant à M. de Pierrefeu, que je ne connais pas, écrit Proust à Jacques Boulenger, son erreur sur ce que j'écris vient en partie de ceci qu'il ignore que la dernière page de mon livre est écrite depuis plusieurs années (la dernière page de tout l'ouvrage, la dernière page du dernier volume) » (1er janvier 1920, *Corr.*, 3, p. 202).

L'« ASCENSION » SPIRITUELLE DE PROUST

Toute la vie de Proust est tendue par une aspiration idéale. A cette élégante et jolie Mme Strauss, avec laquelle il avait vécu dans une sorte de connivence intellectuelle touchant les choses qui relèvent du tact et de l'esprit de finesse, à cette « chère petite madame Strauss » (ainsi qu'il l'appelait dans les premiers temps où, adolescent encore, il déguisait à peine l'amour qu'il nourrissait pour elle), il écrivait, risquant sur l'œuvre qu'il était en train d'écrire, une confidence dont l'expression traduit à la fois un besoin d'épanchement et la crainte de paraître ridicule : « Si je peux seulement ne mourir que quand j'aurai rempli mes principaux vœux d'intelligence et de cœur ! Car je n'en ai pas d'autres. Ou plus d'autres. » (*Corr.*, 6, 124). Ces vœux ont été remplis, tout au moins ceux qui concernent l'intelligence. Son œuvre a été écrite. Il nous a laissé le témoignage qu'il désirait nous laisser. Mais cette œuvre ne représente pas seulement un témoignage : elle a été aussi le moyen qui permit à son auteur de se réaliser. « Tout le livre, dit-il, pourrait s'appeler une vocation » (*Corr.*, 3, 306, et dans *Le Temps Retrouvé* II (54), il reprend la même expression). Cette vocation est celle d'un artiste, elle aboutit au livre, ou du moins à la vie spirituelle dont il est la traduction.

On n'entre pas d'emblée dans la vie spirituelle. Proust, nous l'avons vu, a distingué deux étapes dans son existence : une étape négative qui est l'histoire de ses erreurs ; une étape positive, le temps retrouvé, qui est la révélation de la vie spirituelle (1). C'est là un rythme qui se retrouve dans la plupart des vies constructives. Dans celle des philosophes, dans celle des saints, des grands artistes. Mais ce rythme est bien un peu théorique, ces deux étapes ne sont pas toujours aussi tranchées qu'on veut bien le dire et l'écrire pour la commodité de la démonstration et l'édification des lecteurs. S'il y a bien un instant où une lumière très grande éclaire l'intelligence, transporte d'aise la sensibilité et oriente, convertit définitivement la volonté, il n'en est pas moins vrai qu'un travail préparatoire plus ou moins obscur, mais efficace, déterminant, a précédé la révélation totale. Plusieurs fois, celle-ci a été pressentie, des révélations partielles ont pu se produire et des idées sont nées dont les conséquences n'apparaîtront qu'ensuite. Enfin la découverte faite, il faut la développer, l'exploiter, l'amener à maturité complète.

LES PLAISIRS ET LES JOURS

C'est bien ainsi que les choses semblent s'être passées pour Marcel Proust. En fait on ne peut pas dire à quel moment exactement il entre dans la vie spirituelle. Et l'histoire de sa vie intellec-

---

1) Jacques Rivière distingue trois moments : 1° Proust se figure que le monde objectif contient la vérité et qu'il faut l'en extraire. Tant qu'il en est à ce stade il se sent incapable de produire ; 2° Il s'aperçoit qu'il ne peut sortir de lui-même ; que tout se résout en impressions subjectives, que son âme est une prison, etc... ; 3° Il ne va pas pour cela tout abandonner. Il s'attachera à ses impressions. Il se mettra à la tâche. Il fera de son moi l'objet de son étude. « Autrement dit son effort sur l'espace va se changer en un effort sur le temps » (*Quelques Progrès*, p. 33). Cette pittoresque formule est très bergsonienne et elle est corroborée par ce passage de *Du Côté de chez Swann* : « Les lieux que nous avons connus n'appartiennent pas au monde de l'espace où nous les situons pour plus de facilité... le souvenir d'une certaine image n'est que le regret d'un certain instant » (II, 190). Ce n'est qu'une manière de dire, du reste, que toute réalité pour nous est subjective ou psychique. On verra plus loin dans quelle mesure Proust est bergsonien. Ce n'est pas à Bergson toutefois que Jacques Rivière a songé, mais à Freud. Ce dernier considère en effet que l'écrivain cherche, en quelque sorte, à se guérir en retrouvant les éléments perdus de sa vie passée, en comblant les lacunes de sa mémoire (34-35).

tuelle, des *Plaisirs et les Jours* à *La Recherche,* semble seulement
être celle d'un progrès continu. Proust, à vrai dire, n'est pas
resté longtemps dans l'erreur. Il n'y est déjà plus tout à fait
quand il publie *Les Plaisirs et les Jours,* en 1896, à vingt-cinq
ans. André Gide et Benjamin Crémieux (1) ont, depuis longtemps
déjà, rendu hommage à cette œuvre de jeunesse, où les grands
thèmes psychologiques proustiens se trouvent presque tous développés ou esquissés. André Gide semble même nourrir pour elle
une sorte de prédilection. Au cours de cette étude nous avons
délibérément mis *Les Plaisirs et les Jours* sur le même plan que
La Recherche et nous leur avons emprunté un grand nombre de
citations. Ce n'est pas que nous ayons méconnu les différences
qui existent entre les deux œuvres. Il n'est pas difficile, quand on
les compare, de trouver dans *Les Plaisirs et les Jours* des vesti-
ges de puérilité. Dans l'affirmation de la supériorité de l'esprit,
le « clerc », qu'il est déjà, se manifeste avec un peu de raideur
et d'outrance juvénile. Son mépris de l'action est trop absolu.
L'expérience même lui semble négligeable. On ne s'y trompe
pas, c'est l'auteur lui-même, affublé d'une barbe blanche posti-
che, qui nous apparaît dans la personne du vieil Augustin. Lorsque celui-ci affirme à sa jeune élève Violante que l'on trouve le
bonheur à faire ce qu'on aime « avec les tendances profondes de
son âme », — « Comment le sais-tu, lui demande celle-ci ? ».
Augustin de répondre : « J'ai pensé et c'est tout vivre » (61-62).
Elle peut paraître également excessive malgré son caractère symbolique, l'histoire de ce petit garçon qui se jette par la fenêtre
parce que sa petite amie est trop différente de ses rêves, et
aussi les conclusions que l'auteur en tire, à savoir : qu'il ne faut
pas essayer de vivre sa vie sous peine de tomber « dans la stupidité des bêtes » ; qu'il vaut mieux la rêver (186-187).

Mais, précisément, une bonne partie du progrès de Proust,
des *Plaisirs* à *La Recherche,* va consister, en un sens, à corriger
cette erreur et à se rendre compte de l'importance et de la nécessité de l'expérience. Et cependant, même sur ce point, est-il vrai
que Proust nourrisse tant d'illusions ? Ne sait-il pas déjà, en

---

1) André Gide, dans l'étude « En relisant *Les Plaisirs et les
Jours* », publiée dans le numéro d'hommage de la N.R.F., et Benja-
min Crémieux, dans « *Note sur les Plaisirs et les Jours* » (LES CONTEM-
PORAINS, Ed. de la Revue du Capitole). A ces deux études ajoutons les
Notes sur les Plaisirs et les Jours, publiés par Maurice Fombeure dans
le *Bulletin Marcel Proust* et ce qu'en ont dit J.-M. Durry (dans LES
CONTEMPORAINS également) et M. Sybil de Souza, dans sa *Philosophie
de Marcel Proust* (Rieder, 1939) ; René Becken, dans *Sélection* (oct.
1924), Henri Jourdan, dans *Philosophies* (mars 1925), et A. Maurois
(*A la Recherche...*, 81).

particulier, que les tableaux que l'on se fait de l'avenir ne sont jamais réalisés ? Le morceau qui ouvre le volume, « Mort de Baldassare Silvande », est en quelque sorte la démonstration de cette vérité psychologique : Baldassare Silvande imagine ce que sera sa mort, ce qu'il fera, ce qu'il dira avant de mourir ; mais lorsque sa fin arrive, rien de ce qu'il avait prévu ne se réalise. Les approches de la mort ont fait de lui un autre homme, dont les désirs ont changé. Et ce dialogue entre Augustin et Violante, qui se rend dans le monde, n'est-il pas significatif : « Je reviendrai, dit-elle. — Le pourrez-vous ? dit Augustin. — On peut ce qu'on veut, dit Violante — Mais vous ne voudrez peut-être plus la même chose, dit Augustin — Pourquoi ? demande Violante — Parce que vous aurez changé, dit Augustin » (p. 58). L'importance du concret même, du réel, du vécu, sur lequel Proust fondera toute son esthétique, se trouve déjà affirmée dans les *Plaisirs*. C'est dans un morceau des *Regrets et Rêveries* intitulé : « Source des larmes qui sont dans les amours passées », où Proust constate que « le retour des romanciers ou de leurs héros sur leurs amours défuntes, si touchant pour le lecteur, est malheureusement bien artificiel ». Comment éviter cet inconvénient ? Le moyen que propose Proust est digne d'attention. Il arrive souvent, fait-il remarquer, au commencement d'un amour, que nous nous rendons compte « qu'un jour celle de la pensée de qui nous vivons nous sera aussi indifférente que nous le sont maintenant toutes les autres qu'elle... « Cette pensée », malgré le pressentiment absurde et si fort que nous l'aimerons toujours, nous fera pleurer ; et l'amour ...mettra devant notre douleur un peu de ses grands horizons étranges, si profonds, un peu de sa désolation enchanteresse ». Or d'une manière très curieuse, Proust fait observer que ce contraste entre l'immensité de notre amour passé et notre indifférence présente qui constitue une vérité morale « ...deviendrait aussi une réalité psychologique si un écrivain la plaçait au commencement de la passion qu'il décrit et non après sa fin » (107-108).

Mais qu'est-ce que cette « réalité psychologique » que Proust se propose d'exploiter littéralement, sinon l'intermittence du cœur, lui apparaissant sous une forme encore imparfaite, mais cependant bien reconnaissable ? Or l'intermittence est, nous le savons, l'un des procédés essentiels qui donne accès à la vie réelle, à la vie concrète et qui lui a permis d'édifier son œuvre. Si l'on ajoute à cela toutes les réflexions profondes que *Les Plaisirs* contiennent sur la douleur, sur l'amour, sur la société, on est obligé de convenir que le jeune Proust est d'une précocité remarquable et qu'il se fait peu d'illusions sur le monde et les choses. Seulement les virtualités contenues dans les *Plaisirs*, il faudra les développer, les approfondir et surtout leur donner de la force. C'est ce que Proust sera en mesure de faire lorsque, aux approches de la quarantaine, il se mettra sérieusement au travail.

Mais si pendant le laps de temps qui sépare *Les Plaisirs* de *La Recherche* le génie de Proust mûrit et se fortifie, il ne change pas dans sa structure. Son développement est celui de la graine ou du bourgeon qui contient en puissance le dessin des efflorescences à venir.

Au premier abord *Les Plaisirs* donnent l'impression d'une œuvre disparate, faite de morceaux aux sujets variés, sans lien entre eux. Cette impression est trompeuse. En fait, *Les Plaisirs* ont un sujet unique et bien « proustien ». *Ce sujet c'est le thème sous-jacent à tous ces petits morceaux épars : le thème de la supériorité de la vie intérieure, de la vie de l'esprit, de la vie contemplative.* Cette supériorité est peut-être marquée parfois, ainsi que nous venons de le faire observer de manière un peu absolue, ou trop théorique. Cependant la démonstration en est poursuivie avec constance, avec force et souvent même avec profondeur tout au long de cet ouvrage de jeunesse. C'est le grand leit-motiv des *Plaisirs et les Jours*. Nul, à notre connaissance, n'en a signalé l'importance. Et pourtant pour quiconque a lu *La Recherche* et surtout le *Temps Retrouvé,* sa présence dans *Les Plaisirs* ne devrait pas passer inaperçue.

C'est dès la dédicace à Willie Heath, sorte de préface au livre, que l'on trouve affirmée cette idée que la vraie vie est intérieure, semblable à cette arche de Noé d'où, en dépit des apparences, l'on voyait bien mieux le monde que d'ailleurs : « Quand j'étais tout enfant, le sort d'aucun personnage de l'histoire sainte ne me semblait aussi misérable que celui de Noë, à cause du déluge, qui le tint enfermé dans l'arche pendant quarante jours. Plus tard, je fus souvent malade, et pendant de longs jours je dus aussi rester dans « l'arche ». Je compris alors que jamais Noë ne put si bien voir le monde que de l'arche, malgré qu'elle fût close et qu'il fît nuit sur la terre » (13).

Mort de Baldassare Silvande est l'histoire d'un homme que la maladie également contraint un jour à une vie méditative et à passer « de longues et charmantes heures couché en tête à tête avec soi-même, le seul convive qu'il eût négligé d'inviter à souper pendant sa vie ». Lorsqu'il se sent mieux, la pensée de recommencer à vivre l'effraie, non seulement parce qu'il sait qu'il perdra le bénéfice des ménagements que l'on prodigue à un malade, mais aussi parce qu'il comprend confusément qu'il serait mal « de s'oublier dans le plaisir ou dans l'action » maintenant qu'il a « fait connaissance avec lui-même », « avec le fraternel étranger » (p. 36).

Dans le petit récit intitulé *L'étranger,* le symbole du convive ou de l'étranger déjà indiqué dans *Mort de Baldassare Silvande* est repris. L'étranger demande à Dominique de l'inviter à sa table, mais d'en exclure les amis qu'il attend. Mais Dominique refuse. Il a tort. L'étranger, en question, dont la présence est incompatible avec celle d'autres personnes, c'est son âme.

Le sens de *Violante ou la Mondanité* un des plus anciens récits du recueil, est encore plus net. Proust nous conte que la charmante et faible Violante passa une enfance méditative : « ...elle se fit de ses rêves des compagnons charmants et à qui elle promettait alors de rester fidèle toute sa vie... Elevée par eux comme au dessus d'elle-même, initiée par eux, Violante sentait tout le visible et pressentait un peu l'invisible. Sa joie était infinie, interrompue de tristesses qui passaient la joie en douceur » (p. 50). Après son mariage avec le duc de Bohême elle est prise, néanmoins, par le désir de briller dans le Monde. C'est alors que le vieil Augustin essaie, dans les termes que nous avons cités plus haut, de la persuader de renoncer à cette existence. Violante ne l'écoute pas. Sa vie devient autre et une nouvelle Violante bientôt remplace l'ancienne. « La bonté, écrit Proust, ne lui plaisait plus que comme une élégance. Elle ferait bien encore des charités d'argent, des charités de sa peine même et de son temps, *mais toute une partie d'elle-même était réservée, ne lui appartenait plus* (1). Elle lisait ou rêvait encore le matin dans son lit, *mais avec un esprit faussé, qui s'arrêtait maintenant au dehors des choses et se considérait lui-même, non pour s'approfondir mais pour s'admirer voluptueusement et coquettement comme en face d'un miroir. Et si alors on lui avait annoncé une visite, elle n'aurait pas eu la volonté de la renvoyer pour continuer à rêver et à lire* (2). Elle en était arrivée à ne plus goûter la nature qu'avec des sens pervertis, et le charme des saisons n'existait plus pour elle que pour parfumer les élégances et leur donner leur tonalité. Les charmes de l'hiver devinrent le plaisir d'être frileuse, et la gaieté de la chasse ferma son cœur aux tristesses de l'automne. Parfois elle voulait essayer de retrouver, en marchant seule dans une forêt, *la source naturelle des vraies joies.* Mais sous les

---

1) Nous soulignons les passages caractéristiques.
2) Encore le symbole du convive.

feuilles ténébreuses, elle promenait des robes éclatantes. Et le plaisir d'être élégante corrompait pour elle la joie *d'être seule et de rêver* » (64-65).

A chaque instant nous trouvons exprimée, dans *Les Plaisirs,* cette idée de l'importance de notre vie intérieure, de notre vie intérieure passée surtout : « Si tu ne nous aimes pas pour nous-mêmes, aime-nous, disent les Livres à Honoré pour tout ce que nous te rappelons de toi, de tout ce que tu as été, de tout ce que tu aurais pu être, et avoir pu l'être n'est-ce pas un peu, tandis que tu y songeais, l'avoir été ? » (85). Et dans *Les Regrets et Rêveries,* l'histoire de ce capitaine qui prend sa retraite et auquel son ordonnance propose des livres pour le distraire « — Ne m'achète rien, répond le capitaine ; pas de livres ; ils ne peuvent rien me dire d'aussi intéressant que ce que j'ai fait, et puisque je n'ai pas longtemps pour cela, je ne veux plus que rien me distraie de m'en souvenir. Donne la clef de ma grande caisse, c'est ce qu'il y a dedans que je lirai tous les jours » (187). Il se met à relire les lettres de ses correspondants oubliés et fait revivre dans sa mémoire toute sa vie passée.

On peut aussi rattacher à ce même thème l'idée que l'amour peut naître artificiellement, que nos passions, la jalousie par exemple, n'ont souvent pour cause objective qu'un support très faible et que tout est dans l'esprit. Le héros de *Rencontre au bord du Lac* par exemple, vient de rompre avec celle qu'il aime et qui le dédaigne. Au bois, en voiture, il rencontre une personne qui lui fait un amical signe de la main. Il croit reconnaître celle qui reste, malgré la rupture, sa bien-aimée. Sa joie est immense. Malheureusement pour lui il a commis une erreur. Détrompé, tout son bonheur ressuscité s'effondre : « Eh bien ! ajoute-t-il, le plus horrible est que cela ne fut pas comme si cela n'avait pas été. Cette image aimante de celle qui ne m'aimait pas, même après que j'eus reconnu mon erreur, changea pour longtemps encore l'idée que je me faisais d'elle. Je tentai un raccomodement, je l'oubliais moins vite et souvent dans ma peine, pour me consoler en m'efforçant de croire que c'étaient les siennes comme je l'avais *senti* tout d'abord, je fermais les yeux pour revoir ses petites mains qui me disaient bonjour... » (206).

Le choix des épigraphes est caractéristique aussi. Celles de *Violante* sont empruntées à *L'Imitation,* de même que celle qui ouvre *La Confession d'une Jeune Fille.* Celle du curieux morceau qui termine le livre, *La Fin de la Jalousie,* et dont nous avons déjà marqué le caractère spiritualiste, est empruntée à Emerson et commence ainsi : « Nous devons nous confier à l'âme jusqu'à la fin ».

Enfin, c'est comme un corollaire de cette même idée que la vie véritable est intérieure, que l'on peut considérer la thèse de l'incompatibilité de la vie présente avec le bonheur, et le conseil que l'auteur donne à l'homme d'imagination de jouir « par le regret ou dans l'attente, c'est-à-dire du passé et de l'avenir » (93). Le tout est d'arriver à vivre par l'esprit. C'est ce qui doit être déduit de cette remarque que « ...les poètes qui ont créé les impérissables amoureuses n'ont souvent connu que de médiocres servantes d'auberges, tandis que les voluptueux les plus enviés ne savent point concevoir la vie qu'ils mènent ou plutôt qui les mène » (185). Bref, si les hommes sont toujours déçus, toujours bernés, si leurs rêves se flétrissent dans leur cœur, c'est parce qu'ils ont la sottise de vouloir les atteindre « hors d'eux-mêmes ». C'était déjà ce qui se produisait dans l'amour où « ...l'imagination, observe-t-il, en passant et repassant sans cesse sur ses espérances, aiguise admirablement ses déceptions ». Dans l'amour heureux même : on atteint la chair, mais la personne nous échappe et avec elle le bonheur (231) (1).

Il est assez curieux qu'Anatole France dans sa préface, « bêtement prophétique » (Maurice Fombeure ; article déjà cité), où il analyse non sans justesse — mais vraisemblablement sans se douter de la vraie valeur cachée du jeune Proust — le charme des *Plaisirs et les Jours,* n'ait pas discerné cet ardent acte de foi dans la vie de l'esprit — et les preuves psychologiques qu'il essaye déjà de rassembler pour appuyer sa thèse. Anatole France a surtout considéré ce livre comme une œuvre d'un genre étrange, rare et même artificiel. Avec complaisance il lui en fait un mérite. Mais est-il sincère ?

Nous ne considérons pas Proust avec les mêmes yeux qu'Anatole France qui voyait sans doute en lui un jeune amateur d'une intelligence « souple, pénétrante et vraiment subtile » (le vraiment est une sorte de repentir) sans vocation artistique réelle, et pour tout dire un jeune et brillant mondain égaré temporairement dans les Lettres. Mais est-ce que Proust lui-même n'a pas favorisé sans s'en rendre compte cette erreur. N'y a-t-il pas, en effet, dans *Les Plaisirs,* inexprimé mais présent à chaque page, un souci d'élégance et un désir de plaire qu'on ne retrouve pas dans *La Recherche* ? On a dit, et Proust lui-même l'a remarqué, que le style des *Plaisirs* était bien différent de celui de *La Re-*

---

1) Tout le morceau, intitulé « Critique de l'espérance à la lumière de l'amour », est remarquable.

cherche. Il l'a tantôt jugé inférieur à celui de *La Recherche*, tantôt donné en exemple pour prouver qu'il était capable de « bien écrire ». Sans doute il est plus vif, plus rapide en général. Cependant quand on l'examine de près on s'aperçoit que la phrase à structure ample et à multiples ramifications est déjà employée par l'auteur (1) (de même que le trait rapide, incisif n'est pas absent de *La Recherche*). C'est moins par les procédés dont il est fait usage que par la tournure, que le style des *Plaisirs* diffère de celui de *La Recherche*. Ce désir de plaire, apparent dans *Les Plaisirs*, conduit, du reste, l'auteur sur le chemin de l'imitation, à faire du La Bruyère, du Châteaubriand, de l'impressionnisme ou du symbolisme. Et la cause de cette différence de style entre les *Plaisirs* et *La Recherche*, il faut la voir sans doute dans le fait que Proust ne s'adresse pas au même public. C'est à ses amis, aux gens du monde qu'il fréquente que les *Plaisirs* sont destinés. C'est à eux que le subconscient de Proust songe tandis qu'il écrit. D'où la physionomie des *Plaisirs*. Les ambitions du Proust de la *Recherche* sont plus grandes, plus élevées ; c'est le grand public, le vrai, qu'il veut atteindre, le public d'aujourd'hui si possible, le public de demain à tout prix. Et alors il ne s'inquiète plus de plaire. Il recouvre toute son autonomie. Il est lui-même.

Il faut remarquer encore que *Les Plaisirs et les Jours*, « œuvre de jeunesse, dira Proust plus tard (2), écrite au collège, avant le régiment », ont également été composés par Proust le souvenir de ses maîtres présent à l'esprit. Et à défaut de l'incomparable professeur de rhétorique, Maxime Gaucher, critique littéraire de la Revue bleue, décédé quand paraît le livre, c'est au philosophe Darlu qu'il a pensé, puisqu'il l'a nommé dans sa préface dans les termes les plus chaleureux. Mais c'est par le fond, non par la forme, que Marcel Proust entendait vraisemblablement plaire à son maître. Ce dernier ,« le grand philosophe dont la parole inspirée plus sûre de durer qu'un écrit » a, en lui, « comme en tant d'autres, engendré la pensée », semble bien même être pour beaucoup dans son idéalisme. C'est ce que prouverait le

---

1) M. Pierre Lavallée rappelle qu'à Condorcet Marcel Proust usait dans ses dissertations de rhétoricien de phrases « ...chargées d'incidentes et de parenthèses qui exaspéraient M. Cucheval et intéressaient tant M. Gaucher » (*Corr.* IV, p. 3). A. Maurois, dans son livre, donne le texte intégral d'une de ces dissertations.

2) *Lettres à la N.R.F.*, 173 — Dans la préface des *Plaisirs*, il écrit : « Si quelques-unes de ces pages ont été écrites à vingt-trois ans, bien d'autres (Violante, presque tous les Fragments de Comédie Italienne, etc.) datent de ma vingtième année. Il déclare, au sujet du même livre, à J.-L. Vaudoyer : « ...il a été écrit à dix-sept ans, quoique publié plus tard » (*Corr.* IV, p. 38).

témoignage de son frère Robert qu'il avait précédé d'un an dans la classe de Darlu. Selon Robert Proust, selon R. de Billy et R. Dreyfus également, Darlu eut « une influence considérable » sur lui : « Dans les cours consacrés à la critique de la réalité du monde extérieur, fait remarquer Robert Proust, et à sa subordination à notre pensée créatrice, Darlu avait une forme personnelle et intuitive, une manière d'exposé presque poétique qui plaisaient infiniment à Marcel ». Et Robert Proust ajoute cette remarque fort juste : « Mais il devait lui-même ultérieurement pénétrer bien plus profondément dans cette analyse » (*Hommage*, p. 18).

Au terme de ce travail nous nous sommes parfois demandé si nous n'avions pas nous-même, à notre insu, introduit dans la psychologie proustienne l'unité que nous y discernions. Mais la lecture des *Plaisirs* nous a convaincu, rassuré. Ce livre de jeunesse nous prouve qu'il y a eu en Proust de bonne heure un fonds intellectuel qui n'a jamais varié et qui s'est ensuite développé en quelque sorte organiquement. L'unité de la pensée de Proust n'a rien d'étonnant : elle est fidélité à des idées essentielles aperçues dès son adolescence.

Cependant la physionomie des *Plaisirs* est trompeuse. Et aujourd'hui, notre œil averti à travers la forme découvre l'homme. C'est bien le même. Ce qui le caractérise, c'est un élan vers l'idéal, vers une vie supérieure essentiellement intellectuelle. C'est l'affirmation de la primauté de l'esprit. Seulement cette affirmation, quoique souvent profonde, reste dans les *Plaisirs* un peu théorique — et peut même paraître banale, négligeable pour un critique peu attentif. Dans *La Recherche,* la même affirmation reparaîtra mais basée sur une accumulation de matériaux psychologiques imposante.

Il y a pourtant d'autres différences entre les *Plaisirs* et la *Recherche*. Il y en a au moins deux. La première est peu importante : la pensée de la mort revient presque à chaque page des *Plaisirs,* associée à celle de la maladie. Proust en parle beaucoup moins souvent dans la *Recherche*. Mais c'est que la pensée de la mort hante plus volontiers les jeunes gens que les hommes de quarante ans. Aux alentours de la dix-huitième année, les jeunes gens traversent la plupart du temps une crise de lyrisme romantique qui les incline aux pensées de ce genre. Et puis, le Proust de la *Recherche* est l'homme qui a trouvé, pour lequel la mort a cessé d'être un anéantissement intégral, pour lequel sous une forme ou une autre (et pas nécessairement cette « consciente immortalité » qu'il réclame dans les *Plaisirs*) il existe une survie.

Mais il est une autre différence qui nous paraît plus importante. A l'époque des *Plaisirs*, Proust est sans doute aussi intelligent qu'il le sera jamais, mais il n'a probablement pas de l'art
un sentiment aussi profond et justifié que celui qui sera le sien
plus tard. En particulier, s'il a le sentiment que l'art peut être un
instrument de rénovation spirituelle, il n'a pas encore bien réalisé
comment.

Certes, son sens des valeurs esthétiques est formé, son sens
critique fort conscient des motifs qui le déterminent. Un certain
nombre de textes permettent de l'affirmer : un compte rendu sur
un conte de Noël de Louis Ganderax, publié en mars 1892 dans
Le Banquet ; un autre fort bref sur *Tel qu'un Songe* d'Henri de
Régnier, dans la même revue en novembre de la même année ;
« Mondanité et Mélomanie de Bouvard et Pécuchet » publié dans
les *Plaisirs* ; et « Contre l'obscurité », article paru dans *La Revue
Blanche* du 15 juillet 1896. Ces textes révèlent une conscience
très nette des différences qui séparent l'art des autres disciplines.
Dans « Mélomanie » déjà il condamne ironiquement l'immixtion
d'un patriotisme peu éclairé dans les appréciations littéraires :
« Que la Walkyrie puisse plaire même en Allemagne, dit Pécuchet, j'en doute... Mais, pour des oreilles françaises, elle sera
toujours le plus infernal des supplices — et le plus cacophonique !
ajoutez le plus humiliant pour notre fierté nationale » (111). Dans
« Contre l'obscurité », c'est l'originalité de l'art et de la poésie
par rapport aux disciplines philosophiques qu'il proclame — ce
qui lui permet de caractériser déjà profondément les procédés propres à l'artiste. Dans l'article sur Henri de Régnier c'est la poésie
pure qu'il définit, et dans l'article sur le conte de Ganderax, il
félicite ce dernier d'un réalisme qui « ne retranche pas plus les
beautés que les laideurs » et de ne pas verser dans les erreurs de
« l'audacieuse psychologie des romantiques et des naturalistes qui
douèrent Marion Delorme, puis une Boule de Suif, des vertus
qu'ils refusaient aux *bourgeois* ». Enfin toujours dans ce dernier
morceau, écrit à vingt ans, est affirmé le rôle transfigurateur, spirituel de l'art qui ôte à la douleur « son caractère égoïste, en la
transposant, si l'on peut ainsi dire ». « Ses mensonges (1),
ajoute-t-il, sont les seules réalités et pour peu qu'on les aime
d'un amour véritable, l'existence de ces choses qui sont autour
de nous et qui nous subjuguaient diminue peu à peu. Le pouvoir
de nous rendre heureux ou malheureux se retire d'elles pour aller

---

1) *Les mensonges* de l'art, voilà une expression qui disparaitra
du vocabulaire de Proust !

croître dans notre âme où nous convertissons la douleur en beauté. Là est le bonheur et la véritable liberté ».

RUSKIN

Cependant, si grand que soit le sentiment de la beauté en Proust à ce moment-là, il nous semble qu'il ne possède pas la densité qu'il aura plus tard. En particulier, son sentiment de la beauté naturelle n'a pas la profondeur de celui que nous découvrons dans *La Recherche*. Les couchers de soleil et ses paysages des *Plaisirs* sont des morceaux remarquables mais un peu artificiels. Il paraît, du reste, plus préoccupé des spectacles de l'intelligence (« l'intelligence elle aussi a ses spectacles », dit-il) que de ceux de la nature. Son « subjectivisme » est au plus haut point.

Le sentiment de la beauté va donc gagner chez lui en intensité et en ampleur au fur et à mesure qu'il avancera dans la vie. Il s'étendra à tous les aspects de l'humanité et de la nature, et les pommiers, les aubépines, les plus humbles fleurs des champs feront leur entrée dans la littérature. Dans ce progrès une influence sera pour lui un adjuvant précieux : c'est celle de Ruskin.

Proust a subi dans sa jeunesse un certain nombre d'influences intellectuelles : influence de sa mère d'abord certainement, influence de ses multiples admirations littéraires et de ses nombreuses lectures, influence du symbolisme (nous reviendrons sur ce point plus loin), influence de ses maîtres, Cucheval et surtout Maxime Gaucher et Darlu, influence aussi de Paul Desjardins (Voir l'*Hommage* de la N.R.F, 18) dont il admirait beaucoup les articles remarquables de la *Revue Bleue* (où collaborait également Maxime Gaucher).

Mais Ruskin est certainement, ainsi que le fait remarquer M. Gabriel Mourey (*Marcel Proust, John Ruskin et Walter Pater*, Revue des Vivants, août-septembre 1926, p. 703) « l'une des influences à laquelle Proust a le plus volontairement, le plus délibérément cédé, nous en avons la preuve, qu'il a le plus utilement subie, la seule influence, à vrai dire, par laquelle il ait été incontestablement dominé ». Le mot « dominé » n'est pas trop fort, appliqué à la période de sa vie où Proust découvre et traduit Ruskin. Plus tard il se dégagera de cette influence pour la dominer à son tour d'une autre manière, mais après l'avoir subie profondément, ainsi qu'il l'a lui-même expliqué dans la, ou plutôt les préfaces de la *Bible d'Amiens,* où il n'hésite pas à désigner l'auteur des *Pierres de Venise* comme « un des plus grands écrivains de tous les temps et de tous les pays » (85).

A quel moment Ruskin fut-il révélé à Proust ? Certainement après la publication des *Plaisirs et les Jours* (1). Vraisemblablement en 1897 par le remarquable ouvrage de M. Robert de la Sizeranne (*John Ruskin et la religion de la beauté*), qui paraît cette année-là. Peut-être la lecture du livre de M. de la Sizeranne l'a-t-elle incité à lire également le livre antérieurement paru (en 1864) de Milsand : *L'esthétique anglaise, étude sur M. John Ruskin* dont il dit beaucoup de bien dans une note de sa préface à la *Bible d'Amiens*. Mais comme il connaît mal l'anglais, il a vraisemblablement attendu les traductions pour aborder les ouvrages du grand esthète anglais. Dans son impatience il a peut-être entrepris dès cette époque de le traduire lui-même. En tout cas c'est en 1899 seulement (ainsi qu'en fait foi une lettre à Pierre de Chevilly — *Corr.* V, p. 130) qu'il lit les *Sept Lampes de l'Architecture*, découvertes par lui dans la *Revue générale* : « ...j'ai enfin, dit-il, lu et aimé les *Sept Lampes de l'Architecture*...» (2). Et le premier décembre 1899 il demande à Pierre Lavallée, son ami, de lui faire savoir si la Bibliothèque (celle où celui-ci a sans doute ses occupations) possède *The Queen of Air* de Ruskin (*Corr.* IV, p. 21). C'est en 1900, semble-t-il que Proust fait son voyage à Venise. Ainsi qu'il le confesse dans la préface à la *Bible*, c'est la lecture de Ruskin qui l'a déterminé à se rendre dans cette prestigieuse ville d'art, que son père, le docteur Proust, avait déjà lui-même visitée en 1897 (A. Billy, p. 57) : « ...dans une circonstance où je croyais mes jours comptés, je partis pour Venise afin d'avoir pu avant de mourir, approcher, toucher, voir incarnés en des palais défaillants, mais encore debouts et roses, les idées de Ruskin sur l'architecture domestique au moyen âge » (91) (3).

1900 est également l'année de la mort de Ruskin. C'est à l'occasion de cette mort et sans doute, avant son départ pour Venise que Proust dans sa ferveur ruskinienne écrivit trois arti-

---

1) « Entre les essais de Marcel, réunis sous le titre : *Les Plaisirs et les Jours,* et la retraite douloureuse et appliquée où il conçut sa grande œuvre et l'écrivit, se place la phase qu'on peut appeler ruski_nienne » (R. de Billy, Marcel Proust, p. 125).

2) C'est la première traduction de Ruskin en français ; il s'agit certainement de la traduction d'Elwall qui paraîtra en volume l'année suivante à la S.E.A. En 1902 l'abbé Peltier traduit *Unto This Last* (G. Beauchesne éd.). En 1904, Proust donne *La Bible d'Amiens*, en 1906, Mme M.-P. Crémieux *Les Pierres de Venise* (H. Laurens, éd.). La même année Eugénie Nypels traduit *Les Matins à Florence* chez le même éditeur et Proust fait paraître *Sésame*.

3) Dans le deuxième tome de *Du côté de chez Swann,* Marcel qui rêve d'aller à Venise, se représente cette ville d'après Ruskin dont il cite quelques fragments de phrases, sans nommer l'auteur.

cles : l'un qui parut le 13 février dans *Le Figaro* : *Pélerinages ruskiniens,* un autre en avril 1900 dans le *Mercure de France* : *Ruskin à Notre-Dame d'Amiens* — enfin, *John Ruskin* dans la *Gazette des Beaux-Arts,* en deux fois, le 1ᵉʳ avril et 1ᵉʳ août 1900. Ces deux derniers articles, qu'aucune bibliographie ne signale d'ailleurs, ont formé les parties II et III de la préface de la traduction de la *Bible d'Amiens* parue en 1904. Les parties I (avant-propos) et IV (Post-scriptum), leur ont été adjointes à ce moment-là. C'est à son retour de Venise que Proust se remet aux traductions de Ruskin qu'il avait sans doute entreprises auparavant. (C'est ce que permet de penser le témoignage de M. G. de Lauris qui écrit : « Ces traductions, Marcel les avait entreprises dans sa première jeunesse sur la demande d'un éditeur qui avait bientôt fait faillite. Elles lui étaient donc restées pour compte jusqu'au jour où le *Mercure* accepta de les publier » — Revue de Paris, 1938, III, 741). En 1903 sa traduction de *La Bible* n'est pas achevée. C'est l'année où meurt son père. Il abandonne son travail à la suite de cet événement. Mais sur les instances de sa mère (*Corr.* II, p. 51), il se remet à l'œuvre qui paraît en 1904. En 1905 la traduction de *Sésame et les Lys* est achevée. Mais cette fois, c'est la mort de sa mère qui retarde la publication de ce livre, qui ne paraîtra qu'en 1906.

L'admiration de Proust pour John Ruskin repose sur une fraternité d'esprit, comme celle de Baudelaire pour Edgar Poë. En lui, Proust trouve moins des révélations que des confirmations et des encouragements. Tous deux communient dans le culte de l'art — et plus précisément dans la façon de comprendre l'art. Il faut voir comment, et avec quelle intelligence, Proust, dans sa préface de *La Bible d'Amiens* défend Ruskin d'être un dilettante. Il est permis fait-il remarquer de parler avec M. de la Sizeranne de « Religion de la Beauté » à propos de Ruskin, à condition toutefois de ne pas considérer l'adorateur de la Beauté comme un amateur égoïste de sensations esthétiques. Ruskin est tout le contraire de cela ; et ce dont Proust lui est précisément reconnaissant, c'est d'avoir été avant tout un homme, pour lequel l'art est quelque chose d'éminemment sérieux. La Beauté à laquelle Ruskin consacra sa vie « ...ne fut pas conçue par lui comme un objet de jouissance fait pour la charmer, mais comme une réalité infiniment plus importante que la vie, pour laquelle il aurait donné la sienne » (54-55). A travers la beauté, Proust comme Ruskin, prétend atteindre la réalité même. Ce qui fait la grandeur, la dignité de l'artiste, c'est que loin d'être un amuseur de foules, il est un découvreur, un explorateur du réel. Aussi, Ruskin et

Proust sont-ils d'accord pour attribuer aux artistes une dignité égale et de même nature que celle dont bénéficient les savants et pour comparer l'art à la science. Ce sont des *vérités* que les artistes eux aussi expriment : les procédés ne sont rien, tandis que la sincérité et la profondeur du sentiment apparaissent comme essentiels.

Le réel, du reste, n'est pas dans les apparences. Adorant la nature, lui vouant un vrai culte, Ruskin (et Proust aussi) voit cependant à travers elle plus qu'elle-même. Le poète est semblable à un scribe écrivant sous la dictée de la nature un message auquel il ne doit rien ajouter de son cru parce qu'il est divin (1). « De cette hauteur vous verrez s'évanouir comme des nuées qui se traînent à terre les reproches de réalisme aussi bien que d'intellectualisme adressés à Ruskin. Si ces objections ne portent pas, c'est qu'elles ne visent pas assez haut. Il y a dans ces critiques, erreur d'altitude. La réalité que l'artiste doit enregistrer est à la fois matérielle et intellectuelle. La matière est réelle parce qu'elle est une expression de l'esprit » (56).

Et quand Proust croit devoir faire des réserves au sujet de son grand homme, ces réserves mêmes sont caractéristiques. Dans le *Post-Scriptum* ajouté en 1904 aux articles parus antérieurement dans le *Mercure* et la *Gazette des Beaux-Arts,* Proust poussé par un scrupule de vérité que son admiration pour Ruskin avait jusqu'ici freiné, fait remarquer que le grand écrivain anglais n'est pas absolument exempt d' « idolâtrie ». L'« idolâtrie » pour Marcel Proust consiste essentiellement à rechercher la vérité non pas en elle-même et pour elle-même, comme on devrait toujours le faire, mais à la subordonner à des considérations qui lui sont étrangères. C'est ainsi que Ruskin par une sorte de mensonge à peu près inconscient, s'est constamment laissé aller à trouver morales les choses qui lui paraissaient belles : « ...au moment où il prêchait la sincérité il y manquait lui-même, non en ce qu'il disait, mais par la manière dont il le disait. Les doctrines qu'il professait étaient des doctrines morales et non des doctrines esthétiques, et pourtant il les chérissait pour leur beauté. Et comme il ne voulait pas les présenter comme belles mais comme vraies, il était obligé de se mentir à lui-même sur la nature des raisons qui les lui faisaient adopter » (80). Et Proust en donne pour exemple un texte où Ruskin, traitant des causes de la décadence de Venise,

---

1) De même pour Marcel Proust l'art atteint à travers les apparences une réalité suprasensible. C'est pour cela qu'on a pu les comparer tous deux à Platon. (Voir dans le livre de Milsand, p. 105 pour Ruskin, et pour Marcel Proust le livre de Curtius).

trouve les Vénitiens inexcusables d'avoir commis leurs crimes à côté des trésors d'art que possédait leur ville — comme si ce fait constituait une circonstance aggravante du point de vue moral. Il y a idolâtrie de même à admirer les choses pour les souvenirs vénérés d'ordre historique ou littéraire par exemple qu'elles rappellent. Le fait qu'une maison ait été habitée par Balzac ne la rend pas plus belle, encore que cet accident lui confère un irrésistible attrait. « Il n'est pas, conclut Proust, dans la nature de forme particulière, si belle soit-elle, qui vaille autrement que par la part de beauté infinie qui a pu s'y incarner... » (88).

Et si les pages de Ruskin qu'il cite plus haut lui paraissent en dépit de ses défauts empreintes de beauté c'est, remarque-t-il, qu'il doit y avoir en elles quelque vérité. « Il n'y a pas à proprement parler de beauté tout à fait mensongère, car le plaisir esthétique est précisément celui qui accompagne la découverte d'une vérité » (83).

On comprend qu'une œuvre comme celle de Ruskin qui mettait l'art à une place si élevée et qui offrait, en outre, des exemples d'un style fort séduisant, ait eu sur Proust l'effet d'un tonique. Les affinités entre Proust et Ruskin pourraient être poursuivies jusque dans le détail de leur œuvre. Nous nous bornons à signaler, ce qui nous a paru essentiel. Qu'il nous soit cependant permis de rappeler que le caractère *involontaire* — si important chez Proust — de l'invention esthétique avait été signalé par Ruskin lui-même : « ...l'invention c'est *l'affluence involontaire* d'une série d'images, écrit ce dernier ou de conceptions qui se présentent d'elles-mêmes telles qu'elles doivent rester... autant vaudrait régler un arc-en-ciel ou faire des entailles à l'aile d'un ciron pour le saisir plus aisément, que de chercher à réglementer par des axiomes les allures d'une vision involontaire » (cité et traduit par Milsand, p. 141-142).

Ses traductions ont été pour Marcel Proust des incitations. En travaillant pour la gloire de Ruskin le remords lui vient de négliger la sienne. « Tout ce que je fais n'est pas du vrai travail, écrit-il à Antoine Bibesco, mais seulement de la documentation, de la traduction, etc... *Cela suffit à réveiller ma soif de réalisations.* Je sens tout le néant de ma vie, cent personnages de roman, mille idées me demandent de leur donner un corps « (« *Au bal avec Marcel Proust* », par la princesse Bibesco, 40-41). Et c'est la traduction de *Sésame et les Lys* de Ruskin qui lui donne, du reste, l'occasion de faire la preuve, avec la fameuse préface sur la lecture, qu'en 1905 (*Sésame et les Lys* parut en 1906. Mais la préface *Sur la lecture* avait déjà été donnée dans *la Renaissance*

Latine du 15 juin 1905) il est en possession de tout son talent.
Dès cette époque il est en mesure d'écrire sa grande œuvre. La
phase ruskinienne est close, la phase du génie commence. Il a
trouvé sa manière : la recomposition du réel dans ce qu'il a d'unique, de qualitatif par l'analyse psychologique. Tout en un sens
pour lui se ramène au psychologique — à commencer par la lecture qui constitue son propos dans la dite préface.

A vrai dire cette préface n'en est pas une. Il prend prétexte
du fait que les textes de Ruskin qu'il traduit ont pour sujet la
lecture, pour exposer ses propres idées sur ce chapitre. Et même
on peut ajouter qu'il prend prétexte de ce sujet lui-même, pour
exprimer certaines de ses impressions d'enfance.

DE SAINTE-BEUVE
A SWANN

Cependant il ne se met pas immédiatement à sa grande
œuvre. Sans doute faut-il voir la raison de ce retard dans la douleur que lui cause la mort de sa mère, pour laquelle il nourrissait une affection passionnée. Il semble se recueillir en 1906.
Même, il nous paraît bien désabusé dans une lettre envoyée vers
le 20 juin 1906 à son ami R. Dreyfus et peu disposé à écrire quoi
que ce soit. Néanmoins il prend certainement des notes. Selon
son frère, il en prenait même depuis l'époque des *Plaisirs* (*Hommage,* p. 19). Sans doute Proust a-t-il entrepris plusieurs fois
d'écrire *son* livre après les *Plaisirs* ainsi qu'en témoigne une
dédicace à P. Lavallée (*Corr.* IV, 17-18) datée de 1896. Essais
infructueux, toujours abandonnés.

En 1907 il publie quelques articles dans le *Figaro*. Au début
de 1908 il écrit et publie la plupart de ses *Pastiches* qui comptent parmi ses œuvres les plus importantes après *La Recherche* et
ont dû lui coûter un effort de documentation considérable. Si l'on
en juge par sa correspondance, c'est de ces années 1908 et 1909
qu'il faut dater la conception de sa grande œuvre (1). En 1909
il semble s'être mis « pour de bon à l'œuvre », car pendant un
long laps de temps, du 21 mars 1908 jusqu'à mars 1912 — si la
bibliographie de L. Pierre-Quint est exacte — il ne publie rien,
sauf son dernier pastiche (sur H. de Régnier) au *Figaro* le 6 mars
1909. Son frère dans l'Hommage de la N.R.F. nous dit que de

---

1) C'est également ce qu'a établi M. Vigneron dans un article
de la *Revue d'histoire de la philosophie et d'histoire de la civilisation*
du 15 janvier 1937, *Genèse de Swann*. M. Vigneron remarque qu'on
fait dater généralement, et à tort, la conception de l'œuvre de Proust
de 1906.

1910 date « une véritable transformation de son existence ». Il cesse toute vie mondaine et mène « une véritable vie ascétique », « cloîtré chez lui » (p. 19). Sa correspondance de 1910 à 1912, les années de grand labeur, se fait très rare. En 1912, après un long silence, il écrit brusquement à Mme de Noailles : « Madame, je ne sais pas si mon nom oublié ne vous semblera pas celui d'un inconnu » (*Corr.* 2, 188).

La correspondance (assez bien datée puisque les cachets de la poste ont souvent été conservés) avec Mme Strauss est intéressante à compulser à cet égard. Dans une lettre du 3 février 1908 il manifeste des velléités de se mettre « à un travail assez long » (p. 97). Vers octobre 1908 il annonce qu'il a commencé à travailler, « deux fois vingt minutes ». « C'est si ennuyeux de penser tant de choses, ajoute-t-il, et de sentir que l'esprit où elles s'agitent périra sans que personne les connaisse » (106). En été 1909 il se trouve à Cabourg. Cette fois-ci il a réellement commencé, et il souhaite de pouvoir lire ce début à Mme Strauss (114). Puis il faut croire qu'il a travaillé à Cabourg puisque dans une lettre suivante, toujours de Cabourg, il déclare qu'il vient de commencer « et de finir » « tout un long livre » (116). Il ajoute : « Peut-être une partie paraîtra-t-elle en feuilleton dans le *Figaro,* mais une partie seulement car c'est trop inconvenant et trop long pour être donné en entier. Mais je voudrais bien finir, aboutir. Si tout est écrit, beaucoup de choses sont à remanier ». Aucun doute n'est possible — l'allusion à *Sodome et Gomorrhe* est probante — une première version, assez brève, de son livre est achevée en 1909.

Mais revenons à cette année 1908 où Proust se décide enfin à écrire *son* livre. A vrai dire ce sont deux livres que Proust a projeté d'écrire au cours de cette année 1908. L'un est un livre de critique, l'autre est un roman. Dès le 18 mars, écrivant à propos de ses Pastiches, à Robert Dreyfus, il semble annoncer le premier : « Quant aux pastiches, Dieu merci, il n'y en a plus qu'un. C'était par paresse de faire de la critique littéraire, amusement de faire de la critique littéraire « en action ». Mais cela va peut-être m'y forcer, pour les expliquer à ceux qui ne les comprennent pas. Je te demanderai à ce propos mille conseils ». Un peu plus tard si on en juge par une lettre du 16 mai 1908, il a effectivement demandé son avis à R. Dreyfus qui lui a déconseillé de faire paraître la chose sous forme d'article dans un journal. Mais Proust a projeté ensuite de le donner à une revue, puis d'en faire un volume. Mais son projet s'est encore précisé : « Ce sera plutôt une nouvelle... » dit-il. Quel est donc cet étrange

article, apte à de telles métamorphoses ? Dans ses souvenirs
publiés par la *Revue de Paris*, M. G. de Lauris (*Marcel Proust
d'après une correspondance et des souvenirs*, Mai-Juin 1938,
p. 746), nous apprend que Proust projeta d'écrire un article sur
Sainte-Beuve où il s'exprimerait pleinement : « Il m'emprunte
les sept volumes de *Port Royal*. Et il se demande s'il faut écrire
cette étude, comme le ferait un Taine ou un Renan, ou bien la
commencer par une sorte de scène intime, la poursuivre par un
dialogue avec sa mère, l'encadrer des souvenirs personnels d'une
matinée. C'est qu'à cette occasion il estime que tout le fond, tout
le secret de sa pensée se livrera... ». Il faut sans doute situer à
la même époque, en 1908, une lettre à la comtesse de Noailles
qui semble datée par erreur 1903 par l'éditeur (*Corr.* 2, p. 45)
(1) « Est-ce que vous voudriez me permettre, sans préambule,
écrit Proust, de vous demander un conseil ? Je voudrais, quoique
bien malade, écrire une étude sur Sainte-Beuve. La chose s'est
bâtie dans mon esprit de deux façons différentes entre lesquelles
je dois choisir. Or je suis sans volonté et sans clairvoyance. La
première est l'essai classique, l'essai de Taine en mille fois
moins bien (sauf le contenu qui est je crois nouveau). La
deuxième commence par un récit du matin, du réveil. Maman
vient me voir près de mon lit, je lui dis que j'ai l'idée d'une
étude sur Sainte-Beuve, je la lui soumets et la lui développe.
Pouvez-vous me dire ce qui vous paraît le mieux ? » Il s'agit
du même travail que celui dont il parle à G. de Lauris et c'est
même problème qui le préoccupe. Il semble tenté par une sorte
d'étude critique reposant sur un fonds psychologique. C'est, en
somme, la méthode déjà employée par lui pour sa *Préface sur la
Lecture* — et qu'il reprendra dans *Le Temps Retrouvé*, qui est
l'histoire de quelqu'un qui veut écrire une œuvre d'art et qui,
tout en recherchant comment il faut s'y prendre, nous donne cette
œuvre objet de ses recherches. C'est le roman par prétérition,
comme l'étude sur Sainte-Beuve était l'étude par prétérition.

En 1909, il écrit à G. de Lauris : « Georges, je vais me
mettre à travailler car j'ai lu mon début (deux cents pages) à
Reynaldo et son attitude m'a vivement encouragé. Le soir que
vous voudrez, je vous le lirai. Je sens que c'est mon devoir de
maintenant subordonner tout à tâcher de finir cela » (*Ibid.* 766).
Et il lui annonce qu'il va lui renvoyer *Port Royal*, « car, dit-il,
je ne m'en servirai pas avant plusieurs mois ». Qu'est-ce donc

---

1) Et aussi la lettre donnée p. 65 comme étant de 1903, où il
dit : « J'ai commencé à travailler » et où il parle des *Eblouissements*
lesquels ont paru en 1907.

que ce « début » ? Le roman ou l'étude critique ? Il semble bien
que ce soit le roman. Dans une lettre qui suit, du reste, ce sont
des renseignements sur le nom de Guermantes qu'il demande à
son ami, s'inquiétant de savoir si le nom et les titres sont éteints.
Cependant la même année, en 1909 (1) de retour de Cabourg, il
écrit à G. de Lauris : « Pendant que je vais me remettre un peu
du retour, je vais faire copier, sur mes informes brouillons, le
premier paragraphe du premier chapitre de Sainte-Beuve (c'est
presque un volume ce premier paragraphe) et dès que ce sera
copié, voulez-vous me donner une soirée et venir le lire près de
moi ? » (770).

Ainsi en 1909 il y a un travail qui est achevé : est-ce le
roman ou est-ce l'étude critique ? Il est certain que les deux idées
sont distinctes dans l'esprit de Proust. En août 1909, encore à
Cabourg, il écrit à son ami Dreyfus pour lui demander d'informer
M. Z..., pour éviter une confusion, que l'étude critique qu'il lui
lui a promise n'a rien à voir avec le roman que Calmette s'est
offert de publier. Mais une lettre de l'automne 1912 à Madame
Strauss nous apporte une lumière précieuse sur la question : « Ce
désir d'écrire sur Sainte-Beuve, dit-il... est ancien car je me
rappelle que, croyant alors que mon roman paraîtrait il y a trois
ans, j'avais prévenu Beaunier qui comptait écrire sur Sainte-
Beuve qu'il allait m'avoir dans ses plates-bandes. Mais mon
roman bouche tout... » (*Corr.*, VI, 133) (2). Ainsi l'étude sur
Sainte-Beuve n'a pas été écrite, ou du moins, elle est restée à
l'état d'ébauche (3). Il est possible même que les évocations de
souvenirs qui devaient commencer cette étude, ce « premier paragraphe du premier chapitre », dont il parle à G. de Lauris, qui
est « presque un volume » et auquel il avait voulu donner une
forme personnelle et vivante, aient en quelque sorte « dégénéré »
en commencement de roman. En tout cas une chose est certaine,
c'est que la matière qui devait constituer son Sainte-Beuve a été,

---

1) G. de Lauris classe cette lettre 1910. Or elle contient une
allusion précise au temps passé « l'an dernier » à Versailles. Proust
fit ce séjour en 1908 (ainsi que permet de l'établir la correspondance
avec Mme Straus. Il ne semble pas qu'il y soit retourné l'année suivante.

2) Il y a dans cette lettre une coupure qui nuit au sens.

3) Dans son livre récent, p. 148-149, André Maurois cite un
fragment de ce Sainte-Beuve, ou du moins d'une esquisse inachevée,
qu'il a trouvée dans les *Carnets* et qui est intitulé *Sainte-Beuve et
Baudelaire*. La partie du texte citée par André Maurois semble avoir
forme d'une conversation. Il s'agirait donc de cette scène en compagnie de sa mère qu'il imaginait dans la lettre à Mme de Noailles que
nous avons donnée plus haut.

d'une manière ou d'une autre intégrée à son roman, puisque celui-ci terminé, dans sa première version, il s'aperçoit qu'il « bouche tout ». Et voilà comment il renonce à écrire sur l'auteur de *Port Royal*.

Il n'est pas facile de présumer ce que Proust se proposait d'exprimer dans ce Sainte-Beuve qu'il n'a pas écrit et qu'il n'avait plus aucune raison d'écrire après *La Recherche*. Ce qui est sûr, c'est que Sainte-Beuve n'était pour lui qu'une occasion d'exprimer ses idées sur l'art — et de faire accessoirement un certain nombre de réserves sur l'auteur des *Lundis*. Il admire ce dernier. Il l'admire, d'une admiration très nuancée. Nous avons vu qu'il fait des réserves sur son style, et nous savons (voir *Pour un ami*) qu'il ne lui pardonne pas son attitude vis-à-vis de Baudelaire. Certainement aussi le point de vue et la méthode devaient être psychologiques, conformément à la tendance constante de Proust chaque fois qu'il écrit. Et c'est ce qui a dû lui permettre si facilement de passer de l'essai critique à la nouvelle puis au roman.

Selon une hypothèse de M. Vigneron (article déjà cité), qui interprète les lettres de Proust adressées à son ami Dreyfus en 1908, « Swann » se serait d'abord présenté à l'esprit de l'auteur sous la forme d'une étude, puis d'une nouvelle sur l'homosexualité. Ce qui incline, en particulier, M. Vigneron à penser ainsi, c'est, semble-t-il, ce fait qu'en 1907 et en 1908 eurent lieu en Allemagne une série de procès scandaleux qui se terminèrent par l'arrestation du prince d'Eulenburg le 7 mai 1908. Ces événements, la publicité qui leur fut faite dans les journaux, par Rémy de Gourmont dans les *Mercure* des 1er décembre 1907 et 1er janvier 1908, la publication des ouvrages de Schumann Arndt, Magnus Hirchfeld, et Weindel et Fischer, déterminèrent ou encouragèrent peut-être Proust à faire figurer les homosexuels dans le grand ouvrage qu'il projetait d'écrire. Mais, d'une part, il nous paraît établi par la correspondance que l'étude dont il parlait à Robert Dreyfus avait pour sujet Sainte-Beuve. D'autre part, quelle que soit l'importance qu'il attachait à l'étude de l'inversion et la place qu'il lui attribuait dans la conception primitive de son œuvre (dès 1909 il annonçait à Mme Strauss que son roman serait « inconvenant »), il est certain que ses visées étaient beaucoup plus vastes. Il voulait s'exprimer intégralement. Peindre l'homosexualité, c'était une idée de romancier dont la hardiesse devait séduire le « clerc » qui était en lui. C'était peut-être aussi, pour lui, une sorte de nécessité. Mais son ambition était, heureusement, beaucoup plus grande.

En 1912 une première version de *La Recherche* est achevée. En 1913 le commencement paraît sous le titre de *Du Côté de chez Swann*. Puis la guerre impose une interruption à l'auteur. Mais le livre ne cesse pas de se développer, de grossir, nourri par les retouches, les ajoutes nombreuses de Proust qui pense constamment son œuvre. Et c'est ainsi que de 1913 à sa mort elle a triplé de volume. On la croit mal composée parce que ses dimensions ne permettent pas d'en embrasser le dessin d'ensemble. Mais elle l'est très fortement. Seulement elle a grandi, et la conclusion s'est trouvée située si loin du commencement, que l'on a l'impression que l'auteur ne pourra jamais conclure — simple illusion imputable au manque de complaisance voulu de l'auteur à l'égard du lecteur, mais plus encore au pauvre lecteur trop pressé, trop peu curieux, des autres et de lui-même.

Telle fut, dans ses grandes lignes, l'évolution spirituelle de Marcel Proust. On y distingue trois périodes. La première période est celle des essais de jeunesse, de l'élève de Maxime Gaucher et de Darlu, maîtres clairvoyants et d'esprit large. Elle s'étend jusqu'au moment où paraissent *Les Plaisirs et les Jours* en 1896. Mais dès la fin de cette période on sent en lui une maturité remarquable, un sens de l'art bien établi. Ensuite c'est la période semble-t-il assez anarchique de la vie de Proust, où se fera la révélation ruskinienne. A vrai dire Ruskin réveillera la vie profonde et le goût des belles choses qui s'assoupissent en lui et provoquera une grande soif de réalisation. Cette période s'étend jusqu'en 1906. Alors il est en possession des forces nécessaires — que les chagrins de famille n'ont fait qu'accroître — à l'accomplissement d'une grande œuvre pleine d'humanité, de vérité et de beauté. Le temps presse, au surplus, car la quarantaine approche et son mal augmente. Et c'est la dernière période, celle qui sera toute entière subordonnée à la création. C'est le temps retrouvé proprement dit, l'invisible « pressenti » dans les *Plaisirs* (« Violante sentait tout le visible et pressentait un peu l'invisible ») qui est enfin découvert.

Est-il possible, dans cette évolution qui n'est que la maturation d'un esprit doué, de distinguer une période mondaine et une période de « retraite » ? A vrai dire, non ! Proust n'a jamais complètement rompu avec le monde. Et si de 1909 ou 10 à 1913 il a vécu d'une vie quasi monacale cessant presque complètement de voir ses amis et même de leur écrire, il a repris ces relations ensuite, dans la mesure où sa santé le lui permettait, et leur en a même ajouté de nouvelles que sa gloire lui donnait l'occasion de nouer. C'est que la « conversion » pour lui réside

non dans un changement de décor, mais dans la manière de considérer la vie. « Car... ce qui était dangereux dans le monde,
c'étaient les dispositions mondaines qu'on y apporte. Mais par lui-
même il n'était pas plus capable de vous rendre médiocre qu'une
guerre héroïque de rendre sublime un mauvais poète » (*T.R.* II,
81).

C'est cette conception de la vie qu'il a exposée dans *La
Recherche*. Il l'estimait plus importante que tous les modes de
traduction. « Faut-il faire un roman, se demande-t-il dans ses
Carnets ? Une étude plus longue. Que suis-je ? Romancier. Ce
qui me console, c'est que Baudelaire a fait ses *Poèmes* en prose
et les *Fleurs du Mal* sur les mêmes sujets, etc... » (*Figaro* 25-9-
39).

Cette conception originale, si profonde du point de vue
psychologique, mais qui constitue aussi une véritable philosophie,
c'est elle que nous avons tenté d'exposer dans cet essai, et c'est
elle que nous allons essayer de résumer maintenant.

*
* *

LES CARACTÈRES ESSENTIELS
DE LA PSYCHOLOGIE PROUSTIENNE

En premier lieu vient la théorie de la discontinuité de la vie
intérieure. Cette discontinuité avait bien été observée par d'autres
dans des cas anormaux, pathologiques ou des cas élémentaires
(caractère discursif de l'intelligence, sauts de l'attention) mais
jamais à une si grande échelle. Pour Marcel Proust c'est le tissu
même de notre vie consciente qui est discontinu. Mais cette discontinuité est une discontinuité dans la continuité : il y a en
nous plusieurs courants, qui, sans mêler leurs eaux affleurent et
se remplacent, avec des alternances irrégulières, à la surface de
la conscience. Ces courants, dont le nombre est très grand en
chaque individu, Proust les nomme personnalités et, autant il y a
de manières de sentir, de contrées affectives en nous, autant il
y a de personnalités. Si nous pouvons assimiler ces personnalités
à des courants, c'est que, tout comme notre personnalité principale, ces personnalités naissent. vieillissent et disparaissent.

Comme nous n'en pouvons vivre qu'une à la fois, elles apparaissent successivement dans le champ de la conscience et produisent cette discontinuité dont nous avons parlé. Il faut même pousser l'hypothèse de la discontinuité plus loin et admettre au sein même de ces personnalités secondaires des éléments discontinus. Tout est discontinu : la vue que nous prenons de nous-même, la vue que nous prenons des autres et des choses. Du reste, ces personnalités secondaires et qui composent au moins en partie le moi principal, vieillissent. Or, pour Marcel Proust tout changement, la vieillesse en particulier, s'explique, par des modifications, des substitutions élémentaires. Mais, on comprend que cette discontinuité ne soit pas incompatible avec une véritable continuité : s'il y a discontinuité c'est seulement dans notre manière d'être, dans les modalités de la conscience. Mais nos différents états se suivent sans interruption, il y a continuité de conscience (avec des chutes considérables d'intensité, comme dans la quasi-dépersonnalisation du sommeil). On pourrait, au reste, admettre un autre principe de continuité substantiel celui-là dans ce que Marcel Proust se hasarde à appeler « notre moi permanent ».

Rappelons exactement le passage où Marcel Proust emploie cette expression : « Cela n'est pas vrai seulement (lorsqu'on dit que l'on vieillit) *pour notre moi permanent* qui se prolonge pendant toute la durée de notre vie, mais pour tous nos moi successifs qui en somme le composent en partie » (212, *A.D.* II).

Quoi qu'il en soit, même si l'on estime que la continuité n'est pas suffisamment expliquée par Proust, on ne peut douter qu'il ne la juge nécessaire puisqu'il a pris soin lui-même de noter que, sans elle, l'évocation des souvenirs serait impossible. A propos de la petite sonnette de la porte du jardin, dont il se rappelle le tintement lorsque Swann venait voir ses parents, Proust écrit : « Pour tâcher de l'entendre de plus près, c'est en moi-même que j'étais obligé de redescendre. C'est donc que ce tintement y était toujours et aussi, entre lui et l'instant présent, tout ce passé indéfiniment déroulé que je ne savais pas que je portais. Quand il avait tinté, j'existais déjà, et depuis, pour que j'entendisse encore ce tintement, il fallait qu'il n'y eût pas eu discontinuité, que je n'eusse pas un instant pris de repos, cessé d'exister, de penser, d'avoir conscience de moi puisque cet instant ancien tenait encore à moi, que je pouvais encore le retrouver, retourner jusqu'à lui rien qu'en descendant plus profondément en moi » (*T.R.* II, 259). Et un peu plus loin l'auteur ajoute : « J'éprouvais un sentiment de fatigue profonde à sentir que tout ce temps si

long, non seulement avait sans une interruption été vécu, pensé,
secrété par moi, qu'il était ma vie, qu'il était moi-même, mais
encore que j'avais à toute minute à le maintenir attaché à moi,
qu'il me supportait, que j'étais juché à son sommet vertigineux,
que je ne pouvais me mouvoir sans le déplacer avec moi »
(*T.R.* II, 260).

A la thèse de la discontinuité de la vie intérieure est liée
celle du temps chez Marcel Proust. Le temps n'est pas autre
chose que cette succession d'états de conscience et de « moi »
différents. Vieillir c'est devenir autre, c'est, comme on endosse
un nouveau complet, revêtir une nouvelle personnalité au sein de
laquelle on ne se souvient plus qu'abstraitement de ce que l'on
fut et de ce que l'on fit autrefois. Vieillir c'est donc, en un sens
aussi, oublier — oublier un passé que l'on traîne pourtant après
soi et qui nous entrave dans notre marche. L'existence du temps
est encore rendue sensible pour nous par nos erreurs dans nos
prévisions. Nous calculons l'avenir en nous basant sur des données actuelles et éphémères, ou bien nous ne nous rendons pas
compte que l'action nous transforme et nous fait oublier les buts
que nous nous étions fixés. Ainsi, partout la discontinuité engendre l'erreur. A cause d'elle, notre ignorance des différentes étapes
que nous avons parcourues dans notre vie, des prétentions diverses, des espérances multiples que nous avons nourries dans le
passé, est presque totale. Nous nous réalisons successivement et
c'est pourquoi nous nous connaissons si mal. Considérable sera
donc l'effort du romancier qui voudra reconstituer ce passé,
retrouver le temps perdu !

Remarquons que c'est seulement dans cette hypothèse de la
discontinuité que le souvenir semble possible. Comment un souvenir pourrait-il être conservé, et surtout un souvenir involontaire
à la manière de Proust, si tous les éléments de notre vie intérieure
se confondaient et s'interpénétraient en un seul courant de conscience. Le parfum de chaque souvenir se dissiperait dans le
champ immense qui lui serait offert, comme une goutte de vin
tombée dans la mer perd couleur et saveur au sein de la masse
d'eau où elle se disperse. Aussi faut-il que ces parfums soient
enfermés dans ces vases dont nous parle Proust (*T.R.* II, 12) et
qui sont disposés « sur toute la hauteur de nos années ». Il faut
que nos états successifs se « superposent » (c'est le mot qu'emploie Proust ; *A.D.* I, 205) en nous sans se confondre. C'est
assurément la conception psychologique du courant de conscience
unique à la manière de James, de Bergson qui jusqu'ici a fait
douter beaucoup de psychologues de la possibilité des souvenirs

affectifs purs — L'oubli (1), lui-même, serait-il concevable si notre âme n'était composée d'éléments distincts et remplaçables, de courants différents qui ne mêlent jamais leurs eaux et dont certains peuvent un jour cesser d'apparaître à la conscience.

Notre existence est « successive » (« A moins que j'aie peut-être en moi des parties que j'ignore, car *on ne se réalise que successivement* » (*Pr.*, II. p. 241). Notre être n'est pas constant, il change et parfois si profondément que nous ne sommes plus le même. Proust se borne avec insistance seulement à observer le fait. Mais il est intéressant à noter que sa psychologie suppose une conception atomistique de la vie intérieure, conception qu'un James, un Bergson et beaucoup d'autres à leur suite semblaient presque définitivement avoir évincée de la psychologie. Proust ne va-t-il pas jusqu'à reprendre la comparaison tainienne du polypier ? « J'avais bien considéré toujours, dit-il, notre individu à un moment donné du temps comme un polypier où l'œil, organisme indépendant bien qu'associé, si une poussière passe, cligne sans que l'intelligence le commande, bien plus où l'intestin, parasite enfoui, s'infecte sans que l'intelligence l'apprenne, mais aussi et pareillement pour l'âme, dans la durée de la vie comme une suite de moi juxtaposés mais distincts qui mourraient les uns après les autres ou même alterneraient entre eux comme ceux qui à Combray prenaient pour moi la place l'un de l'autre quand venait le soir » (*T.R.*, II, 112). Cependant la conception proustienne est plus complexe que celle de Taine. C'est à une sorte de pluralisme qu'il aboutit plutôt qu'à un atomisme. L'esprit comme le corps est composé d'individus. Il est non un polypier d'images, mais un polypier de « moi ». Néanmoins les éléments qui composent ces « moi », les vices et les vertus, sont pour Marcel Proust quelque chose de général, d'indépendant de l'individu, de transmissible par hérédité, et, pour tout dire, d'interchangeable comme ces pièces de mécanique qui vont à toutes les machines d'une même marque. C'est pourquoi il nous parle de « cellules morales » et nous dit qu'elles composent l'être et sont « plus durables que lui » (*T.R.*, II, 112). Déjà dans la préface de *la Bible d'Amiens,* il écrivait : « Si l'on savait analyser l'âme comme la matière, on verrait que, sous l'apparente diversité des esprits aussi bien que sous celle des choses, il n'y a que peu de

---

1) Il est nécessaire de s'entendre sur le sens de ce mot. L'oubli de la souffrance tel que Proust nous le décrit dans *Albertine disparue,* ressortit au chapitre de l'habitude. Il s'agit moins pour lui d'oublier Albertine que de s'habituer, d'épuiser la puissance d'émotion contenue dans un événement nouveau « de se faire », comme on dit, à l'idée qu'elle est morte.

corps simples et d'éléments irréductibles et qu'il entre dans la composition de ce que nous croyons être notre personnalité, des substances fort communes et qui se retrouvent un peu partout dans l'univers ». C'est du reste ce qui permet aux hommes de sympathiser et de se comprendre (18).

Il en est de même des caractères physiques qui sont si intimement liés selon Proust aux particularités morales que chaque fois, note-t-il dans un exemple, qu'Albertine déplaçait sa tête « ...elle créait une femme nouvelle... », souvent « insoupçonnée » de lui qui la contemplait (*Pr.* I, 95). Les caractères physiques, les gestes, les intonations de voix, la démarche, se transmettent héréditairement, ou se retrouvent chez des individus de souches différentes liés aux mêmes traits moraux. Il y a des anomalies. Elles mêmes sont curieuses, instructives. C'est ainsi que le duc de Guermantes, seul de sa famille à ne pas être inverti, possède malgré tout certains caractères physiques, « stigmates extérieurs », qui lui sont communs avec ses frères (certaine manière nerveuse et vive de tourner son poignet, et certaines intonations « pointues » et affectées dans la voix), qui, chez lui, perdent tout sens, ou plutôt auxquels il a donné un autre sens, « ...l'individu exprimant ses particularités à l'aide de traits impersonnels et ataviques » (*Ad.*, II, 201).

Mais les objections que James ou Bergson adressaient à l'atomisme psychologique ne valent plus contre Proust. La formule qui pourrait caractériser la psychologie proustienne, c'est : tout change et tout demeure. Proust ne conteste pas l'existence du changement. Et mieux que personne il montre comment l'individu évolue, comment en un sens tout est dynamique. Mais en même temps il sait bien que nos individualités sont taillées « dans une trame universelle » (Préf. *Bible*, p. 18). S'il y a mouvement cela ne peut être que par substitution de parties élémentaires, de même que s'il y a qualité, cela ne peut être que dans la complexité ! Et pour qu'il en soit ainsi, pour qu'en outre il y ait des lois qui régissent le changement, l'évolution des caractères comme les révolutions sociales, il faut qu'il y ait de la discontinuité dans le monde.

Le second caractère important — plus important que le précédent même — de la psychologie de Proust, c'est la constatation que la vie intérieure est précisément intérieure, toujours intérieure, seulement intérieure. Cette vérité présentée ainsi est une « lapalissade ». Il n'en est pas moins vrai que le nombre de ceux qui se rendent compte du caractère intérieur de notre existence est très petit. D'autre part Proust tire des conséquences

si importantes de cette constatation élémentaire qu'on est obligé
de la considérer comme intéressante et fructueuse au plus haut
point.

Nous avons vu, plus haut, que dès la vingtième année Proust
avait reconnu l'importance de l'intériorité de notre véritable existence, de « l'arche » close dans laquelle nous vivons. Sans doute,
cette vérité était dans l'air en 1890 ; l'atmosphère symboliste de
poésie subjective a dû aider, en effet, considérablement le jeune
auteur des *Plaisirs et les Jours* à faire cette constatation. Quoi
qu'il en soit, dans cette première œuvre, cette vérité se présente
surtout sous la forme de l'affirmation un peu théorique de la supériorité de la vie et des joies de l'esprit. Dans *La Recherche* la
thèse se renforce d'arguments psychologiques nouveaux et tend
à se ramener à l'affirmation plus positive que nous sommes des
centres conscients et que pour nous toute réalité est subjective.

La psychologie proustienne, par suite, est surtout — ainsi
que nous le signalions dans l'introduction — une psychologie des
impressions. Même il apparaît que pour l'auteur de *La Recherche*
toute la psychologie est une psychologie des impressions. Nous ne
connaissons que des impressions, que *nos* impressions. Il n'y a,
dit Proust, de connaissance que de soi-même. « L'homme est
l'être qui ne peut sortir de soi, qui ne connaît les autres qu'en
soi, et, en disant le contraire, ment » (57, *A.D.*, I). Tout savoir
est subjectif.

Remarquons que cette subjectivité n'est qu'une subjectivité
psychologique. Ce n'est pas une subjectivité ontologique ou métaphysique. Il faudrait bien se garder même de l'assimiler à une
subjectivité mitigée du genre de celle que postule Kant, par
exemple, et qui, sans rendre la science impossible, en fait tout
de même une connaissance relative et superficielle. Pour Marcel
Proust l'objectivité absolue peut être atteinte par l'esprit humain
en matière de connaissance (1). La preuve, c'est que l'artiste
selon lui atteint des essences. Si le dogmatisme est la théorie de
ceux qui pensent que l'esprit humain peut se saisir de la vérité
absolue, Proust est un dogmatique. Son subjectivisme psychologique, du reste, n'a pas d'autre sens que celui d'un Descartes,
par exemple, et signifie seulement, et simplement, qu'il n'y a de
connaissance que par et pour un sujet (est-il possible de penser
que Proust ait envisagé ces choses autrement qu'en artiste et en
psychologue ? Un passage de son article : « A propos du style
Flaubert » (p. 193, des *Chroniques*), nous incite à le croire. Par-

---

1) Il est excessif de parler, comme le fait M. Charles Blondel,
du « solipsisme radical » de Proust (*Psychographie*, p. 84).

lant incidemment de la doctrine kantienne des catégories, il ajoute aussitôt en note que Descartes avec son « bon sens » « qui n'est pas autre chose que les principes rationnels » a précédé Kant, et que « cela signifie dans Descartes que l'homme le plus bête use malgré soi du principe de causalité ». « Mais ajoute-t-il, le XVII° siècle français avait une manière très simple de dire les choses profondes ». Est-ce que cela ne permet pas de croire, car Proust n'ignorait pas que Descartes croyait à la possibilité d'une connaissance profonde, qu'il a pensé que le dogmatisme lui aussi postulait la subjectivité, mais en un sens différent de Kant, et comme une condition de toute connaissance, même absolue ?).

C'est surtout, c'est d'abord, comme source d'erreurs que Proust étudie la subjectivité. Cette subjectivité, cette condition de sujet explique des quantités de choses. Elle explique que notre connaissance se réduise à chaque instant à ce qui est dans le champ de la conscience et, plus précisément, de notre conscience. Elle explique l'impossibilité qu'il y a à être une autre personne que nous-même, à nous mettre « dans la peau des autres », à juger autrement d'autrui que par nous-même. Cette condition de sujet n'affecte pas seulement notre individu-sujet par rapport à d'autres individus qui ne peuvent être que des objets pour nous, elle nous affecte encore en chacune de nos personnalités, au sein de laquelle les autres personnalités, nôtres, que nous avons été et que nous serons plus tard, ne nous apparaissent pas d'une manière différente des individus étrangers. C'est dire que notre condition de sujet, a pour conséquence, en fait, non seulement de nous enfermer en nous-même, mais encore dans ce que nous sommes à chaque instant, dans le moment présent. C'est ce qui explique que nous nous trompions si souvent et quasi constamment. C'est ce qui explique que nous soyons ignorants des changements qui se produisent en nous et que nous restions insensibles à la catégorie de temps.

Cette subjectivité, toute psychologique qu'elle soit, n'en constitue pas moins un grand danger pour l'intelligence. En fait les individus qui y échappent sont très rares. Mais il faut bien dire que les aberrations inhérentes à la condition de sujet ne sont pas irrémédiables : nous pouvons les connaître (l'exemple Proust le prouve) et par conséquent les éliminer. Mais aussi et surtout il y a cette conséquence capitale, cet enseignement à tirer de la subjectivité, c'est que notre vie profonde, notre vie véritable est intérieure. Il est impossible de sortir de soi. Mais qu'importe, *puisqu'il ne faut pas sortir de soi !* Et il ne faut pas sortir de soi parce que toutes nos richesses véritables sont en nous-même.

C'est la grande illusion de l'homme de chercher au dehors de lui ce qui, en réalité est en dedans de lui. Illusion fatale, puisque nous ne pouvons pas sortir de nous-même. C'est l'illusion de l'amour par excellence. Le tragique douloureux de cette passion vient, en effet, de ce qu'un instinct mal informé, mais qui sert ainsi les fins de l'espèce, nous fait croire que le bonheur réside dans la conjonction et l'union miraculeuse de deux êtres. Illusion, puisque la nature n'a pas institué l'interpénétration des âmes ! L'illusion de l'amitié est due au même principe. Et d'une manière générale c'est l'aberration commune à tous les hommes que de vouloir assigner à leur bonheur une fin qui leur est extérieure, d'assimiler le bonheur à la possession matérielle. Le jeune Marcel est possédé très fortement par cette illusion : « je n'étais ourieux, je n'étais avide de connaître que ce qui me paraissait plus vrai que moi-même... » (*Sw.*, II, 240) (Et aussi *Sw.*, I, 146). Erreur ! Car, c'est donner trop d'importance aux choses et pas assez à nous-même. Les choses ne sont que l'occasion de nos pensées. C'est ce qui est bien évident, constate Proust, dans l'éducation. L'éducation n'est pas une sorte de transfusion de la sagesse du maître à l'élève. Non ! le maître ne peut qu'inciter l'élève à réfléchir. Il ne peut réfléchir à sa place. L'éducation ne peut être qu'un progrès intérieur. Cette illusion qui consiste à projeter nos rêves dans le monde extérieur, c'est ce qu'on pourrait appeler illusion d'objectivation. Répétons-le, elle n'est pas irrémédiable. Selon Proust il y a place pour une vie spirituelle ici-bas. Pour cela il suffit, au lieu de se tourner vers le dehors, de regarder en soi-même. Notre condition de sujet rend impossible tout bonheur matériel. Qu'importe, puisqu'elle ménage la possibilité d'un bonheur intérieur, personnel et spirituel, précisément parce qu'il est intérieur.

Mais le point le plus original, le plus profond de la psychologie de Marcel Proust, c'est peut-être l'étude de l'intelligence et de son rôle. Et c'est là que *La Recherche* marque un progrès considérable sur *Les Plaisirs et les Jours*. En un sens la possibilité d'une vie spirituelle n'a paru assurée à Proust que du jour où il s'est rendu compte des pouvoirs limités de l'intelligence. Il croyait qu'il fallait tout miser sur elle et que les œuvres de valeur étaient des œuvres « intellectuelles » et « abstraites ». Comme Augustin il a d'abord cru que penser c'est tout vivre. C'est à un assouplissement et à un approfondissement de cette conception un peu rigide de l'intelligence que nous assistons dans « *A la Recherche du Temps perdu* ».

Et voici les conclusions auxquelles il arrive : l'intelligence n'est pas une faculté qui nous permette de construire la vérité *ex-nihilo*. Elle a pour domaine la vérité possible, logique, non la vérité vraie (*T.R.*, II, p. 27). En particulier si fine soit-elle, elle ne peut apercevoir les éléments qui composent notre cœur (*A.D.*, I, p. 8). Et en général ce qui « ...appelle à l'existence » certains événements ou « ...les en exclut », « ...n'est pas forcément de la compétence du génie » : « ...on peut en avoir eu et ne pas avoir cru à l'avenir des chemins de fer, ni des avions, ou, tout en étant grand psychologue, à la fausseté d'une maîtresse ou d'un ami, dont de plus médiocres eussent prévu les trahisons » (98, *A l'.*, I). Il n'y a pas de calcul qui puisse nous faire connaître l'avenir avec une certitude absolue. Les événements sont imprévisibles. Le futur, le fond de notre âme échappant aux prises de notre intelligence, on voit que l'expérience n'est pas inutile. C'est sous les espèces de la douleur, en particulier, qu'elle se présente à Proust pour lui révéler le fond de son cœur. De cette expérience, l'intelligence, il est vrai (Proust ne verse jamais dans l'anti-intellectualisme), extrait des vérités générales, des lois, mais l'expérience doit nécessairement précéder.

Ce n'est pas tout. L'intelligence n'est pas seulement incapable de nous révéler l'ordre de succession des choses, mais encore et surtout les choses en elles-mêmes. Il n'est pas seulement nécessaire d'éprouver la vie pour en connaître les effets et les causes dans leur ordre de succession, en un mot *la loi,* mais il est encore nécessaire de l'éprouver pour la connaître *en elle-même.*

L'intelligence — du moins l'intelligence abstraite — spécule sur des souvenirs qui nous rappellent les événements passés, qui nous rappellent les cadres du passé mais qui ne nous fait pas connaître les événements eux-mêmes. Savoir qu'on a su ou même savoir qu'on sait n'est pas la même chose que savoir : « ...dans le temps où l'on n'aime pas, si l'on prend philosophiquement son parti de ce qu'il y a de contradictoire dans l'amour, c'est que cet amour dont on parle à son aise *on ne l'éprouve pas alors, donc on ne le connaît pas,* la connaissance en ces matières étant intermittente et ne survivant pas à la présence effective du sentiment » (*A l'.*, I, 168).

C'est ainsi que Marcel Proust est amené à distinguer deux grandes catégories de facultés dans notre vie intérieure. Il y a, d'une part, l'intelligence abstraite et avec elle l'habitude et la volonté. Il y a, d'autre part, la vie affective intellectuelle telle qu'elle se révèle dans les intermittences du cœur, les souvenirs

involontaires, les impressions esthétiques, ou bien ces affections
agréables ou douloureuses desquelles nous extrayons des vérités
générales. Entre ces deux genres de facultés il existe une opposition complète. La première, la vie intellectuelle, le mot est pris
ici en un sens presque péjoratif, est une vie superficielle, uniforme, terne. Elle n'a pas de saveur. Proust en a mille fois fait
l'expérience. Elle est taillée dans un tissu homogène et toujours
le même. Enfin elle dérobe à nos yeux un autre genre de vie qui
est la vie éprouvée. Celle-ci, loin de pouvoir être dirigée comme
la première, s'impose à nous et nous porte comme un courant
sans que nous ayons la possibilité de la susciter à volonté. Elle
est la vie intérieure, qualitative, et seule réelle. Elle est pleine
de saveur, elle est source de bonheur. Mais, nous ne la connaissons guère et que par intermittences.

Bergson fait une distinction analogue. La vie profonde, pour
lui aussi, nous est dérobée par tout un travail de l'intelligence.
« Nous nous mouvons, écrit-il dans *Le Rire,* parmi des généralités et des symboles, comme en un champ clos où notre force se
mesure utilement avec d'autres forces ; et fascinés par l'action...
nous vivons dans une zône mitoyenne entre les choses et nous,
extérieurement aux choses, extérieurement à nous-mêmes » (pp.
156-157). Et pour Bergson comme pour Marcel Proust l'objet de
l'art, c'est précisément cette réalité profonde et individuelle.
Certes, la voie par laquelle Proust aboutit à cette conclusion : le
souvenir involontaire, le souvenir affectif pur, est tout à fait nouvelle. Proust lui-même a pris soin de noter que Bergson n'a
jamais distingué le souvenir affectif pur des autres genres de
mémoire. Du reste si Proust emploie l'expression de « Souvenir
involontaire » c'est pour distinguer ce genre de souvenir non seulement de la « mémoire habitude » mais encore du « souvenir »
précis, daté qui peut être volontaire.

Cette essence des choses que l'intelligence ne peut susciter,
c'est elle du moins qui l'éclaire, qui en trouve les équivalents
expressifs. Si la vie est imprévisible elle n'est du moins pas
inintelligible. Proust même ne croit pas qu'à l'égard de l'avenir,
il vaille mieux, en général, se fier à certaines puissances obscures, aux pressentiments, à un « intuitivisme de l'inconscient ».
Outre que ce serait hasardeux, il est nécessaire, dit-il, de commencer toujours par l'intelligence, car il est nécessaire, sans
doute, pour lui, que l'intelligence se rende compte de ce qu'il y
avait de fondé dans nos pressentiments et s'incline devant l'expérience pour pouvoir en tirer parti (14, *A.d.* I). C'est « la foi expé-
rimentale », ajoute-t-il. La fonction de l'intelligence est, en

somme, moins une fonction d'anticipation qu'une fonction de
contrôle et de traduction. Aussi bien, Proust ne s'est nullement
proposé de condamner irrémédiablement l'intelligence, mais de
nous montrer qu'elle ne peut opérer que sur un donné et que ce
donné, c'est notre faculté d'éprouver, non celle de comprendre,
qui peut nous le fournir. En précisant ainsi la fonction véritable
de l'intelligence, Proust donne un sens à la vie ; il la justifie. Il
nous montre, en somme, que même dans un monde de pures intelligences l'existence et la durée ne seraient pas inutiles, car
c'est en elles seulement que ces intelligences pourraient contempler la vérité.

Ainsi l'esthétique de Proust n'aboutit pas à un anti-intellectualisme, mais à un intellectualisme critique ou impressionniste,
comme on voudra le dénommer, qui fait une large place à l'expérience. Par suite le génie, pour Marcel Proust, suppose certaines
puissances d'ordre émotif indispensables, grâce auxquelles l'intelligence se fait concrète. Lorsque cette dernière atteint directement des vérités, comme c'est le cas pour les vérités générales
dont il nous parle et qui abondent dans son œuvre, elle les saisit
dans un acte de l'esprit où elle fait corps avec la sensibilité. La
vérité jaillit d'une certaine profondeur de nous-même. Elle jaillit
d'une bien plus grande profondeur encore dans le souvenir involontaire ou dans les impressions esthétiques. Là encore l'intelligence joue un rôle indispensable quoique plus subordonné en
éclairant ce qui est obscur. C'est dans ces actes de l'esprit, non
dans le raisonnement et l'abstraction, que consiste la vraie intelligence.

*
* *

L'ART ET LA VIE SPIRITUELLE

Il faut enfin noter que Proust emploie un chemin rarement
pratiqué pour accéder à la vie spirituelle. C'est l'expérience artistique, en effet, qui lui permettra de donner un sens à la vie et de
satisfaire le besoin, si grand en lui, d'aller au fond des choses.
Sur la nature de cette expérience nous nous sommes suffisamment
étendu. C'est son côté affectif, et par suite qualitatif, qui est
essentiel. C'est la sensation qui nous permet d'appréhender ce
monde infiniment riche et divers ; mais c'est l'intelligence qui le
comprend, c'est-à-dire qui découvre les éléments expressifs et
les vérités générales qui forment l'œuvre d'art. Comment l'esthétique de Proust peut-elle s'achever en une véritable philosophie :
c'est ce qui reste à expliquer.

Un art qui ne se proposerait, comme l'art classique français (1), que de plaire et d'édifier, mériterait les mépris de ceux qui comme Proust prennent la vie au sérieux, c'est-à-dire qui passent leur existence dans la recherche d'un bien véritable. Considérer l'œuvre d'art comme un passe-temps, une distraction en marge des occupations « sérieuses », l'artiste comme un amuseur, c'est là une erreur universellement répandue, mais que les vrais artistes ne partagent pas ou rarement. Et, quand ils la partagent, leur œuvre et leur vie les contredisent. Proposer à l'art d'« instruire », de fournir des exemples, c'est, comme dans le premier cas, le ravaler au rang de moyen. Pour que l'art puisse suffire à l'activité d'un homme comme Proust, pour qu'une philosophie et une justification de la vie s'en dégagent, *il faut qu'il porte sa fin en lui-même*. Il faut que l'œuvre d'art possède un intérêt en elle-même. Il faut que l'art exprime des vérités d'un ordre particulier. Il faut que l'art soit un mode de connaissance original. Or, c'est bien ainsi que Proust a considéré l'œuvre d'art.

Certes, Proust n'est pas le premier à comprendre l'art de la sorte. Il est dans la ligne baudelairienne et flaubertienne. Mais on n'a pas souvent mis autant de vigueur et de netteté au service de cette conception et jamais on n'en a tiré des conséquences aussi importantes.

Proust en ce qui le concerne, remarquons-le d'abord, a toujours abhorré la mièvrerie ; et les épithètes de « fin » et de « délicat » que certains croyaient devoir appliquer à son œuvre lui déplaisaient souverainement. Mais surtout il a vigoureusement et, par son exemple, victorieusement combattu une théorie que l'on peut appeler selon sa propre expression la théorie « matérialiste » de l'art. « Matérialiste » en effet, parce qu'elle attribue au sujet de l'art une importance excessive et peut-être même exclusive. Cette conception suppose qu'il y a dans la nature des choses belles et des choses laides, que tout n'est pas digne de figurer dans une œuvre d'art et que l'activité de l'artiste consiste, d'abord et même essentiellement, dans une sélection des objets « beaux ». Boileau va jusqu'à nous conseiller lorsque nous rencontrons le hideux ou l'horrible de *l'accommoder* à l'esprit humain. Cette exclusive ou cette tricherie, rien de plus opposé aux idées de Marcel Proust ! Il a toujours paru arbitraire à Proust de considérer qu'il existe dans la nature, des objets beaux ou des objets laids, la matière de l'œuvre d'art lui est indifférente, et,

_____
1) Notons que les réalisations des écrivains classiques sont heureusement bien supérieures à leurs conceptions.

en somme, pour lui, le laid, comme le faux et le mal chez Spinoza, n'est pas de l'être. Ce qui importe seulement à l'artiste c'est d'atteindre l'essentiel en toute chose — l'essentiel qui peut nous être révélé par la réalité la plus médiocre, la moins « esthétique » : « Comme un vent qui s'enfle avec une progression régulière, j'entendais avec joie une automobile (passer) sous la fenêtre. Je sentais son odeur de pétrole. Elle peut sembler regrettable aux délicats qui sont toujours des matérialistes et à qui elle gâte la campagne, et à certains penseurs (matérialistes à leur manière aussi), qui, croyant à l'importance du fait, s'imaginent que l'homme serait plus heureux, capable d'une poésie plus haute, si ses yeux étaient susceptibles de voir plus de couleurs, ses narines de connaître plus de parfums, travestissement philosophique de l'idée naïve de ceux qui croient que la vie était plus belle quand on portait au lieu de l'habit noir, de somptueux costumes. Mais pour moi (de même qu'un arôme, déplaisant en soi peut-être, de naphtaline et de vétiver, m'eût exalté en me rendant la pureté bleue de la mer le jour de mon arrivée à Balbec), cette odeur de pétrole... faisait fleurir maintenant, de chaque côté de moi, bien que je fusse dans ma chambre obscure, les bleuets, les coquelicots et les trèfles incarnat, m'enivrait comme une odeur de campagne, ...une odeur devant quoi fuyaient les routes, changeait l'aspect du sol, accouraient les châteaux, pâlissait le ciel, se décuplaient les forces..., etc... » (282, *Pr.* II). C'est pour la même raison que Proust n'a pas hésité à introduire dans ses œuvres des peintures de l'inversion et du sadisme. Et malgré les objurgations d'amis très chers, il n'en a jamais rien retranché. Cela prouve non seulement qu'il mettait l'art au-dessus de l'amitié, mais surtout l'importance qu'il attache à proscrire de son œuvre le préjugé du laid.

L'art est une manière d'atteindre le fond des choses. Ce sont des vérités — vérités esthétiques — qu'exprime l'artiste. Bergson, lui aussi, fait jouer à l'art un rôle important et même privilégié dans la connaissance philosophique. Mais d'abord Proust n'a pas voulu substituer l'art à tout autre instrument d'investigation. Il y a pour lui d'autres moyens possibles d'atteindre · l'absolu, d'autres formes d'expérience que celle de l'artiste. Et puis surtout pour Marcel Proust l'art n'est pas un moyen imparfait de connaissance comme pour Bergson. Bergson propose à l'art de nous donner une image du monde intérieur, qui est le monde profond pour lui, mais il ajoute aussitôt : « ...aucune image ne rendra tout à fait le sentiment original » que j'ai de moi-même » (7, *Introduction à la Métaphysique*). Bergson signale

comme un « avantage » de l'image, le fait qu'elle nous maintient
dans le concret. Bref, pour Bergson l'art ne peut que suggérer,
que nous placer dans l'attitude convenable pour appréhender le
réel. Elle crée les conditions requises pour recevoir la grâce, mais
la grâce vient d'ailleurs. Rien de tel chez Proust : l'art digne de
ce nom ne suggère pas, il exprime.

Si l'art pour Bergson ne peut pas, en somme, atteindre tout
à fait ce qualitatif, qui est son but, comme il le reconnaît dans
Le Rire notamment, c'est que pour lui la qualité, qui est aussi
l'absolu, ne peut pas véritablement être objet de conscience.
Proust voit dans son « souvenir involontaire » (et dans l'intuition
artistique dont la nature n'est pas essentiellement différente) la
preuve du contraire. Il est certain, remarquons-le, que s'il existe
en nous un moyen d'appréhender le qualitatif, ce moyen ne peut
nous être fourni que par la mémoire. La qualité ne peut se révéler que par une comparaison et une identification (de nature généralement spontanée). Les résonnances, les échos qui forment
notre mémoire rendent psychologiquement possible cette sorte de
perception.

C'est parce que l'art est une manière profonde et originale
de connaître que Proust peut établir en lui la possibilité d'une
vie spirituelle. Le bonheur est, en effet, dans la connaissance
des vérités esthétiques. Proust après avoir écarté toutes les illusions « centrifuges » auxquelles nous convient nos passions,
résout le problème du bonheur en se repliant sur lui-même et en
l'identifiant à celui de la vérité. Il réalise simultanément ses plus
chères aspirations : parvenir à la vérité profonde, atteindre le
bonheur. Du reste, cette solution est celle qui répond le mieux à
ses tendances ; il écarterait aussi bien une vérité qui ne lui pro-
curerait pas de satisfaction qu'un bonheur qui n'aurait pas de fondement. Mais il a craint longtemps que cet accord fût impossible.
Il se faisait, nous l'avons vu, une idée bien fausse de l'intelligence, de sa nature et de ses pouvoirs. Tout son progrès spirituel a consisté, on peut l'affirmer, à donner à l'intelligence véritable, à la vraie vie de l'esprit sa juste place et sa physionomie
exacte. C'est là le sujet, drame intellectuel, qui fait l'unité de
l'œuvre de Proust.

⁎

Cette œuvre, en dépit de sa clarté, et du constant souci d'objectivité d'un écrivain lucide entre tous, a été l'objet d'interprétations opposées et même contradictoires. Tantôt, en effet, on
a dénoncé son intellectualisme, tantôt on a découvert en elle tou-

tes les caractéristiques du mysticisme. Tantôt on a déploré qu'elle ne contînt aucune spiritualité, tantôt on a prétendu découvrir, dans le souvenir involontaire notamment, tous les caractères d'une action sacrée.

Entre ces interprétations il y a place pour une position qui nous paraît seule acceptable.

PROUST ET LE PROBLÈME DE LA SPIRITUALITÉ

Comment certains critiques — et non des moindres — ont-ils pu prétendre qu'on ne discerne pas dans cette œuvre « le moindre frémissement spirituel » (Massis : *Le Drame de Marcel Proust*, p. 45 ; et L. Daudet, « Action Française » du 22 Octobre 1928), qu'elle ne manifeste du début à la fin aucun progrès de cette nature et n'édifie point de hiérarchie de valeurs (R. Fernandez, *Messages*, Chap. VI).

Certes, ces critiques ont, pour le génie de Proust, la considération la plus grande. Ils sont d'accord pour estimer que sa pensée soulève des problèmes philosophiques d'une importance capitale, et que dans son œuvre tout l'homme est engagé. Mais c'est précisément parce que cette œuvre ouvre des perspectives peu communes qu'ils se sentent le droit de faire certaines réserves. Massis explique bien pourquoi : « Notre exigence s'accroit, écrit-il, dans la mesure même où l'entreprise semble plus audacieuse. Proust prétend découvrir le tout de l'homme. De qui se donne une telle fin, on exige qu'il pousse son exploration jusqu'au bout » (1).

Proust précisément n'aurait pas poussé l'entreprise jusqu'au bout. C'est de cela qu'on lui fait grief. Son expérience serait incomplète ; il ne donnerait pas ce tout de l'homme qu'il entend révéler. Il aurait, de ce fait, méconnu la véritable spiritualité.

On prétend en faire la preuve d'une manière positive, en se plaçant sur le terrain même de Proust : la psychologie. On reconnaît la profondeur et l'originalité de cette psychologie ; mais on estime qu'elle offre une grave lacune et que cette lacune est imputable à la méthode de Proust.

Proust aurait négligé ce que Ramon Fernandez appelle « l'intermédiaire synthétique du sentiment ». Marie-Anne Cochet fait

---

1) *Ibid.*, 184. Paul Souday estimait cependant que Proust n'est rien moins que philosophe ! Mais le critique du *Temps* s'est ridiculisé à jamais par des articles prudhommesques, qu'il a, d'ailleurs, pris soin de rassembler en volume.

remarquer de son côté que « ...la réflexion proustienne oscille sans fin entre la sensation et l'intelligence, impuissante à engendrer le terme humain du sentiment, où la sensation est pénétrée par la pensée et la pensée par la vie ». Et elle ajoute : « Sensualité et intellectualité demeurent ainsi séparées et stériles, ne se joignant que pour se contredire, se combattre, et, au terme extrême s'annihiler » (*L'âme proustienne,* 176-177). Ces réflexions rappellent certaines opinions sur la psychologie de l'amour que nous avons discutées plus haut. On accusait Proust d'avoir méconnu l'amour et de n'avoir peint en réalité que le plaisir. Elles rejoignent aussi curieusement une réflexion de Lady Chatterley, l'héroïne de Lawrence, sur Proust : « Il n'a pas de sentiments, il n'a que des flots de paroles à propos de sentiments » (*L'Amant de Lady Chatterley,* 274).

Mais veut-on réellement signifier que Proust n'a pas peint le sentiment ? Cette extravagante assertion ne saurait être soutenue sérieusement. Ramon Fernandez, dans un article de 1929, c'est-à-dire postérieur de quelques années à ses *Messages,* n'écrivait-il pas lui-même que Proust est le « classique moderne » qui nous a « appris » le sentiment ; n'insiste-t-il pas même sur cette idée qu'il est sans doute « l'esprit de notre temps le plus complètement envahi par le sentiment » (N.R.F. Janvier 1929, 43 et 49). Ce que l'on veut dire en réalité, c'est que Proust n'a pas donné du sentiment une peinture satisfaisante. Il ne l'a pas décrit *comme* on désirait qu'il fût décrit. Il ne lui a pas attribué *la valeur* qui doit lui être accordée. Et c'est Ramon Fernandez qui précise le mieux le grief, en montrant que Proust a méconnu le rôle *synthétique* que joue, que doit jouer si l'on veut s'élever dans l'échelle de la spiritualité, ce rouage psychologique.

Ainsi, l'on impute à crime le cas insuffisant que Proust fait du sentiment. Et le fait est que Proust a dégonflé nombre de nos illusions sentimentales tant à propos de l'amour que de l'amitié notamment.

Précisément on reste un peu confondu de voir certains esprits, nullement médiocres, tant s'en faut ! mettre leur espoir d'une spiritualité supérieure dans un phénomène psychologique aussi trouble que le sentiment. Il est vrai que telle était déjà la position d'un Pascal. Ce que l'on demande au sentiment ce sont des lumières, des grâces particulières ; c'est surtout de réaliser en soi une unité réconfortante. C'est cela le rôle synthétique du sentiment. Nous savons que le sentiment réalise à trop bon compte, dans la plupart des cas, une telle unité ! Quelle peut être la valeur d'une unité obtenue par certaines passions domina-

trices ? Peut-on vraiment faire fond sur elles pour atteindre à la
spiritualité ? Assurément, c'est à des sentiments d'une qualité particulière seulement que des esprits supérieurs accepteront de faire
appel. En existe-t-il ? Lesquels ? Le sentiment religieux ? Proust
n'en parle pas. L'amour ? Il en démontre le caractère illusoire.
De tels sentiments en tout cas doivent être fortement pénétrés
d'intellectualité et l'on peut se demander légitimement si cette
intellectualité n'en fait pas seule tout le prix. Et s'il en est ainsi,
comme il semble bien, pourquoi alors ne pas se fier plutôt à l'intelligence pure ? Mais précisément nos mystiques ne veulent pas
entendre parler de l'intelligence, et leur principal grief contre
Proust est qu'il se soit trop exclusivement abandonné à elle.

Il est assez curieux, en effet, le reproche adressé par ces
critiques à Proust d'avoir entièrement « cérébralisé » ses preuves,
de les avoir transposées « en aventure de la connaissance », bref
d'avoir tout sublimé en équivalents intellectuels (*Massis, 46-47*).
Cette faute, si c'en est une, est imputable à sa méthode. La
méthode de Proust, c'est l'analyse. C'est une impitoyable analyse. Proust ne se fie qu'à ses impressions et à son intelligence.
C'est un positiviste, un impressionniste et un intellectuelliste.
Cette méthode l'a conduit à voir partout de la discontinuité. La
profondeur de son analyse est incontestable. Son tort est de s'en
tenir à cette analyse : « Ce n'est pas d'aller si profond dans la
connaissance de la nature humaine, c'est de *s'arrêter* que nous
lui faisons grief, c'est de n'avoir pas poussé au delà de ce point
où tout est divisé, ponctué à l'état de parcelles, de n'avoir pas
pénétré jusqu'à ce dernier retrait où les intervalles s'abolissent,
où tout se recompose, et où gît la personnalité » (*Ibid.* 180).
C'est ainsi que l'âme semble absente et comme retirée de son
œuvre : on ne sent plus que tout l'homme y est engagé » (47).

Nous en revenons donc toujours au même grief : Proust a
méconnu la possibilité d'une reprise de l'individu par lui-même,
dans une synthèse où il se retrouve. Jacques Rivière, d'une manière analogue, reproche à Proust d'éliminer de la vie psychique
tout facteur dynamique : passion ou volonté (*Quelques Progrès..,*
80-81). Bref, Proust par ses manœuvres de désintégration aurait
détruit la personnalité.

Cette interprétation est cependant loin de correspondre à la
réalité. S'il est vrai que Proust a manifesté un talent d'analyste
presque inouï, il n'en est pas moins inexact de prétendre qu'il est
incapable d'un effort constructeur et qu'il reste au seuil de la
spiritualité. On commet un contresens presque impardonnable en

le niant. Le mouvement vers un mode supérieur de vie est marqué dans son œuvre d'une façon presque pathétique.

Et s'il insiste longuement sur le temps perdu, il ne faut pas
oublier que tout son livre est orienté vers le temps retrouvé qui
lui donne son véritable sens et qui constitue sa fin essentielle. La
synthèse de son moi, il la réalise lui aussi — et d'une façon qui
nous semble fort efficace. Seulement il la demande à une autorité
dans laquelle ses contradicteurs n'ont pas confiance. Cette autorité
c'est l'intelligence. C'est dans les manifestations les plus hautes
de l'expression, dans l'art, que Proust découvre la spiritualité.
C'est à la connaissance seulement, qu'il accorde la vertu de réaliser en nous une véritable synthèse. La personnalité pour lui est
la fleur de l'intelligence, l'individu qui se réalise en se comprenant (1).

On pourrait peut-être reprocher aux contradicteurs de Proust
de réaliser, eux, la personnalité à meilleur compte, à trop bon
compte. Il semble qu'ils la postulent à chaque instant, dans
chaque repli de l'âme, dans l'arbitraire des moindres décisions,
alors que Proust ne nous la laisse entrevoir qu'au terme d'un
long effort. Elle est la résultante pour eux d'une pure impulsion,
d'un raidissement qui puise ses forces dans le sol impur de la
sentimentalité. On ne peut s'empêcher de remarquer que la sen-
suelle Lady Chatterley est dans leur camp, et que mysticité et
sensualité ne sont, comme bien des exemples le prouvent, nullement incompatibles.

Mais on ne saurait demander sérieusement à une simple
impulsion, qu'elle soit sentiment ou *fiat* de la volonté, de réaliser
en nous un véritable progrès. Il n'est de progrès véritable que
d'ordre intellectuel. Le sentiment ne réalise qu'une unité qui
s'ignore et qui a besoin d'ignorance pour subsister. Le fiat de la
volonté est un geste, ce n'est pas un acte. Seul l'esprit connais-
sant est acte, car il a seul pouvoir de nous enrichir.

Finalement nous aboutissons à une opposition de métaphysiques. La critique qui a été adressée à Proust n'est psychologique
qu'en apparence. « Ce n'est pas un procès littéraire, remarque

---

1) Quand on lit l'article de janvier 1929 écrit par Fernandez et
déjà cité par nous, on a l'impression que celui-ci a changé de point
de vue : « Ce qui a distingué Proust des impressionnistes, écrit-il
excellemment, c'est avant tout la tendance à être, à persévérer dans
son être, à s'achever par l'appel au jugement » (49). C'est bien aussi
ce qui fait la profondeur, la spiritualité de Proust. Mais dans son
travail d'ensemble sur Proust (*Proust* N.R.C.-1943), si profond à
beaucoup de points de vue, Fernandez revient à peu près à son
point de vue primitif.

Edmond Jaloux, que Monsieur Henri Massis intente à l'auteur de *Du côté de chez Swann ;* ce n'est pas un procès psychologique : c'est un procès dogmatique » (*Nouvelles Littéraires* des 12 et 19 Février 1938).

Ce dogme est une métaphysique qui accorde à l'individu la possibilité de choisir arbitrairement son destin. Fidéisme ou pragmatisme (Fernandez invoque Newmann et sa *Grammaire de l'Assentiment* et il a écrit, « Au Sans Pareil », en 1928, une étude nettement pragmatique sur la personnalité), cette philosophie est complaisance aux désirs de l'individu, à ses aspirations, à son affectivité. Elle fait intervenir ces désirs, ces aspirations, cette affectivité comme des facteurs décisifs dans les opérations les plus hautes de la connaisance. L'arbitraire de cette position est précisément dans cet abandon à des forces qu'on n'a pas identifiées, dans cette confiance à l'égard d'impulsions obscures dont on croit les effets légitimes parce qu'ils paraissent salutaires.

Si les contradicteurs de Proust n'ont pas aperçu la spiritualité dans l'œuvre de Proust, c'est que leur optique personnelle ne leur permettait pas de l'apercevoir. Pour une philosophie qui se nourrit de mystère — et le monde lui fournit à profusion cet aliment — une philosophie qui n'aspire qu'à la lucidité paraîtra toujours hostile et vide.

En tout cas, on a singulièrement limité la valeur du reproche de manquer de spiritualité adressé à l'œuvre de Proust, à partir du moment où l'on a reconnu que ce mot est pris dans un sens restreint puisqu'il se réfère à une philosophie particulière dont les prétentions à monopoliser le spirituel sont rien de moins que contestables.

Mais les philosophes et critiques que nous venons d'étudier (1) donnent à leurs arguments contre Proust, une autre forme

---

1) Il faut leur adjoindre les jeunes catholiques de l'Hommage publié aux éditions du Capitole : Gérard de Catalogne, R. Fernandat, Pierre Godmé, etc... Il faut cependant faire une exception pour Jacques Rivière qui combat résolument le moralisme en littérature. Dans un fort intéressant débat avec M. Ramon Fernandez sur ce sujet, il disait « Je prétends que l'indifférence de Racine à la morale lui a permis et pouvait seule lui permettre, de saisir l'âme dans sa plus obscure, mais sa plus réelle spontanéité » (J. Rivière et R. Fernandez; *Moralisme et Littérature,* 1932, p. 38). Jacques Rivière fait justement remarquer que son contradicteur soutient sa théorie de façon fort habile. Il ne prêche pas en faveur d'une littérature édifiante. Il prétend seulement qu'une œuvre romanesque qui ne tient pas compte du fait moral est nécessairement incomplète. C'est du reste aussi ce que disent Massis et Mauriac. Cependant Jacques Rivière fait des concessions à ses adversaires. Il concède tant que parfois il paraît d'accord avec eux. Il a beau prétendre rester sur le plan psychologique, il glisse insensiblement sur un autre plan, métaphysique

qu'il nous faut examiner maintenant. C'est sur le plan de l'éthique
qu'ils vont se placer, en reprochant à Proust son amoralisme.

Massis l'accuse d'avoir « supprimé la dimension morale », et
François Mauriac, examinant son œuvre, remarque que « …la
conscience humaine en est absente ». « Aucun des êtres qui la
peuplent, ajoute-t-il, ne connaît l'inquiétude morale, ni le scrupule, ni le remords, ni ne désire la perfection »...... Il est vrai
que Proust ne flatte pas ses portraits. Cependant M. François
Mauriac se trompe grossièrement. Il oublie que le héros principal
du livre, Marcel, non seulement est une âme délicate (ce n'est
pas la seule, on peut citer aussi : Swann, Robert de Saint-Loup
et le baron de Charlus dont les défauts ne doivent pas faire
oublier la bonté), tourmentée parfois même par des remords
excessifs (comme celui de n'avoir pas assez aimé sa grand'mère),
mais que toute sa vie est tendue vers la perfection, à tel point
que l'histoire de ses progrès ou de ses déconvenues est le sujet
véritable de son livre. Ce n'est pas un argument non plus que de
dire que les « purs » chez Proust quand on en rencontre (comme
la mère, la grand'mère) « le sont à leur insu »....... Autant prétendre que la vertu naturelle n'est pas de la vertu. Mais il faut
croire que M. Mauriac n'entend pas la même chose que Proust
par perfection. Pour lui, comme pour M. Massis, la perfection,
en effet, ne saurait être d'ordre purement intellectuel. M. Massis
prête à Proust sa propre façon de voir, sa propre appréhension,
quand il écrit de ce dernier : « Il entendait qu'on sût dans quel
enfer il avait perdu sa vie, n'ayant pas eu l'énergie d'en sortir,
et n'ayant pu que s'évader dans une sorte de paradis imaginaire
que l'art lui révéla au terme de ses souffrances, et dont il fit un
remplacement de la réalité ». Non seulement, en effet, Massis
attribue à Proust des scrupules qu'il n'aurait pas dû éprouver
étant donné l'amoralisme dont par ailleurs on l'accuse, mais il
commet un contre-sens total sur le rôle que celui-ci assigna à l'art
dans sa vie. L'auteur de *La Recherche* à aucun moment, n'a
considéré l'art comme un « paradis imaginaire », et ne l'a jamais
chargé de remplacer la réalité pour lui ! Tout au contraire l'art
est un paradis réel, et il est la réalité même : c'est l'enseignement le plus important que Proust se soit proposé de donner par

---

ou moral, lorsqu'il écrit par exemple : « La grande insuffisance de
Proust, c'est d'avoir ignoré, ou nié, tout ce qu'un être vivant, du
fait qu'il vit, fait sans cesse pour se construire, ou pour se rejoindre » (152).

son œuvre. Avec quels yeux Massis a-t-il vu Proust, pour pouvoir
prétendre, par ailleurs, que ce dernier ne connaît guère d'autres
lois psychologiques que celles qui ont trait à la sexualité (p. 174).

De son côté, Marie-Anne Cochet prétend discerner les manifestations (surtout inconscientes, semble-t-il) de troubles moraux
chez Marcel Proust. Son œuvre serait avant tout l'expression,
souvent déguisée, de ses remords et de ses préoccupations
sexuelles. Cependant, Marie-Anne Cochet admet qu'il s'est véritablement racheté par cette œuvre où sa vie se trouve confessée.
— Cette interprétation est quasi freudienne — et c'est ainsi d'ailleurs que la qualifie D. W. Alden. On peut lui opposer que
Proust nous apparaît comme un génie très sain, ou racheté, si l'on
veut, sinon par le rite d'une confession, du moins par sa lucidité.
D'ailleurs, la vue que M.-A. Cochet a prise de Proust semble,
comme celle de Massis, faussée par certain postulat de la perception quand elle soutient que Proust n'aurait décrit dans son œuvre
« ...qu'un monde bien spécial déjà disparu... » (p. 103), et que
Le Temps Retrouvé est un essai de théorie « sans force et sans
unité » (160) ! ! !

En fait, les objections de Cochet, Massis et Mauriac sur le
terrain moral, révèlent que Proust et eux ne mettent pas la moralité dans les mêmes choses. Elle semble issue pour eux de puissances extérieures à l'homme, dans l'obéissance à des règles
transcendantes qu'on ne discute pas, et pour tout dire de la grâce
divine. Elle est pour Marcel Proust tout entière dans l'homme,
résultat d'un progrès intellectuel. Les êtres moraux par excellence
chez lui sont ceux qui ont réalisé quelque grande œuvre qui les
dépasse, ceux qui ont réussi (Bergotte, Elstir, Vinteuil), quelques
moments au moins dans leur vie, à atteindre le monde supérieur
de l'intelligence, le seul qui soit pur pour lui. Le désaccord est
profond.

Ce que les contradicteurs de Proust, au fond, ne sauraient
accepter, c'est le postulat qui est évident pour lui, à savoir que
toute la lumière, toute la moralité, vient de l'esprit. Et dans l'in-
flexible position intellectuelle de Proust comme dans ses analyses
térébrantes de nos illusions, des piperies de nos désirs, ceux-ci
perçoivent avec une sorte d'inquiétude quelque chose qui est la
désagrégation de toutes leurs espérances, de tous leurs échaffau-
dages moraux.

***

Cependant l'œuvre de Proust a donné lieu, toujours du même
point de vue, à une opération différente et plus subtile. On a

essayé, en effet, d'intégrer Proust, au moins partiellement, à cette conception de la spiritualité qui n'est pas sienne. Il y avait sans doute en cela quelque chose de contradictoire. Mais se donner Proust pour allié devait paraître séduisant à des critiques qui n'en méconnaissaient pas le génie. Reconnaissons aussi que rien n'était plus naturel. L'examen de cette tentative servira de transition entre l'étude de ceux qui reprochent à Proust de manquer de « spiritualité » et celle de ceux qui prétendent faire de lui un mystique. Ce sont les philosophes Ramon Fernandez et Gabriel Marcel qui en sont les auteurs. Tous deux ont exploité pour cela la distinction faite par Proust entre l'essence et le général. Ramon Fernandez dans un important article de 1928 sur l'esthétique de Proust commence par remarquer qu'il existe « ...une différence de hauteur et d'*épaisseur spirituelle* incontestable entre les pages sur le septuor de Vinteuil, où Proust s'élève jusqu'à une transcendance esthétique absolument pure, et ses réflexions sur les sentiments, où il reconnaît plus de réalité à la généralité abstraite de la loi qu'à l'expression individuelle et dramatique des sentiments » (*Note sur l'esthétique de Proust,* N.R.F. du 1-8-28, p. 274). Il faut reconnaître que les passages poétiques de l'œuvre de Proust, les impressions musicales en particulier ne provoquent pas en nous le même état d'âme, que la découverte des vérités d'ordre général et psychologique. Ayant fait cette légitime distinction, Fernandez se croit alors autorisé à opposer Proust, qui reçoit la révélation de l'intemporel dans ces essences, aux sages, à Platon en particulier, qui la doivent, à la contemplation de l'intelligible. « Pas un seul instant, affirme-t-il, Proust ne voit lui-même dans ce miracle une révélation de connaissance : il y voit seulement une révélation d'expression ». Il ajoute : « La révélation de l'art est pour Proust la révélation du salut possible ; mais ce salut demeure strictement esthétique et ne s'étend jamais au-delà des bornes de l'expression » (276-277).

Nous reviendrons plus loin sur les rapports qui existent entre l'expérience proustienne et celle des philosophes, et nous verrons si elles diffèrent autant que le prétend M. Fernandez. D'ores et déjà, remarquons qu'il n'est pas permis d'exclure de l'expérience proustienne les vérités générales. Et si la transcendance platonicienne ne semble pas, en effet, s'appliquer aux essences de Proust du moins s'accorde-t-elle parfaitement avec les vérités générales. C'est à propos de ces dernières surtout que l'on peut parler du platonisme de Proust (1).

---

1) Et pourtant ce sont les passages les plus poétiques de Proust qui en ont suggéré l'idée à Curtius.

Ensuite, nous ne croyons pas qu'il soit exact de soutenir que Proust ne voit pas dans le souvenir involontaire, les impressions esthétiques, et, d'une manière générale la poésie, une révélation de connaissance. C'est bien en équivalents d'intelligence que Proust s'efforce de transformer ses impressions. C'est un plaisir de connaissance que l'expression apporte à Proust — d'un genre de connaissance original, et dont il nous décrit lui-même les caractères spécifiques. On diminue arbitrairement la portée de l'œuvre en prétendant que la révélation du salut qu'elle nous apporte demeure « strictement esthétique ».

Au surplus Fernandez ne se contredit-il pas lui-même lorsqu'il tente de nous montrer comment Proust concilie les essences avec les vérités psychologiques générales, comment il a jeté un pont entre « la littérature d'expression » et « la littérature de connaissance » (1), et comment même peut-être ce sont les vérités générales seules qui constituent la réalité pour lui. Enfin dans une note (p. 279) il cite les pages de Proust sur la lecture au jardin : « La trouvaille du romancier a été d'avoir l'idée de remplacer ces parties impénétrables de l'âme par une quantité égale de parties immatérielles, c'est-à-dire que l'âme peut s'assimiler », et il fait très justement remarquer que la spiritualisation du réel par l'imagination mène « ...ici comme dans toutes les branches du savoir, à la connaissance ».

Rappelons qu'avant cet article sur l'esthétique, dans ses *Messages,* Ramon Fernandez avait déjà cru découvrir dans un autre phénomène décrit par Proust, mais non sans analogie avec les impressions poétiques, l'intermittence du cœur, la possibilité de réaliser cette unité synthétique à laquelle il tient tant. Dans son *Proust* récent (1943) Fernandez soutient à nouveau la même thèse dans les mêmes termes. Proust concluait de l'intermittence, c'est-à-dire de la réapparition en nous d'états antérieurs sous une forme émotive et concrète, à la multiplicité des « moi ». Fernandez prétend que Proust tire à tort une telle conclusion de ce phénomène psychologique : « ...ce brusque renversement des valeurs, cette vision et cette épreuve si inattendues de la réalité, ce passage sans transition de l'idée purement abstraite d'un être à l'ébranlement provoqué par sa miraculeuse « présence », n'impliquent nul-

---

1) Voici la phrase de Fernandez : « La grande originalité de Proust et le grand intérêt esthétique de son œuvre viennent de ce qu'il ne s'est pas contenté, comme les symbolistes, d'un monde et d'un langage qui fussent la projection de sa vie intérieure. Par son travail de romancier, de psychologue, de moraliste, il a jeté un pont entre la littérature d'expression et la littérature de connaissance » (273-274).

lement la dissociation de la personnalité que Proust en déduit. Il
s'agit là, au contraire, d'une étape normale du progrès spirituel
vers plus de consistance et d'unité, ce progrès consistant essentiellement — comme Newmann l'a établi en termes définitifs — à
passer de la compréhension *intellectuelle* à la compréhension
réelle d'une chose, d'un sentiment, d'un acte » (*Proust,* p. 78).
On pourrait trouver exorbitant que Fernandez prétende tirer du
phénomène en question une conclusion diamétralement opposée
à celle qu'en déduit celui qui l'a découvert. Il paraît paradoxal de
prétendre que pour renforcer l'unité de sa personne morale Proust
aurait pu se servir d'une expérience qui lui fournit en fait la
preuve de la multiplicité de cette personne. Mais faisons-nous
docile et acceptons de suivre Fernandez ! Comment tirer du sèntim-
ment concret de la vie un moyen de se faire une personnalité, car
c'est de cela qu'il s'agit pour Fernandez ? On ne voit pas très
bien, sinon qu'il faut essayer de maintenir l'état ainsi créé, de
s'amarrer à lui et d'introduire en soi la stabilité tant recherchée.
Cette attitude ressemble un peu à celle de quelqu'un qui ayant
découvert un trésor le cacherait soigneusement dans sa demeure
et ne le quitterait plus. Fernandez, du moins, nous incite à nous
contenter du sentiment que l'état psychologique qui nous a été
découvert est un état particulièrement précieux du fait qu'il entre-
tient en nous une tension agréable de l'être. Il y a quelque chose
de fétichiste dans une telle attitude. Elle ne saurait nous satisfaire. Nous ne saurions nous satisfaire du sentiment de posséder
un trésor. Et c'est Proust précisément qui va nous sortir d'em-
barras. Car Proust s'est expressément proposé d'exploiter ces
états concrets, et non seulement les intermittences du cœur, mais
encore et surtout les souvenirs involontaires et les impressions
esthétiques, bref tous les états concrets. Mais il les exploite non
comme des puissances mystiques dont les vertus nous seraient à
la fois sensibles et étrangères, mais comme des connaissances
confuses qu'il s'agit d'élucider, comme une expérience précieuse
parce qu'elle donne le goût *réel* de la vie. C'est intellectuellement
que Proust exploite les intermittences du cœur. Il n'y parvient
qu'une fois le temps retrouvé, mais il en a le pressentiment dès
le jour où le souvenir réel de sa grand'mère lui est donné dans le
fameux chapitre des intermittences du cœur : « Cette impression
douloureuse et actuellement incompréhensible, je savais, dit-il,
non pas certes si j'en dégagerais un peu de vérité un jour, mais
que si ce peu de vérité je pouvais jamais l'extraire, ce ne pourrait
être que d'elle, si particulière, si spontanée... » (*Sod.*, II, 1.)
Nous en revenons aux constatations faites plus haut. Proust atteint

la vie spirituelle, il accède à un mode de vie supérieur par la connaissance. Il est curieux que Ramon Fernandez ne tienne pas pour valable cette façon de se réaliser et ce genre d'effort.

La tentative de Gabriel Marcel quoique orientée dans le même sens que celle de M. Fernandez ne lui est pas toujours rigoureusement parallèle. Gabriel Marcel est moins sûr que Fernandez qu'une conciliation soit possible chez Proust entre les essences et les vérités générales : « *Tantôt, observe-t-il, il semble s'en tenir à une sorte d'expérience immédiate et sentie de l'universel ou même de l'intelligible, tantôt il paraît souscrire à une formule proprement intellectualiste* (1), *à l'idée d'un salut possible par l'intelligence de l'universel, et il est alors aussi près que possible sinon du spinozisme historique, du moins de l'interprétation courante qui en a été donnée au XIX*e *siècle* ». (*Correspondance de l'Union pour la Vérité,* Mars-Avril 1929, p. 83). Pour G. Marcel, la pensée de Proust semble se développer suivant « deux dimensions différentes », « dont l'une, la profondeur, est une dimension de l'être ; l'autre, l'universalité, une dimension du connaître » (83).

C'est la première qui a les préférences de M. Gabriel Marcel. Il la retrouve surtout dans les premières œuvres de Proust : celles qui sont, comme le remarque Feuillerat, les plus poétiques. « Au départ de la *Recherche du Temps Perdu,* dit G. Marcel, l'œuvre m'apparaît comme entourée *d'une frange de spiritualité* (2) particulièrement perceptible dans *Combray* et dans certaines parties de *Guermantes.* Mais cette frange tend sans cesse à se réduire à mesure que l'œuvre progresse ; tout se passe comme si l'univers proustien ne cessait de se durcir et de se cerner, d'où l'impression pénible qui se dégage de la *Prisonnière* et d'*Albertine disparue.* Plus cet univers se révèle déformé, et plus il se présente par un paradoxe inouï, comme l'univers humain en général. Ici c'est le fatal pouvoir de généralisation de Proust qui entre en jeu. Oui, il y a là, je crois une pente sur laquelle il était condamné à glisser en raison de ce qui subsiste chez lui de rationalisme foncier. Il ne me paraît pas avoir compris que sa conception propre de la profondeur l'orientait par delà ce rationalisme vers une philosophie tout autre ».

Qu'il y ait quelque chose de fondé dans l'impression de G. Marcel, c'est ce qui est incontestable : les œuvres qui compo-

---

1) On ne voit pas pourquoi alors, un peu plus haut (p. 79) G. Marcel ne croit pas qu'il soit possible d'interpréter « l'expérience » de Proust en un sens intellectualiste. Mais par « expérience » G. Marcel semble alors entendre le souvenir involontaire.

2) C'est nous qui soulignons.

sent la fin de *La Recherche* ne présentent pas les mêmes caractères que celles du commencement. Nous l'avons déjà noté plus
haut, il y a davantage de poésie dans les œuvres du début, et
elles ont, du reste, aussi été travaillées davantage. Les dernières,
Le Temps Retrouvé mis à part, sont plus introspectives et le
monde extérieur y joue un rôle moins grand.

On voit aussi que G. Marcel, comme R. Fernandez, découvre un caractère de spiritualité aux œuvres les plus poétiques de
Proust. Sans doute, il y a effectivement beaucoup de spiritualité
dans ces œuvres. Mais peut-on contester qu'il y en ait aussi beaucoup, encore qu'elle ne soit pas la même, dans *La Prisonnière* et
dans *Albertine disparue,* dans celles où entre en jeu ce pouvoir
de généralisation que G. Marcel qualifie, on ne sait pourquoi, de
« fatal », où Proust nous peint un univers que G. Marcel juge
« déformé » mais dont il est forcé d'avouer qu'il se présente
cependant « comme l'univers humain en général ». Pourquoi
refuser la profondeur à l'universalité, au connaître, et pour tout
dire au rationalisme auquel M. G. Marcel en a surtout au fond.

L'idéal philosophique de G. Marcel, comme celui de R. Fernandez, n'est pas, en effet, purement intellectuel. Il le prouve
quand il reproche à Proust de s'en tenir à une « ontologie subjective » qui lui interdit de communiquer *réellement* dans l'amour et
l'amitié en particulier, avec les autres. Cette communication
réelle dont le caractère illusoire est mis en évidence dans *Un
amour de Swann* et *Albertine disparue,* ne saurait être postulée
que par une philosophie matérialiste ou une philosophie de
l'action — ce qui est tout comme, pour Marcel Proust. Cela ne
signifie pas que G. Marcel qui regrette la « *carence religieuse* »
de Proust, soit matérialiste d'intention, mais que le pragmatisme
et les philosophies de l'action en général, peuvent être considé-
rées comme un matérialisme qui s'ignore (1).

---

1) Gabriel Marcel n'était pas connu comme « existentialiste »
lorsque nous écrivions ces lignes, et l'existentialisme ne s'était pas
manifesté avec l'éclat que nous lui connaissons aujourd'hui. Mais
les tenants de cette philosophie s'inscrivent contre Proust dans la
ligne des penseurs que nous venons d'examiner. Jean-Paul Sartre
loue vivement le phénoménologue Husserl d'avoir prétendu que
certains sentiments sont des modes de connaissance non seulement
l'amour, mais la haine, l'angoisse, la crainte, et ainsi d'avoir
« réinstallé l'horreur et le charme dans les choses ». L'amour, en
particulier, n'est plus, pour Sartre, une illusion subjective. « Nous
voilà délivrés de Proust ! », conclut-il.

PROUST ET LE MYSTICISME

Si l'on peut estimer que le point de vue de Fernandez, Massis, Mauriac, Gabriel Marcel et de Marie-Anne Cochet est contestable, on ne saurait toutefois leur reprocher en général de manquer de clairvoyance. Ils ne méconnaissent pas la vraie nature du génie de Proust, s'ils font des réserves sur sa valeur. Du reste Fernandez, Massis, Mauriac, Marcel, Rivière ont écrit sur Proust, par ailleurs, des pages d'une rare profondeur, et leur talent de critique n'est pas en question ici, pas plus que celui de Marie-Anne Cochet. On n'en saurait toujours dire autant de ceux qui ont vu en ce dernier un mystique. Après tout ce qu'ont écrit les critiques que nous venons d'étudier, on peut s'étonner qu'Ernest Seillière et Arnaud Dandieu (*Marcel Proust*, par Ernest Seillière, N.R.C., 1931 — *Marcel Proust, sa révélation psychologique,* par Arnaud Dandieu, Firmin Didot, 1930), par exemple, aient cru pouvoir faire du mysticisme un trait caractéristique du génie de Proust. Et pour réfuter ces derniers, il nous suffirait, du reste, de leur opposer les arguments de Fernandez, Massis, Mauriac, M.-A. Cochet et Marcel.

Cependant il est nécessaire de noter que Seillière emploie le mot mysticisme dans un sens fort général, tellement général que le mot perd de sa vertu à force de généralité. Seillière qualifie, en effet, de mystiques toutes les croyances irrationnelles. Mais c'est surtout la passion qui est mystique, le fait de s'abandonner aux passions et de les glorifier. C'est un mysticisme de ce genre que Seillière a cru découvrir en Proust. Et comme celui-ci a peint, non sans hardiesse, l'homosexualité, il qualifie ce mysticisme de « mysticisme passionnel enhardi ». De son côté, pour Arnaud Dandieu le « signe authentique » de Proust est « le signe *affectif* ». « La primauté de l'affectif, écrit-il, est sous-entendue au départ de *la Recherche du Temps Perdu* » (13). Et selon lui Proust aurait donné à la réalité « un caractère irrationnel ». On ne peut pas prendre plus nettement le contre-pied de la thèse de Massis.

Sans doute Seillière et Dandieu ont été frappés par l'importance de l'élément affectif dans l'œuvre de Proust. Cet élément constitue la matière même de cette œuvre, et, certes, nulle sensibilité n'est plus grande que celle de l'auteur de *La Recherche*. Mais c'est commettre un grossier contre-sens que de croire que Proust s'abandonne à sa sensibilité. Il n'y a pas de primauté de

l'affectif dans son œuvre (1) et encore moins de mysticisme passionnel, car s'il est vrai que Proust a toujours éprouvé pleinement et délibérément ses sensations (et c'est cela qui a trompé
ses deux commentateurs), il n'est pas moins juste non plus d'affirmer qu'il les a toujours dominées par l'esprit, qu'il a toujours,
comme le lui reproche Massis, « cérébralisé » ses expériences, et
qu'il ne se contente pas de jouissances qui ne satisfont pas également son intelligence.

Ce contre-sens initial en a entraîné d'autres. Le principal
concerne le souvenir involontaire et consiste à assimiler ce phénomène de mémoire parfaitement normal quoique rare — rare surtout parce que nous ne prêtons guère attention à notre vie intérieure — à l'extase mystique. Ces souvenirs involontaires paraissent assez suspects à Seillière (voir p. 281-282 de son livre). Ils
le seraient effectivement s'ils avaient été le fruit d'un « mysticisme esthétique », comme il le croit, ou « le don d'une divinité
alliée ». Mais dans le souvenir involontaire aussi bien que dans
l'impression esthétique, Proust n'a vu qu'une expérience, un phénomène de sensibilité, d'affectivité, comme tous les artistes en
éprouvent inconsciemment, ou du moins sans en connaître l'origine. Sa description a pour lui une valeur générale. C'est la psychologie de l'activité esthétique qu'il prétend nous révéler et il
était certainement bien loin de voir comme Seillière dans le souvenir involontaire « un mythe de nourriture suprasensible qui rappelle l'Eucharistie » (2). — Arnaud Dandieu s'égare bien davantage. Pour lui non seulement l'évocation du souvenir est analogue
à une extase et la réminiscence au sentiment mystique de la présence, mais la métaphore proustienne issue de cette réminiscence
est assimilée à « une véritable action sacrée » analogue à la communion (3) ! Arnaud Dandieu veut même lui voir une parenté
« manifeste » avec ce que M. Lévy-Bruhl appela *participation*
chez les primitifs. Mais quel rapport peut-il y avoir entre un phénomène de superstition reposant sur une association purement
contiguë (par exemple la barbe du missionnaire et la pluie, ou la
mort de la fille du roi) et une opération intellectuelle où entrent

---

1) On a abusé des « primautés » à propos de Proust. M. Ch.
Blondel parle d'une primauté de la mémoire et de l'affectif, M. Sibyl
de Souza d'une primauté de la mémoire. Proust par sa complexité
échappe à une schématisation de ce genre.

2) P. 281. Bien entendu certaines comparaisons de Proust peuvent tromper si on ne comprend pas qu'il s'agit de comparaisons.

3) Chap. III. Voici comment Arnaud Dandieu définit la métaphore : « ...juxtaposition dans l'affectif d'une sensation présente et
d'une sensation passée, l'une participant mystiquement de l'autre ».
(122).

en jeu les puissances les plus affinées de l'intelligence et de la
sensibilité, le sens de certains rapports subtils, de certaines analogies profondes existant entre les choses ou entre nos impressions ?
C'est réduire l'art au niveau du fétichisme. Et c'est précisément
ce que Arnaud Dandieu fait, très sérieusement. « A vrai dire,
écrit-il, entre le fétichisme proprement dit et l'œuvre d'art, il n'y
a pas de séparation nette ; je serais même tenté de dire qu'il n'y
a qu'une différence de point de vue » (162). Et la seule différence, ajoute-t-il, c'est que la deuxième est entièrement désintéressée. L'art, selon lui, pourrait donc se définir : un fétichisme
désintéressé !

En somme le démon de l'analogie a fourvoyé Arnaud Dandieu. On peut toujours dire que l'art a quelque chose de magique.
Tout le monde accepte cette vague assimilation. Personne ne la
prend au pied de la lettre. C'est pourtant ce qu'a fait Arnaud
Dandieu en utilisant avec une audace téméraire les derniers résultats des sciences psychologiques et sociologiques contemporaines,
et il a gaspillé à défendre cette thèse, plus brillante que profonde,
le brio de son juvénile talent.

Ni Seillière, ni Arnaud Dandieu n'ont bien compris ce
qu'était le souvenir involontaire et l'usage que Proust prétend en
faire. Seillière, plus exact dans son analyse, suit pas à pas le
texte de Proust (1). Mais ce dernier parle une langue inconnue
pour lui. Quant à Arnaud Dandieu à aucun instant il n'a semblé
voir que les souvenirs involontaires sont tout simplement des souvenirs affectifs purs. Il paraît seulement les assimiler à l'illusion,
pourtant bien différente, du « déjà vu ». Enfin il ramène l'impression des trois clochers à un souvenir — ce qui est une méprise.
Du reste, Arnaud Dandieu écrit de l'évocation proustienne que
son « véritable caractère » « ...est d'ordre religieux » (58) ! Et
l'on ne s'étonne plus lorsque finalement il croit discerner dans le
fait d'hésiter entre passé et présent (dans le souvenir involontaire), un danger de perte du sens du réel et pousse l'extrava-
gance jusqu'à nous parler de Schizoïde, à propos d'un homme
dont l'une des préoccupations passionnées et constantes, a été de
se maintenir en contact étroit avec le réel, et dont l'intelligence
est une des mieux équilibrées qui soient.

Léon Pierre-Quint s'est fort justement élevé contre les interprétations mystiques. Bien des jeunes gens, fait-il remarquer dans

---

1) Seillière est par ailleurs, fort bien documenté. Il faut regretter
qu'il tienne pour équitable le médiocre jugement de Paul Souday sur
Proust, mais son livre contient de fort bonnes choses notamment son
premier chapitre sur *L'Homme*.

son livre sur Proust, épris de ce mysticisme irreligieux qui caractérise la jeune génération ont cru que Proust était un négateur comme eux, de la raison et de toute idée claire. Comment ont-ils pu voir un mystique en Proust, pense Léon Pierre-Quint, en Proust « ...qui n'éprouve de satisfaction complète que lorsqu'il a amené un sentiment confus à la lumière de l'analyse, et qu'il croit l'avoir épuisé par toutes ses explications » (p. 342).

Certes, Proust découvre sous les apparences connues de tous, acceptées par tous, un monde nouveau et plus riche. Mais c'est le monde réel. Cette découverte, cette révélation, l'a fait prendre pour un mystique. Un critique des plus profonds, lui-même, Curtius, frappé par la nouveauté, l'effet transfigurateur de la vision de Proust, n'a pas pu s'empêcher de rapprocher la contemplation proustienne de l'extase mystique. C'est que toute façon d'atteindre le réel où la sensibilité joue un rôle prépondérant, nous paraît avoir quelque chose de mystique (1). Il faut même préciser que le qualificatif de mystique nous semble applicable non à la pure sensation, mais au fait de découvrir dans la sensation une sorte de connaissance. C'est bien ainsi que se présentent les sensations privilégiées de Proust. Nous les savons grosses d'une révélation, qu'il nous appartient de déchiffrer. Mais n'est-ce pas là le caractère de l'inspiration poétique et même de l'inspiration en général. Les vérités les plus profondes que nous ayons à exprimer ne sont-elles pas senties avant d'être explicitées ? Toute connaissance est référence à un contenu que nous ne sommes pas libres de modifier à notre gré, tout acte d'intelligence est constitué par un certain mélange d'activité et d'affectivité, c'est-à-dire de passivité. On ne pense pas le vide, on pense certaines présences. La contemplation intérieure a ses objets. L'apparition d'un tel objet, apparition à laquelle on peut donner le nom d'inspiration, présente un caractère mystérieux, donc mystique. Le phénomène est très net chez ce grand contemplatif qu'est le poète. Voilà pourquoi on a pu parler de mysticisme à propos de Baudelaire, de Mallarmé, de Proust, et même à propos de philosophes, même quand ceux-ci se présentaient comme de purs rationalistes, Spinoza par exemple.

Mais il est manifeste qu'entre ce genre de mysticisme et le vrai, il existe une grande différence. Le principe du vrai mysticisme se trouve dans la ferveur, c'est-à-dire dans une croyance irrationnelle, au moins en partie. Il en est ainsi de toutes les

---

1) C'est bien ce qui a trompé, en particulier, Albert Béguin, pour qui l'expérience proustienne s'appuie sur un sentiment de nature mystique (*L'âme romantique et le rêve*, pp. 353-354, éd. Corti).

formes de mysticisme aussi bien du mysticisme social ou politique que du mysticisme religieux. On ne comprendra rien aux satisfactions qu'éprouve le mystique si l'on omet de constater l'existence de cette croyance préalable. Il arrive des moments où celle-ci est si intense que la moindre perception qui semble s'accorder avec elle produit un état qui a toutes les apparences de la connaissance. Le mystique voit des évidences, là où d'autres n'aperçoivent rien. C'est le cas notamment de ces « grâces mystiques » qui se présentent sous la forme de paroles intellectuelles, qui ont l'apparence de véritables révélations d'intelligence (comme celle de l'unité divine dans la Trinité). Le mystique a la prétention de comprendre, mais il semble victime d'une illusion. Il a, dit Roger Bastide, « ...la sensation d'une certaine facilité intellectuelle, l'impression d'une illumination intérieure, et c'est cette joie qu'il réalise sous le nom de connaissance mystique ». Mais il y a « phénomène de compréhension sans compréhension véritable ». « Et en effet, lorsqu'on demande aux mystiques de décrire leurs révélations, s'ils ne se réfugient pas dans leurs caractères ineffables, ils en donnent une explication naïve. C'est que, lorsqu'on comprend, il s'ajoute toujours plus ou moins à l'acte intellectuel une satisfaction spéciale ; lorsque cette satisfaction réapparaît toute seule, attachée seulement à des mots et non à une opération de la pensée, il n'importe : l'illusion de la compréhension suit aussitôt » (*Les Problèmes de la vie mystique,* p. 97, Colin). Cette explication de Roger Bastide nous paraît extrêmement intéressante. Mais il se peut que la satisfaction ne paraisse pas la première. Il arrive qu'elle soit déclenchée par une représentation. C'est certainement le cas le plus fréquent. Comme le sujet est caractérisé par une sensibilité extrême à tout ce qui touche sa foi — qu'elle soit proprement religieuse ou non, peu importe ! — il faut peu de chose pour provoquer son attention et il faut peu de chose pour emporter l'adhésion puisque celle-ci est pour la plus grande part acquise d'avance. L'apparition des objets de la foi est par elle-même un plaisir. Si quelque accident de l'existence ou l'association des idées semble leur apporter une apparence de confirmation, il n'en faut pas plus pour que ce plaisir s'achève dans l'euphorie du sentiment d'évidence.

C'est sur le sol mental de la croyance que se produit également, et d'une façon analogue, le phénomène de l'extase. Des grâces mystiques à l'extase il n'y a qu'une différence de degré. Mais, dans l'extase, le ravissement est plus intense, plus complet. L'élan de l'individu vers les réalités transcendantes est si violent, qu'il oublie tout du monde ambiant et que la vie se retire du corps. Par contre, au dire de Sainte Thérèse, l'âme n'est jamais si éveillée pour les choses divines comme elle se trouve alors et n'a jamais plus de lumière ni plus de connaissance de la grandeur de la divine majesté (Bastide, p. 75).

Quand le mystique est revenu de son état d'extase, il s'avoue incapable de le décrire. Ce qu'il en a pu noter nous paraît à juste titre bien insignifiant. Quel est le sens du « Joie, Joie, pleurs de joie de Pascal » ? C'est au sein de l'extase seulement que la splendeur de l'extase peut être connue. Mais il importe de remarquer que, même alors, elle se trouve connue d'une façon très particulière. Les connaissances qui sont proposées au mystique sont des connaissances qui n'ont nullement besoin d'être développées et élucidées. Il en est comblé et cela lui suffit. En un sens l'état d'âme du mystique n'a d'autre objet que cet état d'âme. Le mystique reste sur le plan de l'extase et s'y complaît. La communion semble être son seul but. Il y a là une grande différence avec ce qu'on peut appeler l'extase ou l'état d'inspiration *poétique,* ou d'une manière générale, l'état d'inspiration. Le besoin d'expression tourmente au contraire le poète. L'état dont il est gratifié et qui l'enivre, est un contenu dont il lui faut inventorier les richesses. C'est le pressentiment de ces richesses qui l'agite, et qui le sollicite si vivement vers l'œuvre ; parce que l'œuvre est accomplissement de tout ce qui est donné virtuellement dans l'intuition créatrice.

Le mystique est stérile. Et comment ne le serait-il pas ? L'état qui le ravit n'est nullement une acquisition, c'est une confirmation. Ce qui le soulève si haut c'est le paroxysme d'une aspiration qu'il cultive chaque jour, et qui lui apparaît sous un éclairage favorable avec une évidence toute particulière. La connaissance mystique tire toute sa vertu du moteur qui l'anime : la foi, l'aspiration du mystique. Le mystique n'a rien à exprimer. Il ne découvre rien. Il ne fait en somme que retrouver avec une intensité particulière ce qu'il s'était au préalable donné à lui-même. Et le seul résultat qui s'ensuive n'est pas d'ordre théorique, mais d'ordre pratique : ou bien il s'abîmera, comme le mystique hindou, dans une mortelle léthargie ; ou bien, il s'élèvera comme les grands mystiques chrétiens ou musulmans, à cet état supérieur d'union paisible et douce où la contemplation se fait action et qu'Henri Delacroix appelle l'état théopathique.

L'analogie qui existe entre l'état mystique et certaines sensations ou intuitions privilégiées des créateurs est donc purement extérieure. L'attitude paraît identique. Le contenu est bien différent. Quand Saint François d'Assise s'écrie en présence d'une fleur : « Tais-toi petite fleur, tu me fais pleurer ! », sans doute son état d'esprit n'est-il pas sans ressemblance avec celui de Proust qui s'extasie devant une haie d'aubépine en fleurs. Cependant on peut présumer que ce qui s'exhale de l'âme du grand Saint, c'est une compassion infinie pour l'humble créature de Dieu, tandis que Marcel Proust, nous le savons, sonde une impression qu'il juge d'un prix incomparable parce qu'il la sent grosse d'une essence éternelle. La fleur, comme toute chose, pour l'un c'est toujours le Dieu qui s'est crucifié pour les hommes ; pour l'autre c'est un monde de vérités qui parlent à son esprit.

PROUST ET BERGSON

En même temps qu'aux mystiques et pour des raisons souvent analogues, c'est à Bergson que l'on a assimilé Proust. Sur ce point même une sorte d'unanimité s'est établie. Rares sont ceux qui font quelques réserves. Le point est important et vaut qu'on s'y arrête.

On n'a pas seulement parlé d'une ressemblance cette fois-ci, mais d'une influence. *L'Essai sur les données immédiates de la conscience* est de 1889, et *A la Recherche du Temps Perdu* a paru en 1913. L'influence paraît fort probable quand on rapproche les dates et les œuvres. Proust connaît personnellement Bergson qui était son parent par alliance et qui était reçu chez lui. Et lorsqu'il fait paraître sa première traduction de Ruskin, Bergson en rend compte à l'Académie des Sciences. Thibaudet dans *L'Encyclopédie française* T. XVII, nous dit que Proust a ignoré Bergson — ce qui, quelle que soit la manière dont on interprète le mot « ignorer », est faux, ainsi qu'en témoigne la correspondance de Proust, et les charmants souvenirs de Fernand Gregh (*L'âge d'or*). En 1910 il écrit à son ami G. de Lauris (Revue de Paris, Mai-Juin 1938, p. 736) : « Je suis content que vous ayez lu Bergson et l'ayez aimé. C'est comme si nous avions été ensemble sur une altitude. Je ne connais pas encore *l'Evolution créatrice* (1) (et à cause du grand prix que j'attache à votre opinion, je vais le lire immédiatement). Mais j'ai assez lu de Bergson et la parabole de sa pensée est déjà assez décrivable après une seule génération pour que, quelque *Evolution créatrice* qui ait suivi, je puisse, quand vous dites Bergson, savoir ce que vous voulez dire ».

Néanmoins Proust a contesté qu'il y ait eu « suggestion directe » de Bergson à lui (*Corr.* III, p. 195 — Lettre à C. Vet-

---

1) Parue en 1907.

tard : « Car il n'y a pas eu, pour autant que je peux m'en rendre compte, suggestion directe »). Et son témoignage en la matière n'est pas à négliger. Sans doute, et il n'écarte pas cette hypothèse, l'influence de Bergson a pu s'exercer sur lui à son insu. Nous dirons même que son esprit, pour avoir eu à s'assimiler les idées du grand philosophe a dû en recevoir quelque empreinte. Mais si l'influence de Bergson avait été aussi forte que d'aucuns le croient, il est certain que le principal intéressé n'aurait pas pu ne pas s'en apercevoir !

D'autre part, l'existence des *Plaisirs et les Jours* semble trancher la question. Nous avons vu que dès cette œuvre les idées de Proust sont en voie de formation. La plupart de ses thèmes sont esquissés. L'importance du souvenir, en particulier, du temps et surtout de la vie intérieure sont déjà notés, le souvenir involontaire pressenti, l'action de la société sur l'individu et l'existence en chacun de nous d'une personnalité sociale déjà découvertes. Il est à peu près certain que Proust n'a pas lu *l'Essai sur les Données immédiates de la Conscience* quand il a écrit les *Plaisirs et les Jours*. Le livre de Bergson paraît en 1889, l'année où Marcel Proust accomplit son volontariat à Orléans. De plus, il a déclaré à J.-L. Vaudoyer que *Les Plaisirs et les Jours* avaient été écrits « au collège » à 17 ans « quoique publiés plus tard » (1). A 17 ans, c'est-à-dire en 1888. Il est peu probable en outre que Proust ait lu *l'Essai* dès sa publication. M. Charles Blondel (La Psychographie de Marcel Proust, p. 186) croit voir dans le style d'une lettre de R. de Montesquiou écrite en 1893, la trace de l'influence de Bergson. Dans cette lettre Proust loue la générosité de son correspondant, laquelle « ...nous empêche, dit-il, de prévoir ce que sera la suite de votre œuvre comme partout où il y a jaillissement spontané, source, vie spirituelle véritable, c'est-à-dire liberté ». L'hypothèse est vraisemblable. Mais cette phrase pourrait tout aussi bien refléter l'influence d'un autre philosophe antérieur à Bergson, Guyau, dont il a pu entendre parler par son maître Darlu et dont il s'entretenait quelquefois (ainsi que des autres philosophes d'alors, Ribot et Tarde) avec son ami R. de Billy.

Ensuite, certaines ressemblances entre Bergson et Proust ne s'expliquent-elles pas par des influences communes. Bergson n'est l'aîné de Proust que d'une dizaine d'années. Tous deux ont également baigné dans l'atmosphère intellectuelle des années

---

1) *Corr.* IV, 38 et 35. Il est vrai que dans des *Plaisirs* il déclare que certaines pages datent, les plus anciennes, de la vingtième année, c'est-à-dire de 1890-1891. Mais il est possible qu'il se vieillisse un peu par une coquetterie de jeune homme qui veut faire « sérieux ».

1880 à 1890 qui comptent parmi les plus belles du symbolisme. Or la poésie symboliste est la révélation du qualitatif et de l'importance de la vie intérieure, de la vie subjective, de l'inconscient. Elle est même une réaction contre les prétentions scientifiques du Parnasse et du Roman réaliste et naturaliste comme la philosophie de Bergson est une réaction contre les abus du scientisme. En ce qui concerne Proust il est hors de doute que cette influence s'est exercée sur lui. Au lycée, il éprouve de la reconnaissance pour ceux de ses professeurs qui admirent ou qui n'ignorent pas Leconte de Lisle et Léon Dierx. A vingt ans, il a lu Baudelaire, Mallarmé, Verlaine, H. de Régnier, Maeterlinck, ainsi qu'en témoignent sa correspondance et les épigraphes des *Plaisirs et les Jours*. Il connaît Wagner et l'admire. En novembre 1892 il donne dans *Le Banquet* un court mais significatif compte-rendu de *Tel qu'en Songe* d'Henri de Régnier (repris dans les *Chroniques*) : « *Tel qu'en Songe*, écrit-il, prépare aux personnes qui n'aiment pas la poésie une déception plus cruelle encore que l'inévitable déception inséparable pour tout bon esprit de la lecture d'un poème. Car généralement la poésie contient plus ou moins en dissolution des éléments étrangers et qui font son affaire ». C'est l'idée, toute baudelairienne et mallarméenne, que la poésie est souvent mêlée d'éléments impurs, non poétiques, que le vrai poète doit éliminer. En 1896, il s'élève, dans *Contre l'obscurité* contre certains excès du symbolisme. Mais le symbolisme comme tout mouvement littéraire a eu ses ultras et toute sa vie il restera fidèle à Baudelaire, en qui il verra dans un article de 1922 le plus grand poète du 19e siècle (*A Propos de Baudelaire*).

Sa sensibilité, son art, sont ceux d'un symboliste. « L'influence qu'ils ont exercé sur lui, dit Marie-Jeanne Durry ou plutôt les affinités qui existent entre eux, sont essentielles ». Le style des *Plaisirs et les Jours* fait remarquer avec raison Mme M.-J. Durry est plein de réminiscences symbolistes, un peu « formelles ». « Mais plus tard viendront les consonnances profondes » (*Marcel Proust*, article paru dans le recueil d'articles et de documents publiés par les éditions de la « Revue du Capitole », p. 152). Son esthétique, enfin, est d'essence symboliste. L'idée que l'art est une forme de connaissance originale est contenue, au moins en puissance, dans l'esthétique de Baudelaire, de Mallarmé et des Symbolistes. C'est même le trait essentiel qui permet de les distinguer aussi bien des Parnassiens que des Romantiques. Et c'est une vérité qu'à son tour, Proust a *démontrée* dans le *Temps Retrouvé*.

Ainsi il semble bien qu'à une influence hypothétique de

Bergson sur Proust, il faille substituer l'influence certaine de l'époque symboliste. D'ailleurs, ainsi que le fait remarquer M. Valéry Larbaud, « ...par là s'explique mieux le rapprochement Proust-Bergson ». « N'a-t-on pas dit, ajoute-t-il, que Bergson avait formulé la philosophie latente, ou sous-jacente, du Symbolisme ? » (Préface à l'*Esthétique de Marcel Proust* d'Emeric Fiser, p. 12). M. Emeric Fiser a repris pour son propre compte l'opinion de M. V. Larbaud sur le caractère symboliste de l'œuvre et de l'esthétique proustienne dans sa thèse *Le Symbole littéraire et Marcel Proust* (Corti, 1941). Il a établi, avec de bonnes preuves à l'appui, la parenté qui existe entre les conceptions esthétiques de Wagner, Bergson, Baudelaire, Mallarmé, et celles de Proust. Les ressemblances que l'on a constatées entre le philosophe et le romancier s'expliqueraient donc de manière bien plus vraisemblable, non par une influence de l'un sur l'autre, qu'il n'y a pas lieu d'ailleurs d'exclure totalement, mais par une même influence qu'ils auraient subie tous deux, qu'ils auraient respirée dans les milieux intellectuels où ils vécurent.

Cette façon de voir les choses se trouve en même temps être explicative des ressemblances qui existent entre Bergson et Proust. Tous deux ont, en somme, dans leur domaine respectif, été sollicités par des sujets, des problèmes analogues — des problèmes de leur temps : l'inconscient ; la vie sociale et ses rapports avec l'individu, avec la vie profonde de l'artiste, du créateur ; le rôle de l'intelligence ; le temps. S'étant rencontré sur les sujets, il leur est arrivé d'interpréter les choses de la même manière et de trouver des solutions analogues. Le fait n'a rien de singulier, si l'on songe que le philosophe en Bergson est aussi fort ouvert aux choses de l'art et doué d'un talent d'expression remarquable — et que le romancier ou le poète en Proust est très préoccupé par les problèmes philosophiques et possède une intelligence pénétrante.

Seulement, à côté des ressemblances, il y a, notamment au point de vue psychologique, de considérables divergences que nous avons déjà signalées dans les pages qui précèdent. La principale est celle qui concerne la structure de la vie intérieure que Bergson nous présente comme continue et Proust comme discontinue. Mais laissons un instant de côté les différences. Attachons-nous aux ressemblances, aux coïncidences, quittes à faire ensuite les retouches nécessaires. Les points sur lesquels de grands esprits sont d'accord, méritent de retenir plus particulièrement notre attention et leur examen sera peut-être riche en enseignements.

La philosophie de Bergson est une philosophie qui a eu le bonheur, comme toute philosophie un peu profonde, de dépasser le monde restreint des spécialistes, pour toucher le public plus vaste des gens cultivés en général, des lettrés en particulier. Se demander à quoi est dû ce succès, c'est se demander en quoi consiste le message profond, apporté par cette philosophie à l'humanité. Or ce que nous a apporté Bergson, ce que l'on s'est plu à découvrir en lui, c'est la révélation d'un univers plus riche que celui dans lequel nous vivons ordinairement. C'est la révélation de la qualité. Il a fondé philosophiquement la qualité, en nous faisant remarquer qu'elle est la réalité même.

Cette qualité, il l'a tout naturellement découverte au tréfonds de nous-mêmes. Son premier livre est l'affirmation du caractère qualitatif des moindres faits psychologiques, du sentiment le plus subjectif comme de la sensation la plus objective. Il a décelé des différences qualitatives là où nous croyions n'apercevoir que des différences quantitatives. Il nous a montré comment l'habitude, la vie sociale, le langage, substituent en nous-même la quantité à la qualité, l'homogène à l'hétérogène, l'abstrait au réel. Bergson a même poussé sa thèse jusqu'à contester le caractère intensif des états psychiques, c'est-à-dire jusqu'à refuser au quantitatif tout droit d'incursion dans notre vie intérieure. Erreur, peut-être ! Car c'était, en somme, nous réduire à considérer les états de conscience comme quelque chose d'abstrait. La doctrine de l'*élan vital* qu'il proposera ensuite, ne nous paraît pas s'accorder avec la thèse selon laquelle il n'y a pas de différence d'intensité entre les faits de conscience.

Mais cette révélation est complétée par une autre dont elle est, d'ailleurs indissociable : comme il affirme la réalité de la qualité, Bergson affirme la réalité du changement. En effet la qualité ne saurait s'immobiliser sans perdre son caractère qualitatif. Une qualité qui ne changerait pas serait une qualité qui se répéterait, or, la qualité est ce qui ne saurait exister qu'une fois. Tel semble être le point de vue secret de Bergson sur ce point.

Toutefois on aura plus de chances de saisir la pensée intime du grand philosophe si l'on observe qu'il a dû aller non de la qualité au changement, mais du changement à la qualité. Il semble à peu près certain que l'origine de tout son système doive être cherchée dans une réflexion sur le mouvement. C'est à Clermont-Ferrand, entre octobre 1883 et l'année 1888, que Bergson a eu sa journée du 19 novembre. Joseph Desaymard un de ses anciens élèves de la cité auvergnate, nous raconte que c'est à l'issue d'un cours où il avait exposé à ses lycéens l'argumentation des Eléates que se précisa, pour lui, l'idée maîtresse de sa doctrine. (*La Pensée d'Henri Bergson*, p. 11, cité par Chevalier dans son *Bergson,* p. 51 - Plon 24ᵉ éd.). Or, nous le savons, de l'examen du sophisme de Zénon d'Elée, Bergson tire cette conclusion qu'il est impossible d'expliquer le mouvement en le fragmentant. En un sens, on peut dire que tout le bergsonisme est issu de cette remarque irréfutable, de cette pure intuition intellectuelle, *qu'un mobile en mouvement ne s'arrête en aucun des points par où il passe.* Le mouvement est une continuité indivisible qui progresse. Il forme un tout indécomposable. Le décomposer, c'est le réduire à la quantité et le rendre à jamais inintelligible. Mais comment saisir le mouvement dans sa continuité indivisible ? Il n'est qu'un moyen : c'est de plonger en nous-même, d'épouser ce mouvement et de le revivre. A un mouvement ainsi revécu Bergson donne le nom de mouvement absolu. « Quand je parle d'un mouvement absolu, dit-il, c'est que j'attribue au mobile un intérieur et comme des états d'âme... » (*Introd. à la Métaphysique, 202*). Ainsi la possibilité de comprendre le mouvement est liée à l'existence en nous d'une hétérogénéité qualitative et continue et à la possibilité de la saisir par introspection. Et c'est ainsi que Bergson est conduit de l'idée du mouvement à cette représentation d'une durée hétérogène, qualitative, créatrice dont il a dit à Hoffding qu'elle était le point d'où il était parti et auquel il était constamment revenu. Or la durée n'est pas autre chose que la qualité dans la continuité d'un mouvement. Et c'est parce qu'une telle qualité existe en nous, que nous en avons l'intuition à une certaine profondeur psychologique (« ...il n'y a guère dans l'âme humaine que des progrès » *Essai,* p. 99), que nous pouvons comprendre le mouvement physique dans ce qu'il a d'absolu.

C'est ainsi que Bergson a conçu l'idée d'une qualité d'un caractère très original, puisqu'il s'agit d'une qualité en mouvement d'une qualité dynamique.

Mais ce n'est pas tout : le caractère qualitatif de la qualité est affirmé, il n'est pas expliqué. Il ne peut l'être que par la mémoire. C'est parce que le passé s'accumule en nous et qu'à chaque instant il agit sur le présent qu'il n'y a pas en nous d'état qui ne soit différent de tous les autres. En effet le passé étant accroissement incessant, son action est à chaque instant différente d'elle-même. « Prenons le plus stable des états internes, la perception visuelle d'un objet extérieur immobile. L'objet a beau rester le même, j'ai beau le regarder du même côté, sous le même angle, la vision que j'en ai n'en diffère pas moins de celle que je viens d'avoir, quand ce ne serait que parce qu'elle a vieilli d'un

instant... Mon état d'âme, en s'avançant sur la route du temps,
s'enfle continuellement de la durée qu'il ramasse ; il fait pour
ainsi dire boule de neige avec lui-même ». (*Evol. Créat.*, II).
Une conséquence importante résulte de ce rôle joué par la mémoire, c'est que ce mouvement absolu qu'est la durée, est un
mouvement orienté ; il a un sens ; tout retour en arrière est en
tout cas impossible ; la durée est donc non seulement imprévisible
(car on ne prévoit pas le qualitatif) mais encore irréversible. Un
mouvement continu et irréversible n'est pas autre chose que le
temps réel. Ainsi ce n'est pas seulement l'intelligence du mouvement dans son indivisibilité que nous retrouvons quand nous plon-
geons en nous-même, c'est la réalité du temps.

Ces découvertes psychologiques sont complétées par une
affirmation de métaphysique. Dans l'intuition du continu psychologique il a l'impression d'avoir atteint le fond même de l'être.
Ce progrès indivisible qui constitue notre moi profond, c'est le
progrès même de la nature — non de la nature inerte qui ne
relève que de la quantité et de la géométrie et qui est une moindre
nature — mais de la nature vivante et réelle. Tous les êtres orga-
nisés, végétaux ou animaux, sont entraînés, comme notre esprit,
dans un grand mouvement ; imprévisible, parce que ce qui change
qualitativement ne peut être prévu ; irréversible, parce que ce qui
change en s'accroissant sans cesse ne peut revenir à son point de
départ.

La philosophie de Bergson se présente donc comme une philosophie du dynamique. (Un dynamique qui est, du reste, moins
caractérisé par le concept de force que par celui de changement
qualitatif). Avec le mouvement concret ou durée, telle qu'il l'a
définie, c'est la réalité même, qu'une métaphysique statique d'essence mathématique (le kantisme : « ...cette espèce de mathématique universelle qui est pourtant la science... » ; *Introd. à la Métaphysique*, 250) avait bannie, qu'il réintroduit en philosophie.
Ce point de vue est nouveau. D'autres philosophes avaient sans
doute découvert avant lui, le caractère dynamique du réel et
même fondé leur philosophie sur lui. Mais jamais on n'avait mis
l'accent sur le caractère irréversible, imprévisible de la durée.
Tout s'écoule, avait dit Héraclite. Bergson précise : Tout s'écoule
dans un certain sens. Quand on envisage le monde, quand on
envisage le réel sous cet angle, les problèmes philosophiques, et
psychologiques paraissent incontestablement renouvelés. Nous
n'avons pas, ici, à examiner si le bergsonisme fait réellement
s'évanouir, comme il se le propose, un certain nombre de difficultés et de problèmes métaphysiques — et s'il est vrai que les

vues rétrospectives que nous prenons du réel ne sont pas légitimes. Du moins attire-t-il utilement notre attention sur le mode
de formation des concepts que nous nous donnions tout faits. Et
puis, il est un domaine où sa réussite est certaine : grâce à lui,
en psychologie, tout ce qui est d'ordre génétique s'éclaire d'un
jour nouveau ; en particulier le problème de l'invention.

L'invention est le type de l'activité imprévisible. Elle n'est
pas autre chose que la révélation à la conscience du mouvement
absolu, de la durée qui est en nous, c'est-à-dire du qualitatif pur.
Il y a des trésors au fond de nous-mêmes. C'est en soi-même que
l'inventeur quel qu'il soit : artiste, homme de science (1), métaphysicien, trouve les richesses qui constituent le germe de l'invention ; c'est en soi-même qu'il découvre le choc initial créateur.
C'est là que se trouve l'émotion qui est à l'origine de toutes les
grandes créations. « Il y a des émotions qui sont génératrices de
pensée, écrit Bergson dans *Les Deux Sources de la Morale et de
la Religion ;* et l'invention, quoique d'ordre intellectuel peut
avoir de la sensibilité pour substance » (p. 39). Et un peu plus
loin, il est encore plus net : « Création signifie, avant tout, émotion » (p. 41).

L'opération qui permet d'atteindre le fonds de nous-même
est appelée intuition par Bergson et c'est encore en fonction du
mouvement qu'il la définit. « L'intuition, écrit-il, part du mouvement, le pose ou plutôt l'aperçoit comme la réalité même et ne
voit dans l'immobilité qu'un moment abstrait instantanément pris
par notre esprit sur une mobilité ». Le mouvement, c'est aussi la
qualité, la durée. L'intuition atteint la qualité, la durée ou comme
dit parfois Bergson, l'absolu. Ce n'est pas une faculté mystérieuse, ni à créer, comme on pourrait le croire en lisant *l'Evolution Créatrice,* c'est la faculté qu'emploient tous les créateurs et
dont Bergson rappelle l'existence aux métaphysiciens qui l'auraient oubliée. Ce n'est pas d'une opération déductive ou analytique que naît l'invention mais d'un mouvement de l'esprit.
Cela ne signifie pas, du reste, qu'elle puisse naître sans travail
préalable ; au contraire l'intuition artistique comme l'intuition
métaphysique jaillit de l'accumulation des matériaux (*Introd. à la
Métaphysique,* p. 254) et elle est fort pénible (*La Pensée et le
Mouvant,* p. 40). Mais au mot création Bergson donne un sens
positif. On ne peut ramener absolument l'invention aux conditions
dont sa naissance a été entourée ou à des éléments déjà connus.

---

1) Sur ce point, voir notamment l'*Introduction à la Métaphysique.*

Il y a eu mouvement. Aussi toute œuvre géniale est-elle d'abord déconcertante. Elle est un progrès de même nature, du reste, que certains progrès profonds qui s'opèrent au cours de l'évolution de la vie et des sociétés (*Les Deux sources de la Morale et de la Religion*, p. 79-80). C'est que le fond même de l'être est progrès, changement (1), durée — ou encore, si l'on veut, invention, liberté (2).

Tels sont les points essentiels de la doctrine bergsonienne. Si nous les avons rappelés, c'est pour montrer qu'il n'y a rien là qu'on ne retrouve, sous une forme évidemment différente, chez Proust. Lui aussi fait de la qualité la réalité même. Lui aussi nous invite à trouver en nous, et non hors de nous dans la vie sociale, les véritables richesses. Lui aussi attribue à l'invention une origine émotive, un caractère de renouvellement complet des choses ou de notre manière de les voir. Enfin si la question du mouvement ou du changement échappe à Proust sous son aspect technique, du moins a-t-il insisté sur l'importance du temps et de la mémoire, sur le caractère imprévisible de notre vie intérieure et des événements de la vie sociale (il est vrai qu'il n'explique pas cette imprévisibilité de la même manière. Nous renvoyons à ce que nous avons dit de cette question à la fin du livre II).

Mais le point sur lequel l'accord entre le philosophe et l'artiste est le plus frappant, c'est la doctrine de l'art. A bien des égards la doctrine esthétique de Proust, et principalement ce qu'on pourrait appeler l'esthétique d'Elstir telle qu'elle est exposée dans *A l'Ombre des Jeunes Filles en Fleurs* est l'esthétique même de Bergson. C'est aussi l'esthétique telle qu'on peut la formuler après l'expérience symboliste.

Premier point sur lequel l'accord est complet : l'art a pour objet le qualitatif. Bergson dans *Le Rire* dit : « l'individuel », ce qui revient au même. « Ce que le peintre fixe sur la toile, c'est

---

1) Voir ses deux conférences « La Perception du changement » dans *La Pensée et le Mouvant*.

2) La philosophie bergsonienne peut être considérée, en un sens, comme une solution au problème de l'existence des jugements synthétiques posé par Kant. C'est l'être même, la durée ou le changement, quel que soit le nom par lequel on le désigne, qui est synthétique. Le problème des jugements synthétiques s'évanouit de lui-même. Leur légitimité ne soulève plus aucune difficulté. En pensant synthétiquement, on pense l'être même, on pense intuitivement. Et dans *l'Introduction à la Métaphysique*, Bergson note que c'est là le moyen de supprimer l'opposition en apparence irréductible de la thèse et de l'antithèse. « Je n'imaginerai jamais, observe-t-il, comment on peut l'envisager du double point de vue du blanc et du noir ». « Les doctrines qui ont un fond d'intuition, ajoute-t-il, échappent à la critique kantienne dans l'exacte mesure où elles sont intuitives » (253).

ce qu'il a vu en un certain lieu, certain jour, à certaine heure, avec des couleurs qu'on ne reverra pas » (*Le Rire,* 165). Et, ensuite, pour l'un comme pour l'autre, l'art consiste à retrouver la réalité et à la traduire. C'est un mode de connaissance. Bergson même, à ce point de vue, fait certainement la part plus belle à l'art que Proust, car il constitue pour lui presque le seul mode de connaissance de la réalité intuitive ou comme il dit *absolue* des choses (1). Pour atteindre cette réalité il faut retrouver nos impressions véritables sous la croûte des notions d'origine sociale et utilitaire qui les ont recouvertes et dérobées à nos yeux. Mais qui a écrit cette phrase : « Les noms qui désignent les choses répondent toujours à une notion de l'intelligence, étrangère à nos impressions véritables et qui nous force à éliminer d'elles tout ce qui ne se rapporte pas à cette notion » — et cet argument : « ...ce qu'on sait n'est pas à soi » ? Bergson ? Non, c'est Proust, (*A l'.,* II, 123 et 128), mais ce pourrait aussi bien être Bergson. Tout l'art d'Elstir consiste à « se dépouiller en présence de la réalité de toutes les notions de son intelligence » (*A l'.,* II, 128), pour retrouver la nature telle qu'elle est, c'est-à-dire poétique. « Mais les rares moments où l'on voit la nature telle qu'elle est poétiquement, c'était de ceux-là qu'était faite l'œuvre d'Elstir » (*A l'.,* II, 124). Mais Bergson de son côté se demande : Quel est l'objet de l'art ? « Si la réalité, répond-il, venait frapper directement nos sens et notre conscience, si nous pouvions entrer en communication immédiate avec les choses et avec nous-mêmes, je crois bien que l'art serait inutile, ou plutôt que nous serions tous artistes, car notre âme vibrerait à l'unisson de la nature, etc..» (*Le Rire,* 153-154). Et il ajoute un peu plus loin : « Ainsi, qu'il soit peinture, sculpture, poésie ou musique, l'art n'a d'autre objet que d'écarter les symboles pratiquement utiles, les généralités conventionnellement et socialement acceptées, enfin tout ce qui masque la réalité, pour nous mettre face à face avec la réalité même » (161). (Voir encore *La perception du changement,* 170-174) : « C'est donc bien une vision directe de la réalité que nous

---

1) Il distingue cependant dans *La Pensée et le Mouvant* une tâche propre à la philosophie. « Mais s'il appartenait remarque-t-il à la littérature d'entreprendre ainsi l'étude de l'âme dans le concret, sur des exemples individuels, le devoir de la philosophie nous paraissait être de poser ici les conditions générales de l'observation directe immédiate, de soi par soi » (27-28). Mais déjà dans *Le Rire* il observait un autre caractère distinctif du philosophe : tandis que l'artiste atteint le réel par un détachement naturel « qui se manifeste tout de suite par une manière originale, en quelque sorte, de voir, d'entendre ou de penser », le détachement du philosophe est « voulu, raisonné, systématique » (158).

trouvons dans les différents arts ; et c'est parce que l'artiste songe moins à utiliser sa perception qu'il perçoit un plus grand nombre de choses ».

Et Bergson ne semble-t-il pas prophétiquement annoncer Proust lorsque dans l'*Essai,* il écrit : « Que si maintenant, quelque romancier hardi, déchirant la toile habilement tissée de notre moi conventionnel, nous montre sous cette logique apparente une absurdité fondamentale, sous cette juxtaposition d'états simples une pénétration infinie de mille impressions diverses qui ont déjà cessé d'être au moment où on les nomme, nous le louons de nous avoir mieux connus que nous ne nous connaissions nous-même » (101). Et dans *La Pensée et le Mouvant* en 1934 parlant de la difficulté qu'éprouvait la philosophie au temps où il écrivait l'*Essai* à se replacer « dans le flux de la vie intérieure », Bergson, qui depuis a lu Proust, fait à l'œuvre de ce dernier une claire allusion qui est comme un hommage discret du grand philosophe au grand artiste : « Le romancier et le moraliste ne s'étaient-ils pas avancés dans cette direction plus loin que le philosophe ? Peut-être ; mais c'était par endroits seulement, sous la pression de la nécessité, qu'ils avaient brisé l'obstacle ; aucun ne s'était encore avisé d'aller méthodiquement *à la recherche du temps perdu* » (27-28).

Dans *Les Deux sources de la Morale et de la Religion,* du reste, en plus d'un point, on découvre des idées qui semblent avoir été inspirées par Proust au philosophe. Par exemple, lorsqu'analysant la passion de l'amour, il nous dit : « Est-ce au plaisir qu'elle vise ? *ne serait-ce pas aussi bien la peine ?* », on songe à tout ce que Proust a écrit de la souffrance dans l'amour. De même, la distinction qu'opère Bergson entre les deux espèces d'émotions, l'une consécutive à une idée et impuissante, l'autre, sans cause apparente et créatrice, ressemble singulièrement à la distinction que fait Proust entre le souvenir ou l'impression volontaire et le souvenir ou l'impression involontaire. Le souvenir involontaire lui aussi est d'ordre émotif et seul créateur. L'idée, en tout cas, est une des plus importantes de la « philosophie » proustienne et Proust aurait pu souscrire sans réserve à ces réflexions de Bergson : « Quiconque s'exerce à la composition littéraire a pu constater la différence entre l'intelligence laissée à elle-même et celle que consume de son feu intérieur l'émotion originale unique, née d'une coïncidence entre l'auteur et son sujet, c'est-à-dire d'une intuition. Dans le premier cas l'esprit travaille à froid combinant entre elles des idées, depuis longtemps coulées en mots, que la société lui livre à l'état solide. Dans le second, il

semble que les matériaux fournis par l'intelligence entrent préala-
blement en fusion et qu'ils se solidifient ensuite à nouveau en
idées cette fois informées par l'esprit lui-même..., etc... » (43).
Enfin l'explication que Bergson nous donne toujours dans le même
ouvrage, de l'intelligence d'une œuvre d'art qu'au premier abord
on n'avait pas comprise, est exactement, mais en des termes
nouveaux, celle qu'avait déjà proposée Proust (1) : « Dans une
spéculation financière, c'est le succès qui fait que l'idée avait été
bonne. Il y a quelque chose du même genre dans la création artistique, avec cette différence que le succès, s'il finit par venir à
l'œuvre qui avait d'abord choqué, *tient à une transformation du
goût public opéré par l'œuvre même...* » (74).

Tant de ressemblances, et sur des points aussi importants et
parfois même certaines ressemblances dans le style, ne permettent cependant pas de conclure à une influence de Bergson sur
Proust, du moins à une influence déterminante. Nous ne voulons
pas prétendre que la lecture de Bergson ait été sans profit pour
une intelligence comme celle de Proust — pas plus que la lecture
de Proust n'a été sans profit, nous venons de le voir, pour Bergson. Mais l'orientation de Proust sur les sujets qu'il a traités,
comme ses tendances intellectuelles profondes, rien de tout cela
n'a été déterminé par Bergson. Il y a eu, ici, coïncidence de deux
grands esprits, et ces coïncidences ne sont pas tellement rares
dans l'histoire de la pensée, ni tellement surprenantes en elles-
mêmes puisqu'elles sont tout simplement la conséquence d'un
accord dans la vérité.

Quand en 1913, E.-J. Bois interviewe Proust, celui-ci lui
déclare que son livre pourrait être assimilé à un essai d'une suite
de romans de l'Inconscient : « Je n'aurais aucune honte ajoute-
t-il, à dire de romans bergsoniens, si je le croyais, car à toute
époque il arrive que la littérature a tâché de se rattacher — après
coup naturellement — à la philosophie régnante. Mais ce ne
serait pas exact, car mon œuvre est dominée par la distinction
entre la mémoire involontaire et la mémoire volontaire, distinction
qui non seulement ne figure pas dans la philosophie de M. Bergson, mais est même contredite par elle ».

On sait que dans *Matière et Mémoire* Bergson distingue
deux formes de mémoires : une pseudo-mémoire corporelle
machinale et qu'il nomme *mémoire-habitude* et dont il donne
comme exemple l'acte d'apprendre par cœur — et la vraie mémoire, le *souvenir,* précis, daté, unique, et dont l'essence est de

---

1) Voir page 77 du présent livre.

ne pas être répété. Or le souvenir bergsonien est d'origine volontaire. Bergson ne dit-il pas, même, dans *l'Essai,* qu'il nous suffit d'un effort de volonté pour nous plonger dans le moi-profond, dans la durée (p. 105) ? Il est donc fort différent du souvenir affectif proustien qui est avant tout involontaire. C'est pourquoi la distinction opérée par Bergson entre la mémoire-habitude et le souvenir pur n'a pas l'adhésion de Proust qui nous dit que la sienne, la distinction souvenir volontaire-souvenir involontaire, « est la seule vraie » (*Lettres de Marcel Proust à René Blum,* 60). De plus, elle est, selon lui, « contredite » par la philosophie de Bergson. Malheureusement il ne s'explique pas davantage et laisse le soin à ses commentateurs d'élucider ce point. Or, Proust n'était pas, croyons-nous, homme à lâcher un mot au hasard — surtout dans une interview dont les termes semblent avoir été préparés et pesés (1).

A y regarder de près on s'aperçoit, que la possibilité d'une mémoire affective involontaire, à la manière de Proust, semble difficile à insérer dans la psychologie bergsonienne. Selon cette dernière l'esprit emmagasine tous les souvenirs et ceux-ci demeurent en nous constamment à notre disposition et constamment

---

1) M. Etienne Burnet dans l'étude la plus profonde (celle de Floris Delattre, dans les « Etudes bergsoniennes », nous paraissant vraiment trop partiale), qui ait été faite des rapports de Proust et de Bergson, (*Essences :* Marcel Proust et le Bergsonisme) ramène la distinction proustienne des deux mémoires à celle de Bergson (p. 181). Il ne nous donne, du reste, aucune raison en faveur de cette thèse à laquelle Proust s'est opposé d'avance, avec raison — M. Emeric Fiser dans une étude sur « le rôle de la mémoire dans l'œuvre de Marcel Proust et dans celle de Henri Bergson » publiée à la suite de « L'Esthétique de Marcel Proust », estime que si la mémoire involontaire n'a pas de place dans la psychologie bergsonienne, cela tient à ce que celle-ci est essentiellement une psychologie de l'action, orientée vers l'avenir et ne faisant appel au passé « ...que dans la mesure où il lui est utile pour la préparation de cet avenir » (183). Mais la chose n'est exacte que du « moi superficiel », socialisé, et M. Fiser lui-même, détruit plus loin ce qu'il vient d'affirmer en faisant remarquer qu'il n'en est pas tout à fait de même de la durée, c'est-à-dire du moi profond. Ajoutons que ce n'est qu'en adoptant une attitude désintéressée que l'artiste et le philosophe, selon Bergson, peuvent atteindre le fond des choses. C'est parce qu'elle est déterminée par le besoin que l'intelligence est relative. Mais atteindre l'absolu est possible, en faisant un effort précisément pour se dégager du besoin. A ce point de vue donc la philosophie de Bergson n'est nullement une philosophie de l'action. Elle est même tout le contraire. Par ailleurs M. Fiser a sans doute raison de dire que la conception du réel n'est pas la même chez Proust et Bergson et que chez ce dernier elle est orientée vers l'avenir (ce qui ne signifie pas nécessairement vers l'action). Le réel pour Bergson est, en effet, mouvant. Mais le passé est-il, par contre, la réalité primordiale pour Proust ? Nous ne le pensons pas. La réalité pour Proust, qui se distingue par là de Bergson, est hors du *Temps.*

pèsent sur le présent. Cette action de nos souvenirs passés n'est jamais semblable à elle-même puisque la masse des souvenirs ne cesse de s'accroître. C'est une des raisons pour lesquelles, nous l'avons dit, le présent — du moins dans le moi profond — n'est lui aussi jamais semblable à lui-même. Dans ce moi profond tout se fond dans tout. Sans doute, pour pouvoir parler de durée, il faut bien distinguer un « avant » et un « après ». Mais Bergson n'est pas arrêté par cette considération ; le moi qui dure, remarque-t-il n'a pas besoin « ...d'oublier les états antérieurs : il suffit qu'en se rappelant ces états il ne les juxtapose pas à l'état actuel comme un point à un autre, mais les organise avec lui, comme il arrive quand nous nous rappelons, fondues pour ainsi dire ensemble, les notes d'une mélodie » (*Essai,* p. 76). Ces notes se succèdent mais nous les percevons néanmoins les unes dans les autres : « On peut donc, conclut-il, concevoir la succession sans la distinction... » (77). Bref, à la conception quantitative habituelle de la multiplicité, Bergson oppose, en faveur de la durée, sa conception de la multiplicité qualitative. Mais dans cette succession purement qualitative où jamais le présent ne répète le passé, comment un moment de notre passé peut-il être ressuscité ? Comment peut-on, même, distinguer des « moments » dans notre passé sinon sous l'effet des besoins présents et sur le plan abstrait (psychologiquement) de l'action utile. En vérité le souvenir bergsonien s'il nous permet bien de rappeler un moment unique de notre passé ne saurait le faire qu'abstraitement. On ne conçoit pas dans la psychologie bergsonienne la possibilité de *revivre* dans le présent un moment réel de notre moi passé : « ...les faits psychologiques profonds, dit Bergson, lui-même, se présentent à la conscience une fois et ne reparaîtront plus » (*Essai,* p. 166). Dans l'hypothèse bergsonienne, cette identité concrète entre deux moments de notre vie psychologique, qui se produit dans le souvenir involontaire proustien ne peut pas avoir lieu.

La seule action concrète du passé, c'est, pour Bergson, l'action globale qu'il exerce constamment sur le présent (1). Pour Marcel Proust, au contraire, la plus grande partie de notre passé

---

1) Sans doute, Bergson aurait-il pu répondre qu'en nous plongeant dans la durée présente nous pourrions y découvrir ce passé, puisque son action s'y fait sentir sans que nous en ayons conscience. Mais ce n'est pas ainsi qu'apparaissent les souvenirs involontaires. Ils ne sont pas à chaque instant à notre disposition. Ils sont liés à un « moi » qu'ils font renaître en nous. En somme, contrairement à ce qu'a voulu Bergson, il semble que le « souvenir » soit impuissant à nous replacer dans la durée, dans le temps ; tandis que le souvenir involontaire de Proust réussit à merveille cette opération.

n'existe pour nous, à chaque instant de notre vie, qu'à l'état virtuel. « C'est sans doute, dit-il, l'existence de notre corps semblable pour nous à un vase où notre spiritualité serait enclose, qui nous induit à supposer que tous nos biens intérieurs, nos joies passées, toutes nos douleurs sont perpétuellement en notre possession. Peut-être est-il aussi inexact de croire qu'elles s'échappent ou reviennent. En tout cas, si elles restent en nous c'est la plupart du temps dans un domaine inconnu où elles ne sont de nul service pour nous, et où, même les plus usuelles, sont refoulées par des souvenirs d'ordre différent et excluent toute simultanéité avec elles dans la conscience. Mais si le cadre de sensations où elles sont conservées est ressaisi, elles ont à leur tour ce même pouvoir d'expulser tout ce qui leur est incompatible, d'installer seul en nous, le moi qui les vécut » (*Sod.* II., I, 178).

C'est que, comme nous l'avions déjà noté, Proust ne conçoit pas la structure de l'esprit de la même manière que Bergson. Sans nier une certaine continuité que l'on pourrait appeler nouménale et qui est plutôt déduite, inférée que constatée, il considère notre moi phénoménal comme discontinu et complexe à l'égal du corps. C'est même à ce prix-là pour lui, que le qualitatif peut s'introduire dans notre vie. Il est contenu dans chacun des instants de notre existence comme dans des alvéoles. Bergson lie la qualité à la continuité et c'est sans doute parce que cette qualité risque de s'évanouir dans la continuité qu'il lui adjoint immédiatement le changement, si bien que pour lui le temps vécu, mouvant, tel que nous le retrouvons en nous, la durée, est la qualité par excellence. Proust au contraire lie la qualité à la discontinuité et à la complexité. Elle semble s'expliquer par des éléments composants. Sa manière de traiter ses sujets, empruntant pour créer un personnage, un village ou un morceau de musique, des matériaux divers à des sources diverses, faisant appel par exemple pour créer la Sonate de Vinteuil à des impressions musicales qui lui ont été fournies par les musiciens aussi divers que Saint-Saëns, César Franck, Wagner, Schubert, Fauré (voir la dédicace de *Du Côté de chez Swann* à M. J. de Lacretelle publiée en fac-similé dans *Essai sur Marcel Proust* de M. Georges Gabory), cette manière de composer prouve que pour lui la qualité s'obtient par addition, combinaison d'éléments plus simples. Et puisqu'il ne semble pas, par ailleurs, que les grandes lois de l'esprit qui constituent un de ses principaux objets de recherche, aient seulement, pour lui comme pour Bergson une valeur pratique, relative à nos besoins, il faut admettre qu'il considère l'individuel ou le qualitatif comme nullement incompatible avec l'existence de lois universelles et du déterminisme le plus rigoureux (1).

On peut se demander si Bergson en substituant une multiplicité « qualitative », sans parties, c'est-à-dire la durée à la multiplicité distincte et quantitative, ne fait pas s'évanouir purement et simplement l'idée de multiplicité. Pour Marcel Proust en tout cas, il n'y a de changement que par substitutions élémentaires ou cellulaires. Le changement s'explique par l'hypothèse mécaniste. On ne voit pas comment on pourrait l'expliquer autrement. Mais Bergson prétend le contraire, il invoque l'intuition, et à vrai dire, il rejette la méthode d'explication mécaniste. Une psychologie mécaniste, c'est-à-dire une psychologie qui nous présenterait le moi concret et vivant « comme une association de termes qui, distincts les uns des autres, se juxtaposent dans un milieu homogène » verrait se dresser pense-t-il, devant elle, « d'insurmontables difficultés » (*Essai*, p. 106). En particulier elle serait impuissante à expliquer le problème de la liberté et l'invention dans ce qu'elle a de positif.

Il ne nous appartient pas ici de déterminer qui a raison. Bornons-nous à constater que voilà un point sur lequel un grave conflit sépare les deux penseurs. Nous touchons aux tendances philosophiques profondes des deux hommes. Elles concordent, nous l'avons vu, sur la valeur qu'il convient d'attacher aux réalités spirituelles et plus particulièrement aux richesses qui sont en nous. Nous avons dit plus haut que Bergson avait fondé philosophiquement la qualité. Nous aurions peut-être mieux fait d'écrire, mais cela revient au fond au même, qu'il avait fondé philosophiquement l'introspection. C'est par introspection que Bergson procède constamment dans ses investigations — et sciemment, puisque la durée, le qualitatif, le réel ne peut jamais être saisi qu'en nous-même. Proust aboutit à la même conclusion. Mais voici que les deux penseurs vont s'écarter l'un de l'autre. Il y a en Proust, en effet, un cartésien, un mécaniste convaincu. Or toute la philosophie de Bergson est en un sens, on le sait, une tentative pour limiter les prétentions du mécanisme.

Bergson ne conteste la légitimité ni la profondeur des explications mécanistes dans les sciences de la matière inerte. Là elles atteignent même l'absolu. (*L'Evolution créatrice,* Introd., IV). Mais il entend réserver les sciences de la vie et celles de l'esprit. Dans ce dernier domaine les explications mécanistes élaborées

---

1) Dans l'hypothèse déterministe le qualitatif s'explique très bien. Il se présente comme le point d'intersection d'un nombre infini de séries causales.

par l'intelligence ne sont plus valables, ou du moins elles n'atteignent plus le réel, l'absolu. Pour connaître la vie et l'esprit, réalités purement qualitatives, il faut employer un autre moyen d'investigation. Ce sera cette intuition dont nous avons déjà parlé. Les signes d'une pareille coupure dans le champ de notre connaissance ne se rencontrent pas chez Proust. Pour lui le déterminisme est universel. Les faits psychiques sont traités par lui selon des méthodes positives. Il en recherche les lois et il a fait expressément, dans son esthétique, une place considérable aux vérités générales que l'expérience nous révèle.

Sans doute Proust a bien lui-même constaté que notre intelligence avait des bornes. Il se rencontre même deux fois avec Bergson, sur ce point ; d'abord pour remarquer son échec dans la prévision — ensuite pour constater que l'invention poétique a sa source non en elle, mais dans l'instinct de l'artiste, dans sa sensibilité. Tous deux sont d'accord pour admettre que le nouveau ne peut être déduit du connu — et que pour l'atteindre il faut se placer en lui d'emblée, par une opération de l'esprit que l'un nomme intuition et l'autre instinct, et qui, pour l'un comme pour l'autre, n'est pas purement intellectuelle, mais, d'abord, d'ordre affectif ou sensible.

C'est pour cette raison que l'intelligence ne peut être la faculté de l'invention poétique. La fonction du poète consiste à atteindre du nouveau, du qualitatif. Proust admet comme Bergson (et il semble même ici emprunter cette idée à Bergson) que l'intelligence ne peut se saisir de la qualité.

Seulement le fait ne s'explique pas de la même manière pour l'un et pour l'autre. Il est dû à la discontinuité de la vie pour Marcel Proust, à son caractère de continuité qualitative pour Bergson. L'échec de l'intelligence est dû, pour le premier, aux conditions (discontinuité) dans lesquelles elle fonctionne. Pour le second il résulte du donné, de la nature (qualitative) des objets qui lui sont soumis. L'échec est irrémédiable pour Bergson. Pour Marcel Proust il peut dans une certaine mesure être surmonté. Pour lui l'intelligence est victime d'une illusion qui s'explique par une loi psychologique. Il ne met pas pour cela en doute sa valeur universelle ni que tout soit formulable en termes intellectuels parfaitement adéquats à leur objet.

Si l'intelligence ne peut saisir la qualité, du moins est-ce elle qui doit finalement l'exprimer. L'intelligence juge toujours en dernier ressort et sa compétence n'est pas discutable. Ce qui distingue ici Bergson de Proust, c'est, en somme, ce qu'on pourrait appeler la tendance anti-intellectualiste du premier. Nous ne

croyons pas qu'il soit équitable de faire de Bergson essentiellement un anti-intellectualiste. La philosophie de Bergson est
comme celle de Descartes une philosphie qui n'est pas parvenue
à une unité rigoureuse. D'ailleurs, Bergson ne tenait pas à donner
à sa pensée une forme trop déterminée. Il nous a même dit qu'il
ne le pouvait pas, qu'il ne le devait pas. Mais il y a chez lui une
tendance anti-intellectualiste comme il y a une tendance volon-
tariste chez Descartes. Déterminer cette tendance anti-intellectualiste n'est pas chose aisée.

On la découvre dans le fait qu'il prétend apercevoir le moyen
d'investigation le plus profond de la réalité hors de l'intelligence.
C'est dans l'*Evolution créatrice* que cette thèse est exposée avec
le plus de rigueur. L'intuition s'y trouve identifiée à une sorte
d'instinct, à un pouvoir sympathique, et Bergson semble s'abandonner à une sorte d'intuitivisme de l'inconscient, aux forces
affectives, irrationnelles de l'individu. Mais il faut bien prendre
garde que Bergson lui-même a pris soin de nous avertir (p. 148)
qu'il avait, pour se mieux faire entendre, forcé un peu l'opposition
qui existe entre l'instinct et l'intelligence. Il nous avertit également qu'il existe autour de l'intelligence une sorte de frange
d'instinct ou d'intuition (*Les deux Sources* p. 226), qui nous permettra judicieusement exploitée de pénétrer les choses psychologiques. Certes, il s'agit toujours d'instinct et, d'un instinct dont on
nous affirme qu'il diffère en nature de l'intelligence. Cependant,
Bergson ne conteste pas que dans son domaine — celui des
sciences de la matière inerte — l'intelligence n'atteigne la plus
grande profondeur possible. Il reconnaît même qu' «...un être
intelligent porte en lui de quoi se dépasser lui-même» (164), et
que l'instinct, capable d'aller plus loin que l'intelligence, reste
cependant inerte, sans curiosité. Aussi a-t-il besoin que l'intelligence lui donne la « secousse » nécessaire pour le détacher de
l'objet spécial auquel il est rivé (193 et 215).

Il n'en est pas moins vrai que l'intelligence sort très dimi-
nuée de l'*Evolution Créatrice*.

Mais faut-il juger la conception bergsonienne de l'intelligence
sur la seule *Evolution Créatrice* ? Bergson semble avoir hésité,
au fond, entre cette conception étroite de l'intelligence et de la
vie intellectuelle et une autre conception plus large qui illumine
sa philosophie mais qu'il n'a jamais définie expressément. Dans
l'*Essai sur les Données immédiates* ne nous dit-il pas que le moi
profond comporte non seulement des émotions, des sentiments,
mais aussi des idées, et les idées les plus profondes, les plus per-
sonnelles — le moi superficiel, spatialisé, abstrait, se composant,

au contraire, des idées que nous n'avons pas assimilées ou « que nous avons négligé d'entretenir, et qui se sont desséchées dans l'abandon » (102-103) (1).

Cette conception très large de l'intelligence, et nullement anti-intellectualiste, c'est encore elle qui semble inspirer les remarquables articles de Bergson sur l'*Effort Intellectuel* en 1902 et sur l'*Introduction à la Métaphysique* en 1903. Mais avec l'*Evolution Créatrice* en 1907, Bergson prend tout à coup parti, sa manière de voir se rétrécit singulièrement. Que s'est-il passé ? Nous n'entreprendrons pas d'élucider ce point en détail. Mais la découverte de l'instinct comme une activité « sui generis » de la vie et du mode de causalité qui lui est propre, ont assurément obligé Bergson à éliminer l'intelligence de la vie profonde, à la borner à un genre d'activité extérieure et superficielle. Brusquement elle s'est vu refuser la compréhension des phénomènes de la vie intérieure et de la vie tout court. Brusquement elle a été consignée dans l'enceinte bien déterminée de la conscience claire — les domaines du subsconscient et de l'inconscient devenant ceux de l'instinct (2) C'était faire de l'intelligence une faculté superficielle et même artificielle. Aussi pour corriger ce que sa conception pouvait avoir de trop rigide et de trop irréel Bergson nous faisait remarquer que « toute intelligence réelle est pénétrée d'instinct », comme « tout instinct concret est mélangé d'intelligence » (*E.C.*, p. 148). Il n'en restait pas moins que cette association dans un cas comme dans l'autre constituait un simple mélange d'éléments hétérogènes dont la « collaboration » était, du reste, inexpliquée.

C'est ainsi que l'*Evolution Créatrice* apparaît comme une œuvre anti-intellectualiste et que Bergson fait figure d'anti-intellectualiste quand on le juge sur elle. Cependant, cette position d'anti-intellectualiste ne correspond nullement à certaines aspira-

---

1) Au moment où il écrit l'*Essai* les deux « moi » sont en quelque sorte coextensifs, comme l'avers et le revers d'une même médaille. Au reproche de dédoubler le moi et de réintroduire ainsi en nous la multiplicité quantitative, Bergson fait en effet la réponse suivante : « C'est le même moi qui aperçoit des états distinct, et qui *fixant ensuite davantage son attention* verra ses états se fondre entre eux comme des aiguilles de neige au contact prolongé de la main » (105). Le passage souligné, l'est par nous.

2) C'est pourquoi les termes « conscience » et « intelligence » ne sont plus interchangeables comme ils l'étaient dans l'*Essai* où il écrit : « La conscience tourmentée d'un insatiable désir de distinguer substitue le symbole à la réalité, ou n'aperçoit la réalité qu'à travers le symbole » (97). *Conscience* est ici synonyme de *conscience claire*. Plus tard Bergson dira : « l'intelligence » — car l'instinct dans l'*Evolution Créatrice* est une forme de la conscience, d'une nature différente (de la conscience « annulée » — et non pas « nulle » (156), précise-t-il).

tions profondes de Bergson. Dans cette intuition identifiée à un instinct « devenu désintéressé, conscient de lui-même, capable de réfléchir sur son objet et de l'élargir indéfiniment » (192) (1), il se gardera bien de voir (comme on pourrait s'y attendre et comme on l'a cru) une faculté extra-intellectuelle, ou irrationnelle. Dans une lettre à Jacques Chevalier, il déclare qu' « en prenant le mot intelligence au sens très large que Kant lui donne », il pourrait « appeler *intellectuelle* l'intuition... ». (« Nouvelles littéraires » du 15 décembre 1928 — numéro d'hommage à Bergson. M.-J. Chevalier nous donne cette lettre, évidemment à tort, comme étant du 28 avril 1929 !). Il ajoute : « Mais je préférerais la dire *supra-intellectuelle,* parce que j'ai cru devoir restreindre le sens du mot *intelligence,* et que je réserve ce nom à l'ensemble des facultés discursives de l'esprit ». A vrai dire, on ne voit pas très bien ce que pourrait être cette intelligence plus large que celle qui nous est décrite dans l'*Evolution Créatrice*. En opposant l'intelligence en nature à l'instinct, il a de toutes façons assigné des bornes infranchissables à l'intelligence. Mais il faut comprendre Bergson. Ce qu'il veut c'est connaître. Ce que l'intelligence ne lui apporte pas, il veut tout de même l'atteindre. Il croit l'atteindre avec l'intuition, et c'est en ce sens qu'elle est intellectuelle pour lui — et non pas parce qu'elle participerait de la nature de l'intelligence. Bergson est lié par l'opposition trop rigide qu'il a instituée entre l'intelligence et l'instinct dans l'*Evolution Créatrice* (2). Aussi donne-t-il à l'intuition, qui participe de la nature de l'instinct, même lorsque c'est l'intelligence qui l'oblige à sortir de sa torpeur, même lorsque c'est l'intelligence qui lui prépare le terrain (3), le nom de *supra*-intellectuelle.

---

1) « Qu'un effort de ce genre n'est pas impossible, c'est, ajoute-t-il, ce que démontre déjà l'existence, chez l'homme, d'une faculté esthétique à côté de la perception normale » (192).

2) Et sans doute tient-il à cette distinction parce qu'elle lui permet de triompher de l'objection que Kant a opposé à la possibilité de la métaphysique. Notre connaissance intellectuelle ne devient relative pense Bergson que si elle prétend nous représenter la vie. « Clichée » sur la matière inerte, elle peut représenter celle-ci fidèlement. Elle ne peut représenter la vie, car cela équivaudrait à représenter le clicheur qui a pris l'empreinte (E.C. p. IV). C'est à l'intuition qu'il assignera la mission de représenter la vie. Cette théorie ne s'accorde pas très bien, sans doute avec l'*Introduction à la Métaphysique* où Bergson résout l'objection kantienne en constatant que l'invention scientifique elle-même suppose l'intuition comme toute invention.

Voir ce que Bergson dit lui-même à ce sujet à la Société française de philosophie (Vocabulaire philosophique de Lalande (article : intuition). Et dans l'*introduction à la Métaphysique* il nous fait remarquer que l'intuition qui n'a « rien de mystérieux » naît de l'accumulation des matériaux.

Toutes ces difficultés, sans doute Bergson croit-il les avoir résolues en 1932 dans les *Deux Sources de la Morale et de la Religion* où il nous propose une nouvelle hiérarchie des facultés de l'esprit. Il distingue trois plans de l'esprit : 1°) Le plan infra-intellectuel, plan du pur statique, plan de l'habitude et du social (1). 2°) Le plan de l'intelligence. 3°) Le plan supra-intellectuel qui est celui de l'intuition. Ainsi, Bergson place finalement l'intelligence au-dessus du social. Cette promotion, l'intelligence la mérite par les services rendus à l'intuition, par cette sorte de révolution qu'elle a su accomplir en brisant les cadres du social où la conscience s'était assoupie pour reprendre la marche en avant qui conduit au plan supra-intellectuel. Elle se situe exactement à mi-chemin de l'infra et du supra-intellectuel, à mi-chemin de l'immobile et du mouvement. Elle est le geste que fait celui qui veut se mouvoir ; elle est redressement mais pas encore mouvement. Mais pourquoi Bergson superpose-t-il au plan intellectuel un plan supra-intellectuel ? Parce qu'il lui faut expliquer le mouvement, le mouvement qui est partout : dans la vie, dans l'évolution sociale, et dans l'esprit. Parce qu'il y a dans le mouvement quelque chose de plus que dans les démarches qui semblent le composer. Les explications intellectuelles sont nécessairement des explications *a posteriori*. L'intelligence intervient toujours quand tout est accompli et elle explique alors triomphalement le tout par les parties, les effets par les causes. Mais dans le mouvement qui engendre toute chose on ne pouvait distinguer de parties, ou les effets dans les causes. Une nouvelle musique, un sentiment nouveau se définissent très bien après-coup. Mais il aurait été impossible avant qu'ils fussent nés de les créer à partir des éléments dont ils sont composés. C'est que dans le tout il y a quelque chose de plus que dans les parties. De la même manière, le supra-intellectuel, contient « toute l'intellectualité qu'on voudra », mais c'est à la façon d'une unité « qui envelopperait et dépasserait une multiplicité incapable de lui équivaloir » (62 ; voir encore p. 270-271). Par exemple la morale supra-intellectuelle c'est-à-dire mystique, n'est pas inexprimable en termes d'intelligence pour Bergson — pas plus qu'une psychologie scientifique n'est impossible ainsi qu'il l'a dit dans l'*Essai*. Ce qu'il y a, c'est qu'elle ne saurait s'exprimer intégralement de

---

1) Lequel correspond « symétriquement » chez l'homme à certains instincts de l'animal » (p. 62). L'instinct semble se situer sur le plan infra-intellectuel. L'intuition est instinct, mais un instinct devenu conscient. Page 267, Bergson considère l'instinct comme une intuition dégradée. Il semble qu'il ait « dévalorisé » l'instinct dans *Les deux Sources*.

cette manière. Il y a toujours quelque chose qui échappe à la raison. Et ce quelque chose c'est le mouvement dans son unité. La morale mystique ne saurait se déduire de la morale rationnelle. Elle peut être démontrée après coup, mais sa supériorité « est vécue avant d'être représentée, et ne pourrait d'ailleurs être ensuite démontrée si elle n'était d'abord sentie » (56). En bref, la philosophie bergsonienne consiste en fin de compte à affirmer qu'il y a au fond de l'être quelque chose d'irréductible à l'analyse. Après coup, sans doute, tout peut se réduire en termes intellectuels. On croit même que la réduction est totale, mais on se trompe, car la réalité que l'on saisit alors est une réalité inerte et en somme incomplète. Pour la ressaisir intégralement il faut, grâce à l'intuition, retrouver en soi l'unité du mouvement créateur (1).

Ici nous touchons du doigt ce que nous avons appelé avec précautions, l'anti-intellectualisme de Bergson. Cet élément irréductible à l'analyse, même après coup, est bien un élément irrationnel. Bergson a beau considérer l'intuition, qui saisit le réel dans son intégralité, comme une faculté supra-intellectuelle, le mot intellectuel n'est qu'une étiquette. Le Bergsonisme n'est pas un irrationnalisme intégral, mais il y a pour lui, néanmoins, un résidu d'essence irrationnelle dans toute réalité non matérielle (2).

Du même coup nous touchons également du doigt ce qui le sépare de Proust. Pour ce dernier aussi, il est bien vrai que la vérité ne peut généralement pas être atteinte directement par l'intelligence abstraite, celle qui raisonne et déduit. La déduction n'est pas une opération qui soit féconde, qui permette d'inventer. Il faut pour cela s'adresser à des puissances autres : des puissances intuitives. Proust l'a constaté aussi bien en art que dans la psychologie de tous les jours. La vérité esthétique est saisie par l'instinct de l'artiste, dans les coïncidences d'où naissent les souvenirs involontaires et les vérités esthétiques. Même les vérités d'ordre psychologiques ont pour matière notre propre vie.

---

1) C'est pourquoi, dans l'*Introduction à la Métaphysique*, Bergson fait remarquer que « de l'intuition on peut passer à l'analyse mais non pas de l'analyse à l'intuition » (229).

2) C'est en ce résidu que l'on peut voir le principe du mysticisme auquel Bergson aboutit finalement dans les *Deux Sources*. Son mysticisme n'est pas plus intégral, certes, que son irrationalisme. Il a même source. Ce mysticisme a beau ne pas être d'intention anti-intellectualiste (ni même en opposition à la science positive), mais un certain appel à la vie intérieure et profonde (voir l'interview prise par H. G. dans « les Nouvelles Littéraires » du 15 décembre 1928). Il l'est, en dépit de la volonté de son auteur car il ne suffit pas de vouloir qu'une chose soit telle ou telle pour qu'elle le soit effectivement.

Et si l'intelligence les aperçoit plus rapidement, les extrait elle-même et directement, du moins ne peut-elle les créer ex-nihilo et doit-elle attendre que la vie ait passé avec ses joies et ses souffrances pour s'en saisir. Enfin dans la vie même nous échouons aussi bien lorsqu'il s'agit de prévoir ce que feront les autres, les mobiles de leur acte, que lorsqu'il s'agit de savoir ce que nous éprouverons nous-même. La réalité si elle est nécessaire, pense Proust, n'est pas exactement prévisible. (*Pr.*, I, 10. Il s'agit d'une erreur de Bloch : « Il était d'ailleurs fort excusable, car la réalité même, si elle est nécessaire, n'est pas complètement prévisible »). Cependant la réalité est *nécessaire*. C'est dire qu'elle est intelligible. Et ce n'est pas un mal que l'intelligence, soit déçue par elle. Il est, en effet, utile que ce soit l'intelligence elle-même qui se rende compte de l'importance de l'expérience : c'est ainsi que se fait la connaissance. (*A.D.*, I, 14). De même, en art, l'intelligence intervient en fin de compte pour traduire ce que l'imagination et la sensibilité ont découvert, en « équivalents d'intelligence ». Pour Marcel Proust l'invention n'est pas achevée tant que ce qui a été senti n'a pas été exprimé complètement. Donc, pas de résidu irrationnel chez lui, mais un grand mouvement vers la lumière intégrale.

C'est parce que Bergson et Proust ne sont pas d'accord sur ce point que le problème de l'expression artistique ne se pose pas pour eux dans des termes identiques. Comme l'obscurité qui existe en nous-même reste, dans ce qu'elle a de qualitatif, irréductible pour Bergson, il en résulte que, pour celui-ci, exprimer, c'est toujours trahir. Aussi le seul mode d'expression possible pour lui est inadéquat — c'est la suggestion. L'artiste présente ce qu'il dit d'une manière « à faire soupçonner la nature extraordinaire et illogique de l'objet qu'il projette ». Il a mis dans l'expression extérieure quelque chose « de cette contradiction de cette pénétration mutuelle » qui constitue l'essence de la vie intérieure. C'est à ce prix seulement qu'il nous remet « en présence de nous-même » (*Essai*, 101) ; encore n'y réussit-il qu'imparfaitement.

Pour Marcel Proust, l'art tend à l'expression comme à sa fin. Loin que la vérité soit réalisée dans la sensation confuse, c'est avec les mots qui l'éclairent qu'elle naît au monde. Lorsque le jeune Marcel se demande dans *Du Côté de chez Swann* ce qu'il y a de caché sous les impressions que lui donnent les trois clochers des environs de Combray, il s'aperçoit que ce sont des mots. Rappelons ce texte, déjà cité, du *Temps Retrouvé* : « En somme, dans un cas comme dans l'autre, qu'il s'agisse d'impressions comme celles que m'avaient données la vue des clochers de

Martinville, ou de réminiscences comme celle de l'inégalité des
deux marches ou le goût de la madeleine, il fallait tâcher d'interpréter les sensations comme les signes d'autant de lois et d'idées,
en essayant de penser, c'est-à-dire de faire sortir de la pénombre
ce que j'avais senti, de le convertir en un équivalent spirituel.
Or ce moyen qui me paraissait le seul, qu'était-ce autre chose
que de faire une œuvre d'art » (*T.R.*, II, 24). L'art pour lui —
encore qu'il ait pour objet le qualitatif — vise à transporter sur
le plan conscient, le plan de l'intelligence, les virtualités de la
conscience obscure. L'expression, ascension à la conscience, est
une naissance, nullement un avortement comme c'est dans une
certaine mesure le cas pour Bergson (1).

L'intuition dans ce qu'elle a d'indicible tourmente Proust
jusqu'au moment où il se libère par l'œuvre d'art. On se souvient
qu'un jour au cours d'une promenade aux environs de Combray
ce qu'il voit produit une forte émotion esthétique en lui. Mais il
ne trouve alors pour l'exprimer que le cri de « Zut, Zut, Zut ! »
et les violents coups de canne qu'il assène à droite et à gauche
autour de lui. « La plupart des prétendues traductions de ce que
nous avons ressenti ne font ainsi que nous en débarrasser en le
faisant sortir de nous sous une forme indistincte qui ne nous
apprend pas à le connaître » (*Sw.*, I, 144). Ne pas arriver à s'exprimer est pour lui une forme d'impuissance. La force, la valeur
de l'artiste se révèle dans le style. C'est grâce au style, à sa perfection, que ce qu'il y a de qualitatif — et de théoriquement inexprimable dans nos impressions — peut-être révélé à la conscience
claire.

Marcel Proust est un homme qui au cours de toute sa vie,
n'a jamais rien mis au dessus de la vérité. « La vérité est toujours
salutaire », dit-il, *Corr.*, III, 30), c'est-à-dire pour lui de la
pensée. Cet esprit, à bien des égards parent du sien, qu'était
Bergson, n'a cependant pas accordé la même confiance que lui à
la pensée pure et c'est là une autre preuve de la tendance irra-
tionnaliste de son esprit. C'est vers l'action que finalement il nous
montre orientée la forme d'esprit la plus élevée selon lui, le mysticisme est, en effet, « une prise de contact et par conséquent une
coïncidence partielle, avec l'effort créateur que manifeste la vie »
(*Les Deux Sources*, 235). Il consiste, en somme, à retrouver le
courant vital pour le porter plus loin et même jusqu'à Dieu.

---

1) Et pour M. Paul Valéry — En ce qui concerne Bergson, cependant, nul mieux que lui dans *l'Effort intellectuel* n'avait montré comment l'intuition, le schéma dynamique se transforme dans l'invention, en images précises.

Lorsque l'âme parvient à ce degré d'élévation, elle trouve en elle
« une surabondance de vie », un « immense élan » (248) ; et rien
n'est moins étonnant puisqu'elle a atteint aux sources mêmes de
la vie. Le mysticisme trouve sa fin dans l'action. Sans doute il
est aussi vérité. Mais c'est une vérité qui ne se suffit pas à elle-
même et qui entraîne celui qui la possède dans un grand élan de
prosélytisme. Le mysticisme est un amour, un amour qui voudrait
« avec l'aide de Dieu, parachever la création de l'espèce humaine
et faire de l'humanité ce qu'elle eût été tout de suite si elle avait
pu se constituer définitivement sans l'aide de l'homme lui-même »
(51). Ainsi le mysticisme est plus qu'une forme de connaissance.
L'extase c'est-à-dire la contemplation n'est qu'un degré intermédiaire dans l'ascension du mystique (voir pages 246 à 248 des
Deux Sources). L'objet suprême de ce dernier est de promouvoir
un monde, une humanité nouvelle. Il ne se réalise complètement
que dans l'action — dans une action, d'ailleurs, si l'on comprend
bien Bergson, qui n'est pas extérieure, mais intérieure et en
quelque sorte organique.

Cette manière de voir les choses est tout à fait étrangère,
sinon opposée, aux tendances de Proust. L'action pour lui est
toujours plus ou moins dispersion et agitation. Elle aboutit à une
perte de spiritualité. Elle ne réalise rien. Seule la pensée est
véritablement agissante. Mais cette façon de considérer les choses
était naturelle pour un philosophe qui s'était refusé à admettre
que l'élan créateur, que ce soit la vie, le progrès de la conscience
spontanée ou l'invention, fût résoluble en idées, soumis à la loi
de la conservation de l'énergie et pour tout dire réductible au
principe d'identité. Mais en établissant que le mouvement qui
entraîne les êtres dans leur évolution est synthétique ou comme
il dit « créateur », il renonce dans une certaine mesure au postulat d'universelle intelligibilité (1) auquel Proust reste fidèle.

M. E. Burnet a très bien dit : « Proust est de la lignée des
grands écrivains chez qui la sensibilité adresse ses appels à l'intelligence. Sentir, c'est commencer à comprendre. Proust n'est
pas du tout mystique, il est un intellectualiste » (Essences,
208) (2).

_____

1) C'est pourquoi il n'est pas vrai comme le soutient M. J. Chevalier dans le numéro des *Nouvelles Littéraires* déjà cité, ou M. E.
Burnet (Essences, 209), que l'intuition philosophique de Bergson se
ramène à l'intuition d'évidence de Descartes. Psychologiquement c'est
le même phénomène — mais Descartes le considère comme entièrement rationnel ; pas Bergson !

2) Mais il n'est pas, contrairement à ce qu'ajoute Burnet, intellectualiste « à la manière de Bergson » !

L'INTELLECTUALISME DE PROUST

Son intellectualisme, n'est nullement un intellectualisme désuet. C'est l'intellectualisme de quelqu'un qui est allé très avant dans les choses. C'est un intellectualisme singulièrement souple qui fait place à l'expérience, c'est-à-dire aux forces sensibles ou affectives. Il signale à un correspondant que dans son œuvre « la part de la spontanéité » est « infiniment plus grande qu'un parti-pris d'intercaler des démonstrations intellectuelles de vérités trouvées d'abord par la sensibilité le laisse croire au premier abord » (*Lettres à la N.R.F.*, 104-105). Mais il ne voit dans cette dernière, comme les grands intellectualistes, que des idées en puissance. Et tout le travail de la création — même en art — consiste, nous l'avons vu, à convertir ces virtualités en quelque chose d'intelligible.

Si pour la description de la vie dans ce qu'elle a de qualitatif Proust fait irrésistiblement penser à Bergson, par ailleurs pour sa façon de concevoir le monde dans son ensemble, les buts de la vie, la mort, en un mot pour ses tendances philosophiques profondes, c'est aux grands intellectualistes que l'on songe. Quand le grand critique allemand, Curtius le compare à Platon, la comparaison n'est pas inadéquate. « Sera-ce un jeu d'esprit, demande de même M.E. Burnet, de dégager aussi dans le *Temps Retrouvé* une pensée spinoziste et une pensée leibnizienne ? » (*Essences*, 235). Et en effet un rapprochement avec Spinoza ou Leibniz est valable, et pour les mêmes raisons qui autorisent un rapprochement avec Platon. Ces assimilations ne doivent pas surprendre à propos d'une œuvre dont l'auteur disait « que le point de vue métaphysique et moral (y) prédomine partout... » (1). A sa

---

1) *Lettres à la N.R.F.*, 104. — M. Sybil de Souza a insisté dans « *La philosophie de Marcel Proust* » sur la valeur métaphysique de l'œuvre de Proust. Il estime même, ce qui nous paraît exact, que celle-ci « s'élève bien au-dessus d'une interprétation toute personnelle et fournit elle-même la réponse à ce problème de la réalité de l'art, de la réalité de l'éternité de l'âme » (165). Mais il est assez curieux que M. Sybil de Souza pour démontrer cette assertion néglige la psychologie de Proust et se base avant tout sur l'art ou la conception de l'art de Proust. Il est juste de dire que « cette essentielle réalité qui s'exprime dans l'art, dépasse et transcende l'individu à travers lequel elle se manifeste » (169). Mais la théorie esthétique de Proust est solidaire de sa psychologie et dans cette étude, pour notre part, nous ne l'en avons pas dissociée. Sans doute M. Sybil de Souza ne conteste pas la valeur de la psychologie proustienne. Mais il ne voit pas en elle la véritable originalité de Proust et s'oppose à ceux qui ont considéré Proust avant tout comme un grand psychologue, par exemple M. Feuillerat. Pour notre part, il nous semble que Proust est également original en tant qu'artiste, psychologue et métaphysicien (en prenant ce dernier mot dans un sens large). En tout cas nous som-

manière, Proust pose et résout deux grands problèmes philosophiques : le problème des rapports du sensible et de l'intelligible — le problème du bonheur ou de la fin de la vie humaine. C'est ce que nous allons montrer pour terminer.

Proust est un artiste et un très grand artiste (1). Mais il ne s'est pas cantonné dans la carrière — immense du reste — de l'activité artistique spontanée. Il a poursuivi un autre but.

Lorsque son père le pressait de choisir une carrière, il lui écrivait : « Mon cher petit Papa, j'espère toujours finir par obtenir la continuation des études littéraires et philosophiques, pour lesquelles je me crois fait ». Et comme il se déclarait résigné aux

mes d'avis avec M. de Souza (et contre Jacques Rivière, qui il est vrai n'avait pas lu le *Temps Retrouvé*) que Proust ne manque — tant s'en faut ! — ni d'esprit métaphysique, ni d'ambition constructive (voir l'article de Rivière dans l'Hommage de la N.R.F.).

M. B. Crémieux a dit de son côté au sujet de *La Recherche :* « Je crois qu'une des choses qui restera, c'est la façon dont Proust a exprimé son ascension vers la vie contemplative qui doit aboutir à la vie unitive par l'expression même du réel », (*Cahiers de la quinzaine*, 5 mars 1930, p. 42-43).

C'est de Schopenhauer que M. Raphaël Cor, rapproche Proust (« Mercure de France » du 15-5-1928) « Marcel Proust ou l'Indépendant »). Mais il limite sa comparaison à l'esthétique. Mme Florence Hier note aussi les ressemblances frappantes qui existent entre certaines idées esthétiques de Schopenhauer et de Proust, dans *La Musique dans l'Œuvre de Marcel Proust.*

Dans *Le Publicateur de Béziers* du 23 février 1924, Phédon compare, non sans justesse, la conception du monde de Proust à celle de Leibniz : « Selon les philosophes, le plus petit événement englobe, dans l'Absolu, aux yeux de Dieu, la formation et le gouvernement de l'Univers. C'est un sentiment analogue que l'on trouve dans Proust. Sous ses notations — à l'apparence insignifiantes et souvent monotones — subsiste le sens le plus aigu de la compénétration universelle et de l'éternel. On a voulu l'apparenter à Freud, à Bergson, à Einstein. C'est surtout à Leibniz qu'il nous paraîtrait se rattacher, si sa vision n'était la plus originale qui soit : et même alors Proust incarne la doctrine de ce grand philosophe, selon laquelle chaque monade se représente l'univers de son point de vue individuel ». « Bien leibnizien encore, ajoute Phédon, son prétendu amoralisme. C'est optimisme qu'il faudrait dire : vu dans tout, tout est bien, tout est beau, tout est intéressant ».

1) Nous avons déjà dit que nous n'avions pas entrepris dans cet essai d'étudier et de juger l'art de Proust. Sans nous interdire systématiquement toute incursion hors de sa psychologie, nous avons surtout analysé ses idées et non son propre savoir-faire. Sur Proust artiste nous nous permettrons de renvoyer au *Marcel Proust* d'E. R. Curtius. Cet ouvrage d'une étonnante profondeur contient les meilleures pages qui aient été écrites sur le style de Proust. Mais hypnotisé par la valeur de l'artiste E. R. Curtius a méconnu le psychologue en Proust. Il ne l'a pas vu. Il n'a guère étudié, du reste, et peut-être parce que la valeur du psychologue ne lui est pas nettement apparue, le romancier qu'il y a aussi en Proust. Sur ce dernier point nous renverrons principalement aux remarquables études de L. P.-Quint, B. Crémieux et aux excellents articles des *Nouvelles Littéraires* d'Edmond Jaloux.

Chartes ou aux Affaires étrangères, il ajoutait encore : « Ce n'est pas que je ne croie toujours que toute autre chose que je ferai, autres que les lettres et la philosophie, est pour moi du *temps perdu* » (Cité par A. Maurois, *A la Recherche..,* 51-52). A travers une œuvre d'art, il s'est effectivement assigné une fin philosophique. Il a même fait de cette fin le sujet central de son livre, celui qui assure son unité. Selon un procédé déjà employé, mais d'une façon plus restreinte, par André Gide dans *Les Faux-Monnayeurs,* il a écrit un ouvrage et en a tiré en même temps les conclusions esthétiques et philosophiques qu'il lui a paru comporter d'une manière tout à fait générale. L' homme qui dit « je » dans le récit, ne se contente pas de vivre et de décrire ce qu'il voit, il juge sa vie. Il ne cesse de poser des problèmes de valeur : et principalement le problème de la valeur de sa propre existence, ou plutôt le problème de la valeur de l'existence humaine à travers sa propre existence. Il est à la poursuite des deux grands problèmes métaphysiques fondamentaux : le problème de la connaissance et celui du bonheur. Seulement — et c'est là, en même temps que son originalité, ce qui lui permet de rester dans le cadre d'une œuvre d'art — il pose ce double problème à propos de la vie de tous les jours, de cette vie dont Jules Laforgue disait qu'elle est si « quotidienne ». Proust s'est contenté d'analyser ses impressions de toutes sortes, de s'observer vivre, et il nous propose toujours d'éprouver la valeur de sa psychologie, sans tricherie, sur le premier venu et dans les circonstances les plus banales. Il aime, il a des relations, il apprécie la musique, la littérature, la peinture et la nature. Mais il n'entreprend pas comme les philosophes une recherche méthodique de la vérité métaphysique et du bonheur. Il part en somme d'une expérience purement spontanée, laisse la vie agir sur lui, comme font la plupart des hommes. C'est une sorte d'expérimentation passive qui s'accomplit. Certes l'expérimentateur est doué et il a des aspirations élevées Mais ces dons et ces aspirations ne sont-ils pas — plus ou moins développés — en tous les hommes ? Cette façon de procéder confère aux résultats obtenus par Proust une valeur tout à fait générale. Son expérience est bien notre expérience. Elle n'a rien d'artificiel. Elle est comme dit Proust, « involontaire » et marquée du sceau du réel.

C'est ainsi que Proust part, à sa manière, de ce que les philosophes appellent le *sensible.* Il y est même tout entier plongé. Cependant il sent bien que le sensible ne saurait se suffire à lui-même et on lui a appris qu'il existait un autre monde supérieur, celui de l'intelligence. Le problème qu'il se pose alors et auquel il apportera une solution, consiste à savoir *comment on peut passer du sensible à l'intelligible,* accorder la sensibilité et l'intelligence. Mais le passage ou l'accord semble singulièrement difficile d'abord, parce que l'intelligible apparaît aux yeux du jeune Proust sous les espèces d'idées abstraites qui le laissent indifférent, pour lesquelles il lui est impossible de s'exalter. Elles ne sauraient donc conduire selon lui à une forme de vie que l'on doive préférer à toute autre. Elles ne semblent avoir aucun rapport avec le monde sensible qui est le seul, du reste, à lui procurer de temps à autre des impressions agréables.

Proust sent bien l'impossibilité de sacrifier le monde sensible, le monde tangible, aux idées abstraites. Il craint de se leurrer. Les idées abstraites sont forgées par la volonté. Seules les impressions nous sont imposées par la vie elle-même, et possèdent un caractère authentique. Il ne saurait sacrifier ses impressions au désir peut-être illusoire de les dépasser. C'est en ce sens que l'on peut dire que Proust est un positiviste. Et tout le problème, d'un certain point de vue, se ramène donc pour lui à celui-ci : *l'attitude positiviste est-elle conciliable avec l'idéalisme intellectualiste ?*

Oui, elle l'est ! C'est la découverte que va faire Proust. On peut sans quitter le terrain de l'expérience atteindre la vie intellectuelle la plus élevée — on peut concilier l'intelligible et le sensible. La raison ? C'est que l'intelligible est contenu dans le sensible. La proposition n'est pas nouvelle. Elle a été formulée sous des formes diverses par tous les grands philosophes intellectualistes. Mais la méthode, la façon dont Proust le démontre est entièrement nouvelle. Et aussi le domaine encore inexploité par les philosophes dans lequel cette constatation s'impose à lui, l'art.

L'esthétique du *Temps Retrouvé* nous apprend en effet que nos sensations ne sont, en somme, que la forme provisoire de nos idées. Nos sensations les plus profondes recèlent un mystère : ce mystère est celui de leur contenu. A un premier stade de la révélation, dans l'épisode des trois clochers, Marcel s'aperçoit que ce sont des mots. Mais pourquoi des mots ? *Le Temps Retrouvé* est la réponse à cette question ; ces mots expriment *l'essence* des choses. Ainsi, ce que nos sensations nous cachent, ce sont des connaissances c'est-à-dire de l'intelligible. L'intelligible s'extrait du sensible.

« Un jour que nous sortions d'un concert où nous avions entendu la Symphonie avec Chœurs de Beethoven, raconte Lucien Daudet (*Autour de Soixante Lettres,* 29), je fredonnais les vagues notes qui, je le croyais, exprimaient l'émotion que je venais d'éprouver, et je m'écriai, avec une emphase dont je ne compris le ridicule qu'après : « C'est splendide ce passage ! ».

Marcel Proust se mit à rire et me dit : « Mais mon petit Lucien, ce n'est pas votre *poum, poum, poum* qui peut faire admettre cette splendeur ! Il vaudrait mieux essayer de l'expliquer ! ». Sur le moment je ne fus pas très content, mais je venais de recevoir une inoubliable leçon ». Mme F. Hier qui rappelle cette anecdote, remarque que Proust n'était pas de ceux qui prétendent ou veulent faire croire que la connaissance intellectuelle gâte la jouissance musicale : « Proust, dit-elle (*La Musique dans l'Œuvre de Marcel Proust,* 30) leur répondait que la condition essentielle à la pleine compréhension de toute œuvre artistique est la pensée. Loin de détruire l'émotion, la pensée ne s'en empare que pour la changer en une essence immortelle. »

De là découle l'amour de Proust pour les choses, pour tous les objets de la nature, les arbres, les fleurs. Pour lui elles sont pleines de réalités plus profondes que leurs apparences. D'où cet art, si remarquablement caractérisé par E.R. Curtius quand il nous montre comment Proust transpose toute chose en lui-même et spiritualise ainsi le réel. Commentant le fameux passage où Proust décrit les effets d'un rayon de soleil sur un balcon, M. Curtius écrit : « Que contiennent ces phrases ? Aucune description au sens ordinaire du terme. Proust ne *peint* point — comme l'eussent fait les Goncourt. Il ne nous décrit point les phénomènes optiques ou météorologiques mais des mouvements de l'âme, non pas des processus physiques mais psychiques ; ou mieux il intègre le matériel dans le spirituel » (1).

Ainsi pour Marcel Proust tout se ramène à de la pensée. Ce sont des pensées qu'expriment les artistes, mais des pensées d'un nouveau genre : des pensées qui n'ont rien d'abstrait, des pensées concrètes qui puisent leur sève dans le sensible. « Grand délice, écrit Baudelaire, que celui de noyer son regard dans l'immensité du ciel et de la mer ! Solitude, silence, incomparable chasteté de l'azur ! une petite voile frissonnante à l'horizon, et qui par sa petitesse et son isolement imite mon irrémédiable existence, mélodie monotone de la houle, toutes ces choses pensent

---

1) Et Curtius de citer à l'appui de son dire ce passage caractéristique tiré de la Préface à *La Bible d'Amiens* que nous avons déjà utilisé nous-mêmes : « La réalité que l'artiste doit enregistrer, est à la fois matérielle et spirituelle. La matière est réelle parce qu'elle est une expression de l'esprit » (*Marcel Proust,* p. 58).

par moi, ou je pense par elles (car dans la grandeur de la rêverie, le *moi* se perd vite !) ; elles pensent, dis-je, mais musicalement et pittoresquement sans arguties, sans syllogismes, sans déductions » (*Spleen de Paris,* « le Confiteor de l'Artiste »). Les idées formées par l'intelligence pure, fait remarquer Proust dans le *Temps Retrouvé,* « n'ont qu'une vérité logique, une vérité possible, leur élection est arbitraire » (26). Celles que nous imposent nos sensations sont seules vraies pour nous, car nous les percevons dans ce qu'elles ont de concret, elles nous font atteindre le réel dans un contact direct. Voilà ce que l'expérience artistique révèle à Proust.

On sait qu'à côté des vérités « essentielles », celles que lui fournissent les souvenirs involontaires et esthétiques, et qui lui font sentir directement ce qu'il y a d'unique et d'éternel dans ses impressions, Proust constate l'existence d'un autre genre de vérités : les vérités générales. Ces vérités générales c'est l'intelligence qui les forme. Ce sont des vérités morales et psychologiques et Proust nous avertit que dans son art elles tiendront une grande place à côté des autres. Mais pour être *formées* par l'intelligence — et non pas seulement *formulées* comme c'est le cas des vérités essentielles — elles n'en sont pas moins fournies par la sensibilité et notamment, ainsi que le note Proust par la souffrance (les idées sont, dit-il, des « succédanés » des chagrins). Ce ne sont donc pas non plus des vérités abstraites et arbitraires. C'est la vie qui nous les impose également. Seulement elles ne sont pas préformées dans la sensibilité comme les autres, c'est l'intelligence qui les fait jaillir. Et cela tient vraisemblablement à ce que les vérités intuitives permettent d'atteindre ce qu'il y a d'éternel et de nécessaire dans l'individuel, tandis que ces vérités d'un second genre ont pour objet le général. D'elles on peut tirer les mêmes conclusions philosophiques que des vérités essentielles. Comme ces dernières elles montrent que tout se ramène finalement à des idées, que la sensibilité est en quelque sorte la matière première de l'intelligible. Proust va même fort loin — et dans un sens presque platonicien, il nous affirme que ce ne sont pas les êtres qui existent réellement et qui sont susceptibles d'expression, « mais les idées » (*T.R.* II. 66).

Mais ce n'est pas à l'intellectualisme de Platon ni à celui d'Aristote avec lequel il a des points communs comme avec toutes les formes de l'intellectualisme, que nous rattacherons l'intellectualisme de Proust, c'est à celui des Cartésiens et plus précisément de Spinoza. Et nous pousserons l'assimilation beaucoup plus loin qu'on ne l'a fait jusqu'ici (1). Sans doute sa façon de voir dans la sensibilité une forme confuse de l'intelligence ne saurait être rattachée à aucune doctrine intellectualiste particulière. Le sensible est-il un reflet de l'intelligible ou le contient-il en puissance, peu importe au fond pour Marcel Proust ! Et sa façon de s'exprimer est tantôt aristotélicienne, tantôt platonicienne. Ce qu'il y a — et ceci nous semble être le postulat intellectualiste — c'est que pour lui il n'existe pas une différence de nature du point de vue psychologique entre le sensible et l'intelligible. Tout se situe sur le plan intérieur, le plan de l'esprit. En un sens tout est psychique, tout est subjectif. La doctrine proustienne de la subjectivité de la vie humaine est, au fond, une doctrine cartésienne encore qu'elle n'ait été développée explicitement par aucun Cartésien. Quelle est la vision des rapports de l'esprit et de la matière que nous donnent les Cartésiens, Spinoza en particulier, sinon celle de deux mondes contigus mais sans moyen de communication de l'un à l'autre. C'est à cette forte constatation — grosse de difficultés que chacun résout à sa manière — que s'arrêtent tous les Cartésiens. C'est là pour eux un fait capital, fondamental. Nous sommes enfermés dans notre esprit. Cette constatation Proust l'a faite à son tour. Il l'a faite non pas pour avoir étudié les philosophes, mais pour avoir vécu. Et il faut reconnaître qu'il apporte ainsi à l'intellectualisme cartésien une confirmation de poids.

L'une des grandes leçons que l'on tire — et que Proust tire avec les Cartésiens et tous les intellectualistes, Socrate en tête (2) — du fait de la subjectivité c'est qu'il n'y a pas de buts extérieurs à nous-mêmes, qu'on ne se réalise pas en s'extériorisant, mais au contraire en se tournant vers soi-même. La leçon vaut sur le plan moral, mais elle vaut aussi sur le plan esthétique. L'enseignement esthétique que nous donne Proust, c'est en somme, nous l'avons vu, que pour être un artiste il ne suffit pas de savoir regarder les choses et cela n'est même pas très utile.

---

1) Notamment M. E. Burnet et Mme Jeanne Calbairac (« En relisant Proust » — Cahiers Libres Août 1930 à Février 1931). Les articles de Mme Jeanne Calbairac n'ont été cités nulle part à notre connaissance et ne figurent dans aucune bibliographie française. Or, ils sont parmi les meilleurs que l'on ait consacrés à Proust. Mme Calbairac connaît bien l'œuvre de Proust et elle la comprend mieux encore. Il est à souhaiter que ce qu'elle a écrit soit rassemblé en volume.

) Voire même avec des artistes ! Wagner qui raconte comment il imagina ou « découvrit » le Prélude à L'Or du Rhin, remarque ensuite : « En même temps, je compris la singularité de ma nature : c'est en moi-même que je devais chercher la source de vie et non au dehors. » (Ma Vie, p. 83, T. III - Plon 1911).

Ce qu'il faut, c'est savoir regarder en soi-même pour y retrouver ses sensations. La leçon vaut sur *tous* les plans de l'esprit. Et l'on peut dire que la subjectivité de notre existence spirituelle est intégrale. S'ensuit-il que la connaissance est impossible ? Nullement. Il s'ensuit que tout ce qui est psychique est en un sens connaissance. Il s'ensuit que la connaissance ne consiste pas dans je ne sais quel mystérieux passage du psychique dans la matière, ou inversement dans une non moins mystérieuse effusion de la matière dans le psychique (1) — mais dans des idées ou des rapports entre des idées ou des sensations (2). Cette hypothèse intellectualiste réalise peut-être même la condition nécessaire de la connaissance (3). Spinoza a montré avec profondeur que l'idée vraie est quelque chose de distinct de ce dont elle est l'idée — et sa vérité n'est pas donnée par un signe extérieur, mais elle est un caractère de l'idée vraie elle-même. En d'autres termes il n'est pas nécessaire de sortir du plan de l'esprit pour connaître, ni même de déduire une idée d'une autre : « ...pour avoir la certitude de la vérité, nulle marque n'est nécessaire en dehors de la possession de l'idée vraie... » (*Réforme de l'Entendement*, 238, édition Appuhn). De même pour Marcel Proust, tout est dans l'esprit. Les vérités éternelles consistent dans une intuition qui jaillit d'un rapport entre deux sensations, et les vérités générales sont extraites directement de la sensibilité par le sens du général qui est en nous.

Ce caractère de la vérité explique qu'il soit si difficile de prouver que l'on a raison quand on a découvert une idée vraie nouvelle. Il explique aussi que la vérité ne puisse se communiquer directement par la parole ou les livres. C'est ce que Proust nous montre dans sa préface sur la lecture de *Sésame et les Lys*. Ce n'est que par un progrès spirituel, intérieur, personnel, que

---

1) Personne n'a démontré avec plus de soin que Malebranche dans *La Recherche de la Vérité* que les objets extérieurs n'ont aucune action sur notre âme (voir par exemple Livre III, 2ᵉ part., chap. II : Que les objets matériels n'envoient pas d'espèces qui leur ressemblent).

2) Des sensations, pour l'artiste — que les Cartésiens n'ont pas prévu.

3) Il est assez curieux de constater que les autres doctrines philosophiques, l'empirisme notamment, laissent dans l'ombre le caractère subjectif intégral de notre vie psychique, ainsi que le problème des rapports de l'âme et du corps qui lui est lié. Le kantisme sans traiter le problème de l'âme et du corps (il se l'interdit par méthode), fait à l'esprit une *part dans la connaissance*. Il en résulte que toute connaissance est superficielle puisqu'elle comporte un élément qui n'est pas connu. L'intellectualisme de Spinoza ne fait pas de part : tout ce qui est esprit est connaissance (à des degrés divers) et toute connaissance est esprit, rien qu'esprit. Le subjectivisme est en un sens *intégral* et ménage la possibilité d'une connaissance absolue.

nous pouvons acquérir des connaissances nouvelles, comprendre
ce que d'autres ont découvert. Toujours il nous faut recréer la
vérité par nos propres moyens. Cela est vrai d'ailleurs de toute
influence, en particulier de celle des artistes sur le public ou les
générations à venir.

C'est Malebranche qui fait remarquer que « ...les hommes
ne peuvent s'enseigner les uns les autres... », et que ceux qui
nous écoutent « ...n'apprennent point les vérités que nous disons
à leurs oreilles, si en même temps celui qui les a découvertes
(Dieu pour Malebranche) ne les manifeste aussi à leur esprit ».
(*Recherche de la Vérité*, préface, p. XVI ; éd. Flammarion) C'est
Leibniz qui nous montre que les monades n'ont point de fenêtres
et que chacune d'entre elles reflète le monde entier.

On pourrait prétendre assurément que l'esprit ainsi abstrait
du monde matériel vit une sorte de rêve qui n'est peut-être qu'illusion. On le pourrait peut-être si nous le vivions à notre guise.
Mais des forces nous gouvernent, les phénomènes se succèdent
en nous indépendemment de nous ; bref, une expérience s'impose
à nous. S'il y a rêve, ce n'est pas nous qui rêvons ce rêve, mais
des puissances qui nous dominent.

Il y a un autre trait par lequel Proust se rattache à l'intellectualisme cartésien. Lorsque l'auteur d'*A la Recherche du Temps
Perdu* découvre le caractère concret de la vraie vie spirituelle, ce
n'est pas seulement Bergson qu'il rejoint, mais c'est aussi, c'est
surtout la tradition cartésienne. Il ne faut pas oublier en effet que
le cartésianisme a d'abord été un mouvement d'émancipation de
la philosophie qui languissait dans les spéculations abstraites et
formelles de la scholastique. L'ambition délibérée de Descartes
est de retrouver la réalité. Aussi bannit-il rigoureusement toutes
les abstractions et toutes les idées générales. C'est aux « natures
simples » qu'il prétend s'intéresser exclusivement, et c'est à
l'aide de celles-ci qu'il tente méthodiquement d'expliquer les
choses plus complexes. Spinoza le suit dans cette voie et n'est
pas moins déterminé que lui à ne considérer que des êtres réels,
c'est-à-dire des individus, ou, pour employer l'expression caractéristique dont il se sert, des « essences particulières affirma-
tives » (1). Spinoza va même beaucoup plus loin que son prédécesseur. Nul philosophe n'a marqué avec autant de force le

---

1) *De Emendatione Intellectus*, § 56, Spinoza pourchasse encore
plus rigoureusement que Descartes les « abstractions ». Lorsque par
exemple il conteste l'existence, admise par Descartes, d'une volonté
libre, en l'homme, il emploie un argument caractéristique : il montre
que la dite volonté est une abstraction, un être de raison. (Voir par
exemple : Lettre II, 115, *Œuvres* III, éd. Appuhn).

caractère concret de la vie spirituelle (1). Déjà dans le *Court Traité*, ébauche de *l'Ethique*, il nous montre que le plus haut degré de la connaissance est la connaissance intuitive qu'il oppose au raisonnement ou raison. Or cette connaissance intuitive s'acquiert, dit-il, « par sentiment et jouissance de la chose elle-même ». Aussi son pouvoir sur nous est-il beaucoup plus grand que celui de la raison qui nous indique seulement ce qui est bon sans nous en faire jouir. (*Court Traité*, chapitres II et XXI de la 2ᵉ partie). Dans l'*Ethique* Spinoza oppose encore, quoique moins nettement, la *Science intuitive* à *la Raison*. La Raison nous fait connaître les « propriétés » des choses, tandis que la Science intuitive permet d'en atteindre l'essence même. Mais l'une et l'autre sont liées cependant à l'essence même de Dieu et consi-dèrent, de ce fait, les choses sous un aspect d'éternité. L'une et l'autre engendrent en nous la joie. L'une et l'autre s'épanouis-sent en amour intellectuel de Dieu, c'est-à-dire de la Nature, et cet amour n'est qu'une partie de l'amour infini dont Dieu s'aime lui-même. Bref, grâce à la connaissance, et principalement la connaissance intuitive, notre âme devient elle-même éternelle et jouit d'une félicité suprême.

C'est vers cette conclusion que toute l'*Ethique* converge. C'est dans une conclusion identique qu'*A La Recherche du Temps Perdu* trouve sa signification. Comme Spinoza, Proust nous apporte une doctrine du salut (un salut, selon les grandes tradi-tions rationalistes, remarque Jeanne Calbairac — Cahiers Libres 15 Xbre 1930, p. 574) et du bonheur. Comme Spinoza, Proust découvre ce salut, ce bonheur, et avec eux l'éternité, dans une activité intellectuelle féconde. Le chemin qu'il emploie n'est pas le même : c'est celui de l'activité artistique. Mais n'est-ce pas une coïncidence intéressante et remarquable que Proust découvre par le moyen de l'art, conçu par lui comme une forme de connais-sance, la solution du problème du bonheur que la plupart des grands philosophes avaient trouvée dans l'activité de la raison et de l'intelligence. Cette solution n'est, en effet, pas propre à Spinoza qui en a seulement donné la démonstration la plus remar-quable. C'est celle de tous les grands philosophes eudémonistes depuis Platon. Elle repose sur la possibilité pour l'homme de découvrir l'absolu grâce à ses facultés intellectuelles et fait par suite de l'exercice de ces facultés la fin la plus élevée que celui-ci puisse s'assigner. L'eudémonisme esthétique de Proust est une

---

1) Cependant Malebranche écrit : « La plus belle, *la plus agréable* et la plus nécessaire de toutes nos connaissances est sans doute la connaissance de nous-mêmes » (*Ibid.*, préface, p. XIII).

forme, inédite et originale de l'eudémonisme. Nullement préméditée, imposée à Proust par sa vie et son expérience artistique, elle apporte à cette grande doctrine philosophique une confirmation précieuse.

Ce n'est que par abstraction que le problème des rapports du sensible et de l'intelligible, de la sensibilité et de l'intelligence, du senti et du compris, dont nous avons parlé d'abord, est séparé du problème du bonheur. En effet, bien que réalisé par une conversion de l'esprit qui renonce à tout ce qui le détourne de lui-même et notamment aux passions et à une vie purement corporelle, le bonheur n'en consiste pas moins dans un accord, dans une fusion même de la sensibilité et de l'intelligence. C'est un bien réel que recherche Spinoza, et que recherche Proust. Entendons par là qu'il doit produire un plaisir véritable et durable. Les eudémonistes se détournent moins de la sensation, qu'ils ne la font servir à une fin nouvelle, qu'ils ne l'orientent dans un sens nouveau, bref, qu'ils ne l'intellectualisent ou qu'ils n'en extraient l'intellectualité. La chose est plus évidente, certes, pour un artiste que pour un philosophe pur, mais ce dernier ne saurait cependant plus que le premier trouver sa nourriture dans un mode de vie de l'esprit qui resterait abstrait et ne produirait aucune joie en lui. La possibilité de cet accord intime, est réalisé par l'état de sagesse. Ceux qui doutent de la possibilité de réaliser la sagesse, c'est-à-dire une vie intellectuelle concrète — au moins pendant certains instants de notre vie — sont ceux qui ignorent les caractères véritables de la vie spirituelle.

Que ce problème ait tourmenté Proust, jusqu'à la découverte de la solution, c'est ce dont on ne peut douter, puisqu'il constitue la préoccupation centrale, et le sujet principal, à travers ces modalités trompeuses que sont les péripéties d'une vie, d'*A la Recherche du Temps Perdu*. Le problème des rapports du sensible et de l'intelligible s'est posé, sous une forme nouvelle et imprévue aux critiques de Proust, quand ils se sont demandé quelle était la caractéristique de ce dernier, la sensibilité ou l'intelligence, l'intellectualisme ou le mysticisme, et quand ils se sont divisés sur ce point. (Voir à ce sujet le livre de M. Douglas W. Alden : *Marcel Proust and his french critics* ; Lymanhouse. 1940).

Jamais en effet on ne s'était trouvé en présence d'une œuvre qui manisfestât autant de sensibilité ! Et jamais non plus un écrivain n'avait paru aussi intelligent ! Mais chacun ne voyait en lui que ce qu'il pouvait embrasser de son génie. Certains n'aperce-

vaient que la sensibilité et le poète, et niaient son génie psychologique et philosophique. D'autres ne considéraient que l'analyste
et s'effrayaient parfois de ses investigations et de cette sorte de
radioscopie morale dans laquelle il excellait. Mme Scheikévitch,
dans l'excellent portrait qu'elle trace de Proust, écrit : « En
départageant, selon des points de vue différents, le talent de
l'écrivain disparu, on lui prêtait tour à tour ou simultanément, les
dons les plus opposés, tous ceux auxquels il pouvait aisément prétendre. Si les uns admiraient en lui le poète d'autres attribuaient
à son sens psychologique le secret d'une réussite qui dépassait
les plus bienveillantes prévisions ». (*Souvenirs d'un Temps disparu*, p. 169-170).

Mais la querelle qui animait les partisans des deux thèses
n'avait pas de sens. Proust réalisait, dans son œuvre et dans la
solution qu'il apportait au problème de la vie, l'accord de la sensibilité et de l'intelligence. Le point de vue le plus étroit était,
d'ailleurs, celui de ceux auxquels il semblait qu'une sensibilité
aussi grande que la sienne, aux couleurs, aux parfums, aux sons,
au mouvement, fût l'indice d'un tempérament anti-intellectualiste. Mais une telle exigence n'était que l'expression d'un besoin
artificiel de l'esprit que Proust, pour sa part, n'éprouva jamais.

On avait prononcé, on ne sait trop quand, au cours de notre
histoire intellectuelle et psychologique, le divorce de la sensibilité et de l'intelligence. Kant, en philosophie, y était bien pour
quelque chose, et Bergson, bien qu'il eût corrigé sur certain
point le philosophe allemand et apporté des lumières précieuses,
avait contribué, qu'il l'eût voulu ou non, à aggraver le mal.

Le dédain de nos contemporains pour la position intellectualiste
est venu de là. Ce dédain a, comme c'est la règle, la méconnaissance pour fondement. On a en effet conféré à ce mot *intellectualiste* un sens étroit, plus kantien d'esprit que cartésien. Les
Cartésiens avaient certes *distingué* l'intelligence de la sensibilité,
mais ils ne l'en avaient jamais *isolée*. Pour eux une sensation
était une idée — une idée confuse, mais une idée. Pour un Spinoza, l'esprit est un et il n'y a que des différences de degré, non
essentielles, entre ses multiples modes.

Pour lui, l'intelligence ne se sépare donc pas des autres
facultés de l'esprit : elle forme un tout avec elles (1). Rien
d'étonnant alors, si on ne l'abstrait pas réellement de la volonté

---

1) Notamment il ne distingue pas la volonté de l'idée, comme
le fait Descartes. Ici, comme en d'autres points, on peut dire que
Spinoza a été plus cartésien que Descartes même.

et de la sensibilité, qu'elle puisse être, en certaines occasions, force et joie.

On a introduit de si arbitraires distinctions dans la terminologie et de si arbitraires coupures dans les choses, qu'on a prétendu voir parfois du mysticisme dans Proust, et même chez Spinoza. On en est arrivé en effet à exclure l'intelligence de toutes les manifestations de la sensibilité. On a décrété que tout ce qui est intellectuel est nécessairement aride, froid et mort. Et on en a déduit comme un corollaire que quiconque est doué de sensibilité ou capable d'émotion incline au mysticisme et tourne le dos à l'intellectualisme (1).

Mais quand on donne au mot intellectualisme le sens profond qu'il a lorsqu'il sert à désigner cette philosophie cartésienne qui était si près des choses, il s'applique sans difficulté à un Proust. Ainsi compris, l'intellectualisme, dans sa forme la plus pure, est une doctrine, qui, avec son unité, restitue sa vertu à l'esprit. On réalise des abstractions quand on scinde ce dernier réellement en sensibilité et intelligence (sans parler de la volonté). Et lorsqu'ensuite on conclut à sa stérilité parce qu'il paraît impossible d'accorder ces facultés, on oublie que leur séparation est une commodité artificielle dont notre ingéniosité s'est servie, et que leur accord est *donné*.

On objectera que Proust est le psychologue qui a le plus insisté sur la discontinuité de notre vie intérieure. Mais on répondra que le philosophe qui a peut-être eu le sentiment le plus intense de l'unité du monde, Spinoza, est aussi celui qui le fragmente en une infinité de modes finis — et que l'unité n'est d'ailleurs pas incompatible avec la multiplicité. La thèse de la complexité de l'individu est une thèse essentielle de Spinoza. Le théorème XV de *l'Ethique* II est, en effet, ainsi rédigé : « L'idée qui constitue l'être formel de l'âme humaine n'est pas simple, mais au contraire composée de plusieurs idées ». C'est que pour Spinoza le corps lui-même est composé d'un grand nombre d'individus et l'âme est l'idée du corps, c'est-à-dire de tous ces individus. Chose curieuse ou coïncidence profonde, la ressemblance entre la conception spinoziste et la conception proustienne peut être poussée jusqu'à un certain détail — en dépit de tout ce qui sépare, objets, méthodes, époques, le philosophe hollandais de l'artiste de l'Ile-de-France. C'est ainsi que dans *Les Plaisirs et les Jours,* on trouve un curieux conte, *La Fin de la jalousie* qui semble comme une illustration de la théorie

---

1) Telle est, en particulier, l'erreur fondamentale des thèses pseudo-intellectualistes de Julien Benda.

spinoziste de l'amour intellectuel de la Nature universelle. Proust
nous montre dans la dernière partie de ce récit comment l'amour
de son héros pour sa maîtresse, Françoise, sa jalousie, en particulier, se transforment, lorsqu'il est sur le point de mourir,
lorsque son corps même est déjà mort, en amour universel : « Il
s'aperçut que l'amour, pur de tout égoïsme, de toute sensualité,
qu'il voulait si doux, si vaste, si divin en lui, chérissait les vieil-
les parentes, les domestiques, le médecin lui-même, autant que
Françoise, et qu'ayant déjà pour elle l'amour de toutes les créatures à qui son âme semblable à la leur l'unissait maintenant, il
n'avait plus d'autre amour pour elle. Il ne pouvait même pas en
concevoir de la peine tant tout amour exclusif d'elle, l'idée
même d'une préférence pour elle, était maintenant abolie » (273).

De même, la façon dont Proust lie le problème du bonheur
à celui de la connaissance est spinoziste dans ses moindres modalités. On sait que Spinoza explique dans l'ultime théorème de
l'*Ethique* que la Béatitude n'est pas la récompense de la vertu,
mais la vertu elle-même. En d'autres termes cela signifie, la
vertu consistant pour Spinoza dans l'action de l'âme (virtus), et
l'action de l'âme elle-même n'étant pas autre chose que la connaissance, que la Béatitude, le plus haut degré de félicité de
l'âme, est la connaissance même. Elle ne s'en sépare pas. Aussi
rechercher le bonheur directement, en faire un but, c'est ne pas
comprendre en quoi il consiste, c'est lui substituer le plaisir pur.
En réalité le bonheur ou béatitude ne se surajoute pas à l'acte de
connaissance, il en est partie intégrante ; il est cet accroissement
de l'être par quoi s'opère la connaissance. De son côté, Proust
écrit à Gaston Gallimard : « Le bonheur est en effet, à condition
qu'on ne le prenne pas pour but, mais pour une grande cause ».
Et il ajoute ces arguments tirés de l'observation psychologique :
« Je connais des gens malheureux parce qu'ils calculent qu'ils
ont un an de plus, ou des choses de ce genre. Le bonheur pris
comme but se détruit à pleins bords. Il coule à pleins bords chez
ceux qui ne cherchent pas la satisfaction et vivent en dehors
d'eux pour une idée » (Lettres à la N.R.F., 241). Il en est, du
reste, de la beauté comme du bonheur. On l'atteint non en la
recherchant elle-même, mais en recherchant autre chose. C'est
ce qu'il écrit dans sa préface à *La Bible d'Amiens* : « Or pour
des raisons dont la recherche toute métaphysique dépasserait une
simple étude d'art, la Beauté ne peut pas être aimée d'une manière féconde si on l'aime seulement pour les plaisirs qu'elle
donne. Et de même que la recherche du bonheur pour lui-même
n'atteint que l'ennui, et qu'il faut pour le trouver chercher autre

chose que lui, de même le plaisir esthétique nous est donné par
surcroît si nous aimons la beauté pour elle-même, comme quelque chose de réel existant en dehors de nous et infiniment plus
important que la joie qu'elle nous donne » (54-55). Proust tient
à cette idée puisqu'il l'exprime à nouveau dans un article (d'ailleurs oublié par les bibliographies) consacré à la traduction des
Pierres de Venise de Ruskin par Mme Mathilde Crémieux, et paru
dans la *Chronique des Arts et de la Curiosité* (supplément à la
Gazette des Beaux-Arts du 5 mai 1906) : « Il en est de la beauté
comme du bonheur (dont un poète a, d'ailleurs, dit qu'elle était
la promesse), et elle s'évanouit comme lui, en un ennui morne si
on le poursuit uniquement. Nous aurions pu nous fatiguer de la
langueur de Venise et répéter froidement à sa louange, les
litanies du génie. Mais maintenant, au retour de nos pèlerinages
ruskiniens, actifs et laborieux ceux-là, où nous chercherons la
vérité et non la jouissance, la jouissance sera plus profonde, et
Venise nous versera plus d'enchantements d'avoir été pour nous
un lieu d'études et de nous donner la volupté par surcroît ». Bien
que Proust ne nous fournisse pas ses raisons « métaphysiques »,
ces textes nous apportent cependant quelques précisions sur sa
pensée. Ce qu'il condamne, c'est le dilettantisme, c'est-à-dire la
recherche de satisfactions égoïstes et superficielles, du plaisir
pour le plaisir. Pour trouver le bonheur comme pour trouver la
beauté il faut s'assigner un but plus sérieux, plus profond. C'est
la réalité même que les grands artistes cherchent à atteindre.
C'est dans cette recherche, nous le savons, que Proust trouve à
la fois le bonheur et la beauté — en d'autres termes c'est la
connaissance (esthétique ou non esthétique peu importe) qui,
pour lui comme pour Spinoza, est productrice de suprêmes satisfactions — ou plutôt c'est dans cette connaissance que consistent
ces satisfactions.

Proust, remarquons-le en passant, donne parfois au mot
bonheur une acception, qu'il faut écarter ici. Le bonheur en effet
c'est parfois pour lui le fait d'être « heureux » en amour.
C'est ainsi que dans ses promenades autour de Combray, Marcel
se représente le bonheur sous les espèces d'une petite fille
rousse. Le bonheur, ainsi conçu, c'est la chance en amour. Il ne
se réalise jamais, du reste. Nous avons vu pourquoi dans notre
chapitre sur la psychologie de l'amour. M. Feuillerat, qui veut
nous démontrer le pessimisme de Proust (du Proust des retouches), commet précisément ce contre sens. « Dans une addition
singulièrement désespérée, écrit-il (*Comment parut...* p. 116),
Proust par la bouche du narrateur est allé jusqu'à affirmer *que le*

bonheur ne peut pas avoir lieu ». Or la phrase de Proust, (« Mais le bonheur ne peut pas avoir lieu ») à laquelle M. Feuillerat fait allusion, se rapporte à cet épisode où Marcel aperçoit l'objet de son amour, Gilberte, en compagnie d'un jeune homme dans la rue et comprend qu'il n'est pas aimé. La possibilité du « bonheur » s'écroule avec ses espoirs (*A l'.*, 180). Et il est évident qu'il s'agit de bonheur en un sens bien particulier. Ce n'est pas le bonheur au sens profond et philosophique du mot, lequel n'est pas impossible pour Marcel Proust. *Le Temps Retrouvé* en est la démonstration. On peut parler du pessimisme de Proust en amour. Mais par ailleurs, sur le plan métaphysique, Proust est optimiste : là le bonheur peut avoir lieu.

La solution du problème de la liberté est liée à celle du bonheur. Si le bonheur dépend de la perfection de l'individu, de son développement intellectuel, la liberté ne saurait résulter que d'une « libre nécessité » (Spinoza, Lettre LVIII). Le spinozisme en tout cas rejette, comme inintelligible, la liberté d'indifférence. Or Proust, dans sa préface à *La Bible d'Amiens,* écrit : « Il y a longtemps qu'on a percé à jour le sophisme de la liberté d'indifférence ». Il en donne une preuve par analogie, une preuve psychologique selon son habitude : « C'est à un sophisme tout aussi naïf qu'obéissent sans le savoir les écrivains qui font à tout moment le vide dans leur esprit, croyant le débarrasser de toute influence extérieure, pour être bien sûrs de rester personnels. En réalité les seuls cas où nous disposons vraiment de toute notre puissance d'esprit sont ceux où nous ne croyons pas faire œuvre d'indépendance, où nous ne choisissons pas arbitrairement le but de notre effort. Le sujet du romancier, la vision du poète, la vérité du philosophe s'imposent à eux d'une façon presque nécessaire, extérieure pour ainsi dire à leur pensée. Et c'est en soumettant son esprit à rendre cette vision, à approcher cette vérité que l'artiste devient vraiment lui-même » (93-94).

Sur un autre point encore, la rencontre entre Proust et Spinoza est remarquable, et ne s'explique certainement pas par une influence. La distinction spinoziste entre la raison et l'intuition se retrouve dans l'esthétique proustienne sous la forme d'une distinction entre les vérités générales et les essences. Ce sont les propriétés des choses et plus précisément les notions communes qui constituent l'objet de la raison selon Spinoza. Mais que sont ces notions communes, sinon les vérités qui constituent la science ? Ce sont des vérités générales, non les généralités des Scholastiques, mais les vérités générales extraites des faits eux-mêmes, les lois des choses et de notre esprit. Quant aux essen-

ces, leur objet est constitué selon Spinoza par les êtres individuels. Mais le romancier-poète va peut-être, sur ce point nous
permettre de combler une lacune du philosophe : en dehors de
Dieu et des essences mathématiques en effet on ne voit pas très
bien à quoi elles correspondent. Comment atteindre les essences
des individus ? Quelle science correspond à l'intuition spinoziste ? Nul point n'est plus obscur dans la philosophie de Spinoza.
Seul l'art, semble-t-il, permet d'atteindre l'individuel, le qualitatif dans la nature. Une telle solution était sans doute fort étrangère à un philosophe qui ne s'est jamais intéressé aux questions
d'art sauf pour dénoncer les préjugés finalistes du beau et du
laid. Mais Proust sur ce point ne pouvait-il pas compléter Spinoza ? Ne nous a-t-il pas révélé que l'art nous permettait de
saisir les choses particulières « sub specie aeternitatis », de
découvrir un élément d'éternité dans notre âme ? Et, en effet,
en démontrant dans *Le Temps Retrouvé,* ce que Baudelaire et les
grands symbolistes avaient pressenti, que l'art est un moyen original d'atteindre le réel et de le connaître, il a annexé l'esthétique à l'intellectualisme.

Ces points communs entre Proust et Spinoza s'expliquent
par les tendances profondes des deux hommes. Non seulement
tous deux aspirent passionnément au bonheur ou souverain bien,
mais ils s'imposent la même discipline dans leur recherche : ce
bonheur ils ne veulent le réaliser que dans la vérité. Ils n'accep-
teraient pas de se laisser tromper par leur imagination ou leur
désir ; et leur esprit est, d'ailleurs, bien armé contre toutes les
duperies. De là, ce qu'on a appelé leur amoralisme. L'éthique de
l'un comme l'esthétique de l'autre sont construites délibérément
par delà les notions de bien et de mal, notions conventionnelles
pour l'un comme pour l'autre. La religion est pour eux une illusion (1). Proust l'écarte avec la même tranquillité que le philosophe hollandais — avec la même tranquillité il se fie au principe de causalité, à la vérité objective et à l'éternité de cette dernière. Une seule foi les anime tous deux : c'est la croyance,
démontrée par leur œuvre, en une réalité profonde qui dépasse
infiniment nos misérables existences. Telle est leur manière de
croire en Dieu.

La tendance rationaliste de Proust a été jugée sévèrement
comme une insuffisance. On peut penser le contraire et estimer

1) Qu'ils jugent tous deux avec bienveillance cependant. Spinoza
la croit nécessaire aux âmes simples et Proust s'élève contre l'anti-
cléricalisme systématique (Voir la *Revue de Paris,* Tome 3, 1938,
pages 757-758 une intéressante lettre à ce sujet).

qu'il y a dans l'attitude inverse, dans les différentes formes plus ou moins caractérisées du mysticisme, une forme de faiblesse. Renoncer à la raison, à la lumière de l'esprit pour résoudre les ultimes problèmes, c'est inévitablement s'accorder des « facilités ».

Proust considérait son livre comme une œuvre de force. Et il avait raison. « L'art, a-t-il écrit, est un perpétuel sacrifice du sentiment à la vérité » (*Corr.* III, p. 10). Ce n'est pas par dureté d'âme qu'il a, sinon banni — cela n'était pas en sa puissance — du moins essayé dans une certaine mesure de bannir le sentiment de l'âme humaine (1). C'est pour les mêmes raisons que celles qui avaient déterminé les Cartésiens à condamner les passions. Et c'est par la même méthode : en évitant comme Spinoza de se placer à un point de vue anthropomorphique. Le point de vue anthropomorphique est celui du sentiment ou des passions — le point de vue de toutes ces illusions, d'autant plus dangereuses que nous les chérissons ; car on aime l'amour et on aime l'amitié. On aime même des passions plus basses. Or le point de vue de Proust — vingt critiques l'ont observé — est le point de vue le plus objectif, celui du savant, celui du naturaliste. Proust est conscient de la solidarité de l'homme avec l'homme, puis de l'homme avec le règne animal, et puis encore de l'homme avec le règne végétal. (M. Denis Saurat a noté cela de manière excellente dans l'importante étude qu'il a consacrée à Proust dans *Tendances*, III, La Personnalité). Qu'on relise à cet égard les étonnantes pages consacrées à la mort de sa grand'mère, notamment l'épisode où on lui administre la quinine : « En un moment, Python écrasé, la fièvre fut vaincue par le puissant élément chimique, que ma grand'mère, à travers les règnes, passant pardessus tous les animaux et les végétaux, aurait voulu pouvoir remercier. Et elle restait émue de cette entrevue qu'elle venait d'avoir à travers tant de siècles, avec un climat antérieur à la

---

1) Ce qui ne signifie pas qu'il ne l'ait pas peint, comme certains critiques l'ont prétendu. Il a bien fallu qu'il le peigne pour le condamner. Mais il est juste d'observer que seules la sensation et l'intelligence lui paraissent dignes de confiance. Par son culte de la sensation Proust est, comme dit M. Denis Saurat, un « moderne ». L'un des élément de cet esprit moderne, selon M. Saurat, c'est la défiance à l'égard de la passion romantique, et de son « charlatanisme » (N.R.F. du 1er Novembre 1931, p. 797). Mais pourquoi M. Saurat veut-il que le culte de la sensation aboutisse à la négation de l'intelligence. Observons du moins que ce n'est pas le cas de Proust. M. Saurat le reconnaît, d'ailleurs, lui-même dans *Tendances* : « Au fond, quand il a tout dit contre l'intelligence et la mémoire consciente, source d'erreurs infinies, Proust est un intellectuel qui ne se fie qu'à l'intelligence, un classique qui ne lâche pas d'un pas la raison » (p. 219).

naissance même des plantes, etc... » (*G. I., 286*). L'homme est pour Marcel Proust un être comme les autres. C'est une créature entre les créatures.

La seule différence qui existe entre l'intellectualisme de Proust et celui de Spinoza (et des Cartésiens en général), c'est que, en dépit de son ardent idéalisme, il n'a pas la même foi dans la puissance inventive de l'esprit réduit à lui-même. Il éprouve à un degré bien plus grand que Descartes, Spinoza ou Leibniz, la nécessité de l'expérience comme guide de l'intelligence. Son intellectualisme est corrigé d'empirisme ou de positivisme. Il s'est ainsi dépouillé de toute austérité dogmatique. De sa confiance dans l'expérience — et dans la vérité — il tirait la liberté d'esprit qui le caractérisait, lui, dont un de ses amis disait : « Je dois en grande partie à Marcel d'avoir connu la joie de penser autrement que par principes » (Robert de Billy, *Marcel Proust : Souvenirs et Conversations,* p. 23).

Ces ressemblances permettent-elles de croire qu'il y ait eu une influence de Spinoza sur Proust ?. Nous ne le pensons pas. Il a moins connu Spinoza (la forme de pensée qu'on trouve chez Spinoza) qu'il ne l'a retrouvé. Sans doute une bonne partie de la substance et de l'esprit du spinozisme a pu lui être, en partie à son insu, inculquée par le riche enseignement de son maître Darlu, alors qu'il faisait sa philosophie, avec un succès remarquable du reste. « En philosophie, chez M. Darlu, écrit M. R. Dreyfus, le palmarès de 1889 ne lui attribuera qu'une nomination, une seule, mais la plus belle, le prix d'honneur de dissertation française, comme *nouveau* battant les *vétérans* de sa classe, studieux candidats à l'Ecole normale... » (*Souvenirs sur Marcel Proust,* p. 23). Il est certain que les études philosophiques ont eu, sur cet esprit si doué, l'effet d'un levain — et toute sa vie, les questions philosophiques l'ont passionné. Mais il est fort douteux qu'il ait pénétré les arcanes de la philosophie spinoziste. Au surplus, Proust est de ces intellectuels qui ont vécu leurs idées plus qu'ils ne les ont apprises. Là réside, d'ailleurs, le secret de leur grandeur.

***

Telle est la richesse et la profondeur de cette œuvre d'art qu'on peut la comparer aux élaborations des plus grands philosophes. D'elle il est possible de dégager une hygiène de l'esprit. Proust est un génie sain. Les maniaques du freudisme ou des explications pathologiques ont voulu voir quelque chose de morbide dans ses écrits : Telle est notamment l'interprétation de

Mme Anne-Marie Cochet dont le livre *L'âme proustienne* est selon D. Alden « The most devastating study ever devoted to Proust » (*Marcel Proust and his french critics*, p. 130). Le critique américain exagère un peu. Il est vrai que Mme Anne-Marie Cochet — comme M. Henri Massis d'ailleurs — nous montre l'œuvre de Proust jaillissant d'une source de corruption. Mais ainsi que nous l'a fait voir Proust lui-même à propos de Bergotte, par exemple, et de manière plus méthodique M. Charles Lalo dans son étude des types psycho-esthétiques, une œuvre peut-être née d'une « source de corruption » et être elle-même fort pure. Selon Proust c'est même un cas fort général.

M. Denis Saurat de son côté a déclaré : « Proust est un des plus beaux génies de la littérature française, mais c'est un génie malade » (*Tendances,* p. 161). Mais en quoi est-il malade ?... Et comment le génie peut-il être malade tout en restant le génie ?.. M. Saurat ne nous le dit pas. Mais comme il ajoute : « Et dont la vision perçante et sûre s'exerce surtout sur la maladie ; ...Surtout mais pas toujours ; il reste assez de parties saines en lui, si on les cherche, pour constituer une œuvre solide, noyée dans l'œuvre malsaine », on en conclut que si l'œuvre de Proust paraît malsaine à M. Saurat, c'est qu'elle a souvent pour sujet la maladie ou certaines anomalies. Mais autant dire que l'œuvre de Charcot ou de Pasteur est malsaine parce qu'elle traite de phénomènes pathologiques.

Cependant il faut reconnaître que les littérateurs sont soumis à des exigences, de la part du public, que ne connaissent pas les hommes de science. On dirait qu'ils participent mystiquement aux sujets qu'ils traitent, aux crimes de leurs héros, etc... Flaubert fut jugé responsable des actes de Madame Bovary et la grossièreté des mœurs de *La Terre* imputée à crime à Zola... Un peu plus loin cependant, M. Saurat formule autrement son grief et le précise : la sensibilité de Proust n'est pas normale, dit-il, ses sentiments ne sont pas normaux parce qu'ils sont « exagérés » (179). M. Saurat trouve excessives les réactions de la sensibilité de Proust devant les événements. Mais est-il possible, vraiment, à un artiste d'être trop sensible ? Ce reproche n'est-il pas un compliment « retourné » ? Autant se plaindre que le microscope grossit trop, que la balance est trop juste, le thermomètre trop précis. Certes, on peut estimer plus normale la sensibilité de celui qui est indifférent aux « égratignures » de l'existence, et plus grande la volonté de celui qui ne connaît pas d'hésitations — mais on ne saurait en dire autant la plupart du temps de leur perspicacité. Et c'est cela qui est important.

Que de réserves il y aurait au surplus à faire sur le prétendu manque de volonté de Proust, qui a poursuivi avec acharnement la composition d'une œuvre énorme au milieu des difficultés matérielles de toutes sortes, des souffrances les plus pénibles que la maladie lui infligeait.

Certes Proust a peint l'homme avec tous ses vices et ses tares. Mais il l'a fait avec l'objectivité d'un clinicien. Il les a considérés comme des phénomènes psychologiques, et il a su si bien s'en détacher parfois (comme pour les aberrations sexuelles) qu'il a pu, pour la première fois peut-être dans l'histoire de la littérature les considérer d'un point de vue purement esthétique et en montrer la beauté. On a cru qu'il humiliait l'homme, fait remarquer M. Edmond Jaloux, « parce qu'il le montrait descendant ce tragique enfer des aberrations érotiques, dont il est entendu qu'il ne faut jamais parler ». « Mais, ajoute l'éminent critique, si, rompant avec cette hypocrisie courante, il ne craint pas de nous révéler les pires égarements de ses personnages, il rattache tout aussitôt ces égarement à ce centre rayonnant de l'individu où se forment les rêves les meilleurs, les états poétiques de la conscience, les sentiments les plus délicats. Là est l'audace et le génie de Proust... On reviendra plus tard sur les rapports de l'érotisme et de l'imagination, auxquels il a donné une si grande place. On l'a loué ou blâmé d'avoir abordé aussi franchement les problèmes sexuels, mais on n'a pas assez dit à quel point, en les abordant, il les a considérés comme peu sexuels, mais bien au contraire, comme le résultat d'états de conscience. C'est en nous montrant cela qu'il a le plus totalement innové... » (Nouvelles Littéraires du 3 décembre 1927).

Comment pourrait-on qualifier de morbide une œuvre dont l'objet essentiel peut-être, est de nous apporter les critériums de la véritable supériorité intellectuelle (1). Proust démolit toutes les fausses idoles : la prétention officielle et diplomatique de M. de Norpois ; le caractère extérieur, tout en gesticulations, en affectations, du sentiment de la musique chez la « patronne », la « naïveté » des Goncourt ; les prestiges du Monde ou de la Bourgeoisie ; ceux du médecin en Cottard qu'il réduit à ses modestes proportions ; l'éloquence ampoulée de M. Legrandin et l'originalité artificielle de Bloch. Proust juge constamment. Il ne for-

---

1) Qu'on lise dans *A l'Ombre des Jeunes Filles en Fleurs,* sa critique animée, vivante, des différentes manières de traiter une dissertation au bachot. Voir à ce sujet de M. A. Ferré, une petite étude qui est un chef-d'œuvre d'esprit critique et de sagacité (« L'Enseignement Public » de Novembre 1929, pages 333 à 355).

mule pas généralement ses jugements. Ceux-ci sont implicitement contenus dans ses descriptions. On sent l'auteur dans l'ombre qui guette ses personnages. Ce n'est pas pour le plaisir malin, mesquin ou maniaque, comme on l'a cru, de tout démolir, de tout noircir. Non ! c'est que l'attitude critique lui est essentielle. Proust cherche dans la vie des valeurs. Il cherche les vraies valeurs. Il les cherche à la fois froidement et passionnément — ce qui revient à dire qu'il réalise les conditions idéales de l'observateur. Or la véritable valeur c'est l'intelligence. Pas n'importe quelle intelligence ! Celle qui coule de source, qui jaillit des impressions profondes et seules réelles que la vie nous fait éprouver, car ce qui est construit arbitrairement sans avoir été senti, et qui ne peut s'épanouir en esprit, tout cela est faux et superficiel. Voilà le monde de la véritable spiritualité. Il ne coïncide pas avec celui des apparences, certes ! Et pour le profane il n'est pas facile de s'y reconnaître. Que le génie habitât Vinteuil, qui l'eût soupçonné à Combray ? La pitié de Proust pour Vinteuil, ce frère méconnu est immense. Lorsqu'on demande à Proust tout jeune encore (il avait treize ou quatorze ans) : « Pour quelle faute avez-vous le plus d'indulgence ? » il répond déjà : « Pour la vie privée des génies » (*Les Cahiers du Mois*), 1er décembre 1924 ; et l'article de M. André Berge). C'est que le génie pour lui est sacré. Il est la source des valeurs suprêmes, et il a droit à toutes nos indulgences. Proust a écrit son œuvre pour qu'on ne s'y trompât pas et pour nous dire à quels signes il se reconnaît.

BIBLIOGRAPHIE
PROUSTIENNE

Signalons *d'abord que plusieurs bibliographies importantes ont paru sur Proust :*

1°) *Celle qui est contenue dans :* Comment travaillait Marcel Proust, *de Léon Pierre-Quint, et qui forme la majeure partie de ce volume (Editions des Cahiers Libres, Paris, 1923). Elle se divise en trois chapitres :* I. — « Les œuvres de Marcel Proust » — II. — « Les études sur Marcel Proust » — III — « Œuvres de Marcel Proust et Etudes sur Marcel Proust à l'étranger ». Elle contient aussi quel_ ques lettres et fragments de lettres. (Une faute d'impression à corriger : la date de publication des Plaisirs et les Jours qui est 1896 et non 1890. Ensuite, la préface de Tendres Stocks n'est pas le développement de l'article* Contre l'obscurité *paru en 1896 dans la Revue Blanche mais la reproduction de l'article paru dans la Revue de Paris du 15 novembre 1920. L. P.-Quint ne signale pas la publication, dans La Gazette des Beaux Arts des 1er avril et 1er août 1900 d'un article intitulé* John Ruskin *et qui constituera la partie III de la préface à La Bible d'Amiens. Enfin Gabriel Mourey dans le Monde Nouveau du 15 août - 15 septembre 1926 (page 708) signale un article sur Montesquiou paru dans les Arts et la Vie en août 1905 (intitulé :* Un professeur de Beauté*), et nous apprend que la traduction des « Trésors des Rois » (de Sésame et les Lys) fut donnée d'abord dans cette même publication).*

2°) *Celle de G. da Silva Ramos, parue en tête du 6e « Les Cahiers Marcel Proust » intitulé* Lettres à la N.R.F. *(N.R.F. 1932). La « biographie bibliographique » par laquelle elle commence contient quelques inexactitudes, (par exemple p. 13 : la propriété d'Illiers où Proust passait ses vacances n'appartenait pas à ses parents, mais à son oncle et sa tante Amiot. Il est inexact aussi de dire (p. 19) qu'il vivait toujours boulevard Malesherbes dans sa chambre tendue de liège. C'est boulevard Haussmann que Proust fit garnir de liège les murs de sa chambre. L'appartement du boulevard Malesherbes (no 9) est la demeure de son enfance (Voir Corr., I, p. III)* (1). *Ses parents quittèrent ce domicile en 1900, pour le 45 de la rue de Courcelles, où ils moururent. En 1906 seulement Proust s'installa 102 boulevard Haussmann, où il habita jusqu'en avril 1919). Mais la bibliographie des œuvres et articles de Proust est plus détaillée que celle de Léon Pierre-Quint. M. G. da Silva Ramos donne même le texte d'un article « retrouvé » de Proust sur Saint-Saëns paru dans* Le Gaulois *le 11 décembre 1895 — et d'un autre, d'adieux à Alphonse Daudet, dans* La Presse *du 19 décembre 1897. G. da Silva Ramos ne mentionne pas les articles parus sur Proust en France, ni les publications étrangères, comme l'a fait M. Léon Pierre-Quint. Par contre il poursuit sa*

---

1) Il est né à Auteuil le 10 juillet 1871 chez l'oncle de sa mère, à l'emplacement où se trouve aujourd'hui le 96 de la rue La Fontaine (Le Masle, 37, note 1)

bibliographie de la correspondance et des études parues en volume
jusqu'en 1931, tandis que M. Léon Pierre-Quint s'arrête à avril 1928.
Mais dans l'ensemble son travail est moins complet et moins utile que
celui de M. Léon Pierre-Quint qu'il reproduit en grande partie.

3º) M. Douglas W. Alden dans son Marcel Proust and his French
Critics (Lymanhouse 6530 W. Olympic Blvd. Los Angeles, Calif. —
janvier 1940) donne une bibliographie absolument remarquable des
ouvrages et articles ayant paru sur Proust en langue française (en
France et à l'étranger) jusqu'en 1939. Elle ne comporte pas moins de
1885 titres d'ouvrages ou d'articles de revues. Elle ne mentionne pas
les ouvrages de Proust, ni les lettres (sauf celles qui ont paru en
revues). Mais il est évident que M. Douglas W. Alden a fait le plus
difficile et le plus utile. Son travail est à peu près définitif pour la
période qu'il étudie. Cette bibliographie est précédée d'une étude de
170 pages sur l'accueil que la critique fit en France à Proust. C'est
un commentaire vivant de la bibliographie. M. Douglas W. Alden a,
en somme, repris le sujet traité par Klaus Wolters en 1932 dans une
thèse allemande que nous citons plus loin. Mais le travail de M. Douglas W. Alden est supérieur à celui de son prédécesseur, bien plus
développé surtout.

4º) M. Pierre Raphaël a publié dans son livre au double titre
Introduction à la Correspondance de Marcel Proust et Répertoire de
la Correspondance de Proust (Ed. du Sagitttaire, 1938) (1), une bibliographie fort bien faite de la correspondance de Marcel Proust, mais
malheureusement incomplète. L'intérêt de son répertoire, excellent
par ailleurs, s'en ressent évidemment un peu. M. Pierre Raphaël se
doit de nous donner une édition revue et complétée de cet ouvrage,
qui, tel quel, peut, du reste, rendre de nombreux services.

⁎⁎⁎

RÉPERTOIRES :

Comme livres de travail importants, citons, avec le Répertoire
de M. Pierre Raphaël : 1º) Le Répertoire des Personnages de « A la
Recherche du Temps Perdu » par Charles Daudet, (« Les Cahiers
Marcel Proust », N.R.F., 1928). Il est précédé d'une intéressante
étude de M. Ramon Fernandez : « La Vie sociale dans l'œuvre de
Marcel Proust ». Cet ouvrage, ne peut malheureusement pas être con-
sulté en toute sécurité. M. Benjamin Crémieux avait signalé quelques-
unes de ses lacunes à sa publication. Mais il en contient bien d'autres !

2º) Le Répertoire des Thèmes de Marcel Proust de Raoul Celly
(« Les Cahiers Marcel Proust », N.R.F., 1935), ouvrage de premier
ordre et à peu près définitif, qui contient également un sommaire de
la grande œuvre de Proust. Nous n'avons pas utilisé ce répertoire
pour notre travail, car notre documentation était depuis longtemps
achevée lorsqu'il parut. Mais nous nous en sommes servi en quelques
occasions pour procéder à des vérifications, et nous avons constaté
combien il était consciencieux et digne de confiance. Grâce à lui les
travaux de ceux qui entreprendront des recherches sur Proust seront
considérablement simplifiés.

---

1) Signalons, en outre, que cet ouvrage, imprimé d'ailleurs en Hollande, a
paru la même année à Leyde : Leiden Steendrulkery Eduard Ljdo, et que les 175
pages de texte étaient précédées de XXI pages d'introduction qui ne sont pas
données dans l'édition française.

OUVRAGES DE PROUST

(Remarque : les éditions des œuvres de Proust que nous indiquons sont celles que nous avons utilisées dans le présent ouvrage).

Les Plaisirs et les Jours, 1 volume, N.R.F. (Réimpression sans illustrations du volume primitivement paru en 1896 chez Calmann-Lévy), 31e édition, 1924.

La Bible d'Amiens, traduction, préface et notes de Marcel Proust (Mercure de France, 1904).

Sésame et les Lys, traduction, préface (« Sur la Lecture ») et notes de Marcel Proust (Mercure de France, 1906).

Pastiches et Mélanges, 1 volume (N.R.F. 1919) (recueil d'articles parus à diverses dates), 19e édition, 1926.

Chroniques, 1 volume (N.R.F. 1927) (recueil d'articles (1) parus à diverses dates), 5e édition, 1927 (1re édition en 1927).

Pour un ami, Préface à *Tendres Stocks* de Paul Morand. (Remarques sur le style), parue d'abord dans la *Revue de Paris,* nov.-déc. 1920, Tome 6e, p. 270-280.

Préface à De David à Degas de J.-E. Blanche (Souvenirs d'Auteuil) (Emile Paul, 1919).

Réponse de Marcel Proust à l'Enquête de la *Renaissance politique, littéraire, artistique :* « Sommes-nous en présence d'un renouvellement du style ? Convient-il de dénoncer une crise de l'intelligence ». (22 juillet 1922).

Un article posthume de Proust (dans *Conférencia* du 1er décembre 1923 « Gala de Musique. Les œuvres de M. R. Hahn. Festival donné avec l'éminent concours de l'auteur »).

Poème inédit à Louisa de Mornand. (*Nouvelles Littéraires* du 6 octobre 1928).

Pensées et Aphorismes, dans la page anthologique du 25 juillet 1936 des *Nouvelles Littéraires.* Ces pensées sont de la même veine que les fragments du *Figaro Littéraire,* qui seront publiés dans ce journal le 25 nov. 1939.

Les Carnets de Marcel Proust, fragments inédits des notes que Proust prenait pour son grand ouvrage ; publiés dans *Le Figaro littéraire* du 25 novembre 1939.

Marcel Proust et la Musique par Louis Abatangel (Paris, sans date mais probablement de 1939 et sans nom d'éditeur - Imprimerie Orphelins d'Auteuil, 40. rue La Fontaine, XVIe). Cette brochure contient le texte d'une première version d'un passage de *Du Côté de chez Swann,* le commencement de l'épisode intitulé « Un amour de Swann ».

Un des premiers états de Swann, publié par *La Table Ronde* (N° d'avril 45).

Les Mystères de la petite phrase de Vinteuil (*Le Littéraire* du 16 nov. 46). Texte inédit d'une première version d'un passage du *Côté de chez Swann.* Une note de Proust entre parenthèses montre que le Cantique de Fauré est une des sources de la petite phrase de Vinteuil.

On trouvera également plusieurs textes de jeunesse dans des revues d'écoliers ou dans *Le Banquet.* Ils sont signalés dans les *Sou-*

---

1) Siwa Ramos donne la liste des articles et fragments parus dans les périodiques et celle des articles parus dans *Le Figaro* (pp. 57 et 64 de sa bibliographie).

venirs de Robert Dreyfus. Silva Ramos, au milieu de sa bibliographie publie deux petits articles retrouvés dans *Le Gaulois* du 11 décembre 1895 et *La Presse* du 19 décembre 1897.

Signalons aussi que *La Revue Blanche* de décembre 1893 contient deux études (les Nos II et III) que Proust n'a pas reprises avec les autres dans *Les Plaisirs et les Jours* et qui n'ont jamais été republiées depuis. Enfin, *La Chronique des Arts et de la Curiosité* (supplément à *La Gazette des Beaux Arts*) du 5 mai 1906 contient un assez long compte-rendu inédit depuis lors de Proust sur la traduction par Mme Mathilde Crémieux des *Pierres de Venise* de Ruskin.

A la Recherche du Temps Perdu. Voici les éditions courantes de la N.R.F. que nous avons utilisées :

Du Côté de chez Swann. (2 vol.) 49e édition. Une plus récente édition courante est imprimée en caractères plus gros. La première édition parut en 1913 chez Grasset.

A l'Ombre des Jeunes filles en Fleurs (2 vol.) 55e édition. La plus récente édition comporte trois volumes (1re édition en 1918).

Le Côté de Guermantes et Sodome et Gomorrhe I (2 vol.), 35e édition pour le tome I et 26e pour le tome II qui contient les 28 pages de *Sodome et Gomorrhe I* (1re édition en 1920 pour le 1er vol., en 1921 pour le 2e).

Sodome et Gomorrhe II (3 vol.) : I, 45e édition ; II, 44e édition ; III, 44e édition. (1re édition en 1922).

La Prisonnière (Sodome et Gomorrhe III) (2 vol.) tome I 26e et tome II 27e édition (1re édition en 1923).

Albertine Disparue (2 vol.) 9e édition (1re édition en 1925).

Le Temps Retrouvé (2 vol.) 4e édition (1re édition, après publication dans la *Nouvelle Revue Française*, en 1927).

Ajoutons à ces textes les *Morceaux choisis* préfacés par R. Fernandez (*Cahiers Marcel Proust*, no 3 - N.R.F. 1932).

Voir encore dans Silva Ramos (p. 49) une liste de plaquettes à tirage très limité.

⁎⁎

CORRESPONDANCE

Nous n'avons pu prendre connaissance de la thèse de l'Américain Philips Kolb, *La Correspondance de Proust* (Chicago). Nous ignorons même si elle a paru. M. Vigneron a également annoncé un travail sur la correspondance de Proust : *Problèmes de chronologie proustienne*, et a même publié quelques-uns des résultats de ses recherches dans la *Revue d'Histoire littéraire de la France* d'octobre-décembre 1936 et de juillet-septembre 1938 à l'occasion d'une polémique avec M. Philips Kolb, et dans la *Revue d'Histoire de la Philosophie* du 15 janvier 1937.

1925

Comment débuta Marcel Proust par Louis de Robert, avec un portrait gravé sur bois par G. Aubert (N.R.F.). Plusieurs lettres très importantes de Proust — (Sont reprises dans cet ouvrage les lettres déjà parues dans le *Figaro* du 31 décembre 1924 et la *Revue de France* des 1er et 15 janvier 1925).

Robert de Montesquiou et Marcel Proust, par Madame E. de Clermont Tonnerre (Flammarion). Quelques lettres, des commentaires et souvenirs.

1926

Souvenirs sur Marcel Proust, par Robert Dreyfus (Grasset, Cahiers verts). Avec un grand nombre de lettres, sont donnés dans cet ouvrage, certains textes parus dans *Le Banquet* et *La Revue Blanche* et qui n'ont pas été repris dans les *Chroniques* ou les *Mélanges.*

Le Salon de Madame Arman de Caillavet, par Jeanne Maurice Pouquet (Hachette). Quelques lettres avec commentaires et souvenirs.

Lettres inédites, publiées par Camille Vettard (Bagnères de Bigorre).

Une lettre de Marcel Proust, par H. Gauthier-Villars (*Mercure de France* des 3 août et 15 sept. 1926), non citée par M. P. Raphaël.

1927

Du Côté de chez Bernard Grasset (Emile-Paul, Col. « Les Introuvables »). Lettre de 12 pages à Grasset auquel Proust annonce que la N.R.F. lui offre d'éditer son livre (plaquette tirée à 20 exemplaires).

1928

Quelques lettres de Marcel Proust, précédées de remarques sur les derniers mois de sa vie, par Léon Pierre-Quint (Flammarion). Ce sont des lettres adressées à Paul Brach et déjà parues dans *La Revue Universelle* d'avril 1928. Une brochure (1).

Un document. Lettre inédite de Marcel Proust au duc de Guiche (dans le numéro d'avril 1928 de la revue belge *Echantillons*). Non citée par M. P. Raphaël.

Au bal avec Marcel Proust, par la Princesse Bibesco (Les Cahiers Marcel Proust, N.R.F.) — Plusieurs lettres avec commentaires et souvenirs.

De Loti à Proust, par Louis de Robert (Flammarion). Quelques lettres avec commentaires et souvenirs.

Lettres de Marcel Proust à André Gide dans la N.R.F. du 1er Novembre 1928. Ces lettres, au nombre de deux et datées de 1914 ont été omises par M. P. Raphaël. Elles sont des réponses à deux lettres d'André Gide qui sont également données.

Marcel Proust mondain, par Marcel Boulenger (*Figaro* du 19 mai 1928). Une lettre. Omise par M. Raphaël.

1929

Du Côté de Marcel Proust, par Benjamin Crémieux (Lemarget) Quelques lettres.

Le Pavillon des Fantômes, par G. Astruc (Grasset). Dans un chapitre d'un intérêt biographique, on trouvera 5 lettres et 1 dédicace.

Aventures de l'esprit, par Natalie Clifford Barney (Emile Paul). Cet ouvrage contient 8 lettres de Proust, commentées par l'auteur. Il a été omis par M. Raphaël.

---

1) Voir aussi quelques lettres ou fragments dans *Comment travaillait Marcel Proust* (3e partie).

Autour de soixante lettres de Marcel Proust, par Lucien Daudet
(Cahiers Marcel Proust, N.R.F.). Une partie de ces lettres, qui sont
commentées par L. Daudet, a paru dans la N.R.F. du 1er mai 1929.

Lettres à Maurice Duplay : publiées dans le numéro de Juin
1929 de la *Revue Nouvelle.* Ces lettres au nombre de 10 ne sont pas
non plus citées par M. P. Raphaël. Elles s'échelonnent de l'année
1905 à l'année 1922.

1930

Marcel Proust — Lettres et Conversations, par Robert de
Billy (Ed. des Portiques). Cet important ouvrage de 252 pages, contenant 58 lettres ou fragments de lettres de Proust, n'est pas utilisé
par M. P. Raphaël. C'est la plus grave lacune de son livre.

*Comment parut « Du Côté de chez Swann » ; Lettres de Marcel
Proust à René Blum, Bernard Grasset et Louis Brun.* Introduction
et commentaires par Léon Pierre-Quint (Kra,).

Correspondance Générale de Marcel Proust. Tome I : Lettres à
Robert de Montesquiou (Librairie Plon). Cette publication est entreprise par Robert Proust et Paul Brach.

1931

Correspondance Générale de Marcel Proust. Tome II : Lettres
à la Comtesse de Noailles.

Quelques échanges et témoignages (Le Divan), correspondance
échangée entre René Boylesve et Proust. Cet ouvrage de 79 pages fait
partie d'une collection intitulée : « Le Souvenir de René Boylesve ».
Il contient des lettres en fac-similé, une introduction de M. Gérard
Gailly et une courte mais excellente étude de Boylesve sur Proust.
Il n'est pas cité par M. Raphaël. Les lettres de Proust ont été
reprises dans le tome 4 (en 1933) de la Correspondance Générale.

1932

Lettres à la N.R.F. (« Les Cahiers Marcel Proust » N.R.F.).
Lettres précieuses pour l'histoire de la publication de l'Œuvre
de Proust à la N.R.F.

Correspondance Générale de Marcel Proust. Tome III : Lettres
à M. et Mme Sydney Schiff, Paul Souday, J.-E. Blanche, Camille Vettard, J. Boulenger, Louis Martin-Chauffier, E. R. Curtius, L. Gautier
Vignal.

1933

Correspondance Générale de Marcel Proust. Tome IV : Lettres
à P. Lavallée, J.-L. Vaudoyer, R. de Flers, Marquise de Flers, G. de
Caillavet, Mme G. de Caillavet, B. de Salignac-Fénelon, Mlle Simone
de Caillavet, R. Boylesve, E. Bourges, Henri Duvernois, Mme T. J.
Gueritte et Robert Dreyfus.

1935

Correspondance Générale de Marcel Proust. Tome V : Lettres à
Walter Berry, Comte et Comtesse de Maugny, Comte V. d'Oncien de
la Batie, M. Pierre de Chevilly, Sir Philip Sassoon, Princesse Bibesco,
Mlle Louisa de Mornand, Mme Laure Hayman, Mme Scheikevitch.

1936

Correspondance Générale de Marcel Proust. Tome VI : Lettres à Madame et Monsieur Emile Strauss, suivies de quelques dédicaces. Ce volume est publié par Suzy Proust (remplaçant Robert Proust décédé) et Paul Brach. Ce tome sixième n'a pas été « prospecté » par M. Raphaël qui s'arrête à l'année 1935.

1938

Marcel Proust d'après une Correspondance et des Souvenirs, par Georges de Lauris (*Revue de Paris,* 15 juin, Tome 3e). Plusieurs lettres importantes de Proust.

1942

Lettres à une amie (Ed. du Calame-Manchester). Lettres adressées à Marie Nordlinger.

1945

Marcel Proust : Lettres inédites, publiées par Suzy Mante-Proust (*Revue de Paris* de Juin) (huit lettres à sa mère et deux de cette dernière).

1946

Ma rencontre avec Marcel Proust, par F. Mauriac (*Le Littéraire,* 23 et 30 Mars) ; plusieurs lettres de Proust à F. Mauriac.

1947

Lettres à Madame C., avec préface de Lucien Daudet (illustré de huit planches hors texte) (J. B. Janin) (achevé d'imprimé du 31 décembre 1946). Une lettre à sa grand'mère, suivie d'une série de lettres à Mme C., une grande amie de sa mère. La plupart de ces lettres sont de 1906, écrites à Versailles, où Proust séjourne avant d'emménager boulevard Haussmann. Mme C. est Mme Catusse (voir l'article de R. Kemp, N.L. du 1-1-48).

Une lettre à « Routchiboulh » ou Quand Marcel Proust jugeait Léon Blum (*La République du Centre* du 22 avril 1947). Fragment de lettre à Reynaldo Hahn où il est question de Léon Blum.

Lettre de Proust à son concierge (*Combat* du 21 Novembre 1947). Tiré d'un recueil de quatre lettres de Proust à ses concierges, publié par Skira à Genève.

Le Voyageur voilé — Marcel Proust (Lettres et documents inédits) par la princesse Bibesco (La Palatine, Genève). Plusieurs lettres au duc de Guiche.

Du Côté de chez Proust, par François Mauriac (La Table Ronde, coll. Le Choix). Plusieurs lettres. Le titre de ce livre est un peu trompeur, car il est consacré à Jacques Rivière autant qu'à Proust. L'auteur reprend un texte et des lettres déjà publiées en 46 dans *Le Littéraire.*

1948

A un Ami (Correspondance inédite : 1903-1922), avec une préface de Georges de Lauris (Amiot - Dumont). Ce sont des lettres adressées à G. de Lauris à Mme de Lauris et à Mme de Pierrebourg. La préface reprend l'étude déjà publiée en 38 dans *La Revue de Paris,* ainsi que quelques lettres qui l'accompagnaient. Cette correspondance n'est donc « inédite » qu'en partie.

On trouve également une dédicace à Abel Desjardins dans l'*Amitié de Proust* de Georges Cattaui (« Les Cahiers Marcel Proust »), N.R.F., 1935 ; dans le N° du 1er Décembre 1924 de « Les Cahiers du Mois », l'article d'André Berge : *Autour d'une Trouvaille,* et *Confessions* (réponses, reproduites en fac-similé, de Proust enfant aux questions d'un album de « confessions ») ; dans l'*Essai sur Marcel Proust* de Georges Gabory, le fac-similé d'une longue dédicace à Lacretelle où Proust s'explique sur les clefs de son œuvre. Dans le *Proust* de Fernandez un fac-similé, également, d'une assez longue lettre, et son texte imprimé.

Les Nouvelles Littéraires, du 19 Novembre 1932 ont publié un article de Francis Ambrière contenant une intéressante dédicace de Proust. Le même journal dans sa page anthologique du 25 juillet 1936, donne une lettre inédite à Léon Yeatman.

Il faut enfin considérer aussi comme une « source » importante sur Proust l'interview accordée par celui-ci à M. Elie-Joseph Bois sur *Du Côté de chez Swann* et qui parut dans *Le Temps* du 12 Novembre 1913.

On trouvera également des lettres dans les « Hommages » signalés ci-après — ainsi que deux lettres (mais peu importantes) à J.-N. Faure-Biguet dans le *Bulletin Marcel Proust,* cité plus loin (année 1930).

$$\begin{array}{c} \star \\ \star\ \star \end{array}$$

OUVRAGES SUR PROUST ET SON ŒUVRE

Signalons d'abord trois « hommages » à Proust.

Hommage à Marcel Proust, de la N.R.F. du 1er janvier 1923 et publié dans « Les Cahiers Marcel Proust » en 1927. C'est le plus important de tous et il est fort connu. Il contient le texte de la dédicace à Lacretelle, un inédit, une lettre à M. Léon Bélugon, commentés par Madame de Clermont Tonnerre et divers fragments de lettres.

Marcel Proust (Collection « Les Contemporains », éditions de la *Revue du Capitole,* Paris, 1926. « Achevé d'imprimer » du 30 décembre 1926). Ce volume est illustré par André Szekelly de Doba et L. Caillaud, et contient avec un certain nombre d'articles, des lettres à Robert de Montesquiou, une étude de G. de Catalogne « Marcel Proust et ses critiques » où les critiques de Proust, notamment ceux de la première heure, sont abondamment cités, et une bibliographie qui est la reproduction, à peu de chose près, de la première bibliographie parue sur Proust, que Léon Pierre-Quint avait donnée dans la première édition, en 1925, de son *Marcel Proust.* Les lettres ont été reprises dans le tome I de la Correspondance Générale (1930).

Hommage à Marcel Proust de la revue *Le Rouge et le Noir* d'avril 1928, (Editions « Le Rouge et le Noir »), qui contient trois lettres à Robert de Montesquiou (dont une en fac-similé), une à un ami qui n'est désigné que par l'initiale P., et plusieurs articles. Les lettres contenues dans cet hommage n'ont pas été reprises dans la Correspondance Générale (la correspondance de Proust avec Montesquiou a pourtant été très exploitée puisque des fragments ont également paru dans les *Nouvelles littéraires* du 28 juin 1930 et dans *Les Annales* des 1er et 15 Décembre 1929, et du 1er Janvier 1930) et c'est à tort que M. Douglas W. Alden le prétend (Bibliography p. 221). Les lettres à Robert de Montesquiou notamment ne figurent pas dans le volume I de la Correspondance spécialement consacré à Robert de Montesquiou et qui contient pourtant 252 lettres. M. P. Raphaël a également ignoré ces quatre lettres.

Un hommage important a également paru en anglais sous le titre de *Marcel Proust, an English Tribute* (Chatto and Windus, London. 1923).

*
* *

Voici maintenant les autres principaux ouvrages relatifs à Proust :

1922

Approximations (1re série) par Charles Du Bos (Plon-Nourrit et Compagnie), pages 58-116).

1923

L'esprit des Livres, 1re série, par Edmond Jaloux (Plon-Nourrit), quatre articles sur Proust, dont un déjà paru dans l'Hommage de la N.R.F.

Musique et Littérature, par André Cœuroy (Bloud et Gay), 35 pages.

Les Pas effacés, par R. de Montesquiou (Emile Paul, 3 volumes). Quelques appréciations sur Proust.

Propos sur l'Esthétique, par Alain (Stock). Trois pages sur Proust.

1924

XXe Siècle, par Benjamin Crémieux, (N.R.F.). Une magistrale étude de 90 pages.

1925

Le Roman et les nouveaux Ecrivains, par Léon Daudet (Le Divan Les quatorze, No II). Sont repris dans cet ouvrage les articles de l'*Action Française* des 12 Décembre 1919 - 8 Octobre 1920 - 1er Septembre 1921 - 22 Novembre 1922 et 21 Mai 1923.

Marcel Proust, sa vie, son œuvre, par Léon Pierre-Quint (1re édition Kra). Depuis, deux nouvelles éditions augmentées chaque fois de chapitres nouveaux, ont paru, l'une en 1928 (Kra), la suivante en 1935 (Ed. du Sagittaire, 456 pages). C'est le plus important ouvrage d'ensemble qui ait été consacré à Proust. Dans le chapitre ajouté à la dernière édition, l'admiration défaillante de M. L. P.-Q. semble faire trop de concessions aux modes d'un moment. Mais le mérite ne peut pas lui être contesté d'avoir tracé de Proust un portrait remarquable et d'avoir parlé de son œuvre avec un tact et une intelligence rares.

Le Roman d'une vocation : Marcel Proust, par Auguste Laget (Marseille, Cahiers du Sud). Une brochure de 62 pages.

1926

Proust, par François Mauriac (« La Folie du Sage », chez Marcelle Lesage, Paris), 77 pages. L'auteur reprend plusieurs articles déjà parus en revues (*N.R.F.* du 1er avril 1924, *Revue Hebdomadaire* du 2 décembre 1922).

Messages, par Ramon Fernandez (N.R.F.). Une importante étude : *La garantie des Sentiments et les Intermittences du cœur* déjà parue dans la *N.R.F.* du 1er avril 1921. (Voir aussi : « De la Critique philosophique », « Le Message de Mérédith » et « l'Expérience de Newmann ».

La Musique et l'Immortalité dans l'Œuvre de Marcel Proust, par Jacques Benoist-Méchin (Kra), 140 pages (Fac-similé).

Aux Confins de la Médecine, par Pierre Mauriac (Grasset). Une étude de 28 pages sur « Proust et la médecine ».

Essai sur Marcel Proust, par Georges Gabory (Le Livre). Cet ouvrage de 249 pages, contient en fac-similé la dédicace à Jacques de Lacretelle.

1927

L'amour qui n'ose pas dire son nom, par François Porché (Grasset).

Etude d'ensemble sur l'inversion, où le cas de Proust est étudié très objectivement.

Du Romantisme à la Prière, par Armand Praviel (Perrin et Cie), 20 pages. Reprise d'un article du *Correspondant* du 10 janvier 1923 : Proust réduit aux proportions d'un « analyste parisien ».

Quelques Progrès dans l'Etude du cœur humain, par Jacques Rivière (Librairie de France - Les Cahiers d'Occident N° 4). 96 pages sur Proust, réparties en trois études : Marcel Proust, l'inconscient dans son œuvre - Marcel Proust et l'esprit positif ; ses idées sur l'amour - Marcel Proust. Cet ouvrage n'est signalé ni par L. P.-Quint, ni par Silva Ramos. La troisième étude « Marcel Proust » a été publiée à part en 1924 par la Société des conférences de Monaco. L.P.-Quint signale cette publication dans sa bibliographie (p. 62).

Marcel Proust, par Paul Souday (Kra). Ouvrage de 107 pages constitué par les feuilletons de Paul Souday sur les différents livres de Proust.

Marcel Proust et la Musique, par Henri Laurent (Van Sulper - Bruxelles). Une brochure de 33 pages. Reprise d'articles parus dans *Le Flambeau*. Non signalé par Silva Ramos.

1928

Langage et Humour chez Marcel Proust, par Louis Emié (Le Rouge et le Noir, 1923). Une brochure de 27 pages. N'est pas signalé par Silva Ramos.

Marcel Proust, par Ernest Robert Curtius, traduit de l'allemand par Armand Pierhal (Ed. de la Revue Nouvelle). Cet ouvrage a paru en allemand en 1925. La traduction compte 155 pages.

Mes Modèles - Souvenirs littéraires, par J.E. Blanche (Stock). (Une cinquantaine de pages de souvenirs sur Proust). L'auteur reprend des articles parus les 14, 21, 28 juillet 1928 dans les *Nouvelles Littéraires* et le 21 juillet dans la *Revue Hebdomadaire*.

De la Personnalité, par Ramon Fernandez (Au Sans Pareil). Quelques passages relatifs à Proust.

Le Roman, par F. Mauriac (L'Artisan du livre - Cahiers de la Quinzaine). Quelques passages relatifs à Proust.

Tendances (Les essais du XXᵉ siècle), par Denis Saurat (Editions du Monde Moderne), 86 pages sur Proust. L'auteur reprend un grand nombre d'articles importants parus dans *Les Marges* (15 Octobre et 15 Novembre 1925), et *Marsyas* (Décembre 1925, Janvier, Février, Mars, Avril, Mai, Juillet et Août 1926). Ouvrage réédité en 1946 dans la collection « La Colombe », aux éditions du Vieux-Colombier).

Quelques juifs et demi-juifs, par A. Spire (Grasset). 15 pages.

Deux Etudes sur Marcel Proust, par Henri Bonnet (Le Rouge et le Noir). Une brochure de 63 pages. N'est pas signalée par Silva Ramos.

Un Romancier de la Vertu et un peintre du Vice, par Raphaël Cor (Ed. du Capitole). Sont repris dans cet ouvrage trois articles du *Mercure de France* des 15 juillet 1924, 15 Mai 1926 et 15 Mai 1928.

Snobs et Mondains (*chez Marcel Proust*), par le Comte de Luppé (Les Amis d'Edouard, Nᵒ 133, Avril 1928), 95 pages. Ouvrage hors commerce. Mais a paru auparavant sous forme d'article dans *Le Correspondant* du 25 Mars 1928.

Marcel Proust, par Jean Jaçob (Ed. de la Nouvelle Revue Critique). Une brochure documentaire de 59 pages. Portrait, autographe et courte bibliographie.

1929

Du Côté de chez Marcel Proust, par Benjamin Crémieux (Lemarget). Dans ce livre, l'auteur a rassemblé neuf articles parus dans divers journaux et revues, et quelques lettres.

Essences, par Etienne Burnet (M. Seheur). Une étude de 88 pages « Marcel Proust et le Bergsonisme », et un portrait. N'est pas été signalé par Silva Ramos.

L'âme proustienne, par Marie-Anne Cochet (Imp des Etablissements Collignon. Bruxelles).

1930

De l'Amour à la Sagesse, par Louis de Robert, suivi de quelques réflexions sur Marcel Proust (E. Figuière). L'auteur reprend deux articles des *Nouvelles Littéraires*, des 4 et 18 septembre 1926.

Marcel Proust : sa révélation psychologique, par Arnaud Dandieu (Firmin-Didot). Un volume de 208 pages.

L'Esprit de la littérature moderne, par André Berge (Perrin et Cie). Plusieurs pages sur Proust. L'auteur reprend quatre articles parus dans la *Revue des Deux Mondes*, de 1929, tomes 4 et 5.

Proust, par Pierre Abraham (Rieder). Ouvrage comprenant une étude de 76 pages et 60 planches hors texte en héliogravure photographies de manuscrits, de certains coins d'Illiers, de Proust, de membres de sa famille, etc... C'est le plus abondamment illustré de tous les ouvrages qui aient paru sur Proust.

Impresionismus und Klassizismus un Werke Marcel Proust, par Alfons Wegener (Francfort sur le Mein). Un volume de 119 pages. Cet ouvrage et celui de Klaus Wolters, cité plus bas, contiennent chacun une petite bibliographie mentionnant quelques-uns des articles parus en allemand sur Proust. Voir notamment le travail (indiqué par Klaus Wolters) de Léo Spitzer : *Zum Stil Marcel Proust* (Stilstudien 1928).

Défense de Marcel Proust, Nᵒ 1 du *Bulletin Marcel Proust*, dirigé par Louis Emié et Henri Bonnet. Cet ouvrage de 176 pages contient deux lettres de Proust à J. N. Faure-Biguet. Ces 'deux lettres ne

sont pas mentionnées par P. Raphaël. 6 articles : de Sylvain Bon-
mariage, Jacques Chabannes, Louis Emié, Henri Bonnet, Arnaud
Dandieu, Maurice Fombeure, une « Chronique proustienne » (sur les
rapports de Proust avec Fernandez, Gide, Rivière) d'Henri Bonnet et
« La littérature proustienne », par Ralph Lepointe, Edmond Epstein,
Henri Bonnet et A. D.

A la Recherche de Marcel Proust, par L. Aressy (Le Tryptique),
25 pages sur Proust.

Marcel Proust, (Cahiers de la quinzaine, 5 mars 1930). Compte
rendu d'un débat auquel participèrent Robert Honnert, Boris Vychev-
lazeff. B. Crémieux, René Lalou, Jean Maxence, etc... N'est pas
signalé par Silva Ramos.

1931

L'Œuvre de Marcel Proust (étude médico-psychologique), par
Jean Duffner (Amédée Legrand). Thèse de doctorat en médecine. Brochure de 62 pages.

Marcel Proust, par Ernest Seillière (Ed. de la Nouvelle Revue
Critique). Un ouvrage de 302 pages.

Paradis Perdus, par Paul Leclercq (Lib. des Champs-Elysées).
29 pages sur Proust.

La Joyeuse enfance de la 3e République, par Gyp (Calmann-
Lévy), quelques anecdotes sur Proust.

Marcel Proust et la femme. Essai de critique médico-psychologique, par J. Nicolas (Thèse pour le doctorat en médecine - Cadoret -
Bordeaux) 125 pages.

Inquiétude et Reconstruction. Inventaires. Essai sur la littérature d'après guerre, par B. Crémieux (R. A. Corréa). Plusieurs passages sur Proust.

1932

La Psychographie de Marcel Proust, par Charles Blondel (Vrin),
ouvrage de 191 pages.

Initiation à la littérature d'aujourd'hui. Cours moyen, par E.
Bouvier (Renaissance du livre). 36 pages sur Proust.

L'influence de Ruskin sur Proust, par Sybil de Souza (Th. Doct.
Un.Fac. Lettres Montpellier).

Moralisme et Littérature, par Jacques Rivière et Ramon Fernandez (Corréa). Ouvrage concernant indirectement Proust.

Marcel Proust im literarischen Urteil seiner Zeit, par Klaus
Wolters (Munich). Une brochure de 75 pages. C'est une étude sur
les premiers jugements critiques portés sur Proust.

Le Côté de Chelsea, par André Maurois (N.R.F.). Un pastiche de
Proust. Des pastiches de Proust ont également été donnés à la N.R.F.
de Février 1922, par L. Martin Chauffier : Lettre de Marcel Proust au
Marquis de Saint-Loup, et dans « A la manière de... », de Paul
Reboux (2e série - Grasset, 1926).

L'affaire Dreyfus et les Ecrivains français, par Cécile Delhorbe
(V. Attinger, Neuchatel et Paris).

Approximations II, par Charles Du Bos (Corréa). Deux courts
articles.

1933

La Musique dans l'Œuvre de Marcel Proust, par Florence Hier (Publications of the Institute of Frend Studies, Colombia University, New-York). Un volume de 137 pages en français. Cet ouvrage contient une bibliographie mentionnant plusieurs ouvrages ou articles parus sur Proust en anglais.

L'Esthétique de Marcel Proust, par Emeric Fiser (Alexis Redier). Préface de Valéry Larbaud. Un ouvrage de 217 pages.

Etude sur Marcel Proust, par Edmond Kinds (Le Rouge et le Noir (117 pages).

Notes. Journal d'un musicien, par Reynaldo Hahn (Librairie Plon). Quelques renseignements sur Proust et quelques jugements de ce dernier. Mais le plus intime des amis de Proust doit avoir beaucoup plus de choses, et de plus importantes, à nous dire.

1934

Carnets d'un solitaire, par Pierre d'Agez (E. Figuière), 60 pages sur Proust. Etude plus importante par son étendue que par sa qualité. Dans ses citations, l'auteur s'accorde des libertés excessives à l'égard du texte de Proust.

Proust, par Francesco Casnati (Brescia,Marceliana).

Comment Marcel Proust a composé son Roman, par Albert Feuillerat (Yale University Press). Ouvrage édité en Amérique mais imprimé en français. Dépôt librairie Droz.

Bergson und Proust, par Kurt Jäckel (Hans Priebatsch, Breslau) 1 vol. 130 pages.

Vie et Œuvres d'écrivains, par Louis Chaigne (Ed. Pierre Bossuet), 18 pages sur Proust.

1935

L'amitié de Proust, par Georges Cattaui (« Les Cahiers Marcel Proust », N.R.F.). Une courte préface de Paul Morand. Une suite d'études sur l'homme et l'œuvre, 228 pages.

John Ruskin dans l'Œuvre de Marcel Proust (suivi d'une étude des travaux ruskiniens en France depuis 1900), par Mac Neice Healy (Paris). Thèse française de doctorat d'université (n'est pas signalée par M. Douglas W. Alden).

Portraits. Barrès, Proust, etc..., par Robert Brasillach (Plon), 55 pages. Sont repris plusieurs articles : « A la Recherche du bonheur perdu » (*Revue française* du 12 juillet 1931) « La parabole de l'arche » (*Action française* du 22 Octobre 1931). « Art poétique de Marcel Proust » (*Revue française* 25 juin 1932 et « Un fantôme de Proust » (*Revue universelle* 15 août 1933).

Modernes, par Denis Saurat (Denoël et Steele). Reprise de nombreux articles sur Proust et d'autres « modernes ».

Souvenirs d'un Temps, disparu, par Marie Scheikévitch. Sont repris les « Souvenirs sur Marcel Proust», parus dans les numéros de *Candide* des 26 avril, 3 mai, 10 mai et 17 mai.

Der Aufbau der Kunstwirklichkeit bei Marcel Proust, par Hermann Blakert (Berlin-Junker und Dünnhaupt).

Le Professeur Adrien Proust (1834-1903), par Robert Le Masle (Librairie Lipschutz). Ouvrage important pour la biographie de Marcel Proust. Brochure de 59 pages.

1936

La fin des « Temps délicieux ». Souvenirs parisiens (« Intimités de la IIIe République »), par Ferdinand Bac (Hachette). Un chapitre intitulé « M. Greffuhle et Marcel Proust ».

Symbole und Bilder im Werke Marcel Prousts, par Mlle Tiedtke (Hamburg) (Hamburger Studien XXI).

Vies et Œuvres d'écrivains, par Louis Chaigne (F. Lanore).

The social attitude of Marcel Proust, par John J. Spagnoli (New-York. Publ. of the Inst. of French Studies).

La Révélation de Marcel Proust, par Elisabeth Monkhouse (Les Presses Modernes, Poitiers). Thèse de doctorat d'université ; 161 pages.

1937

Le Drame de Marcel Proust, par Henri Massis (Grasset). Lettre-préface de Bernard Grasset ; l'auteur rassemble dans ce livre des études parues dans *La Revue Universelle* et des notes. Cinq phototypies.

1938

Kleinere philosophische Schriften, II Buch : Das Problem der Glückseligkeit und des Künsterischen Schaffens bei Marcel Proust, par Anatol Spakovski (Vel. Kikinda, J. Radak).

Der Stil Marcel Prousts, par Käthe Zaeske (Münster, Phil. Diss Emsdetten, Lechte).

Proust, Valéry et le plaisir de la lecture, par F. J. Milon (Fustier), 20 pages.

Etudes philosophiques sur l'expression littéraire, par C.-L. Estève (Vrin). De nombreuses et intéressantes considérations sur Proust dans l'étude intitulée : « Vers André Gide ».

Hommes et œuvres du XXe siècle, par Henri Peyre (R.A. Corrêa), 30 pages sur Proust.

1939

La Philosophie de Marcel Proust, par Sybil de Souza (Rieder) ; un ouvrage de 176 pages.

La Mystique de Marcel Proust, par Jean Pommier, (Droz). Une brochure de 63 pages.

Marcel Proust asthmatique, par M. Ferrand (Paris, Arnette), 62 pages. Thèse de médecine.

Géographie de Marcel Proust, par André Ferré (Ed. du Sagittaire). Ouvrage de 163 pages, contenant en particulier un index alphabétique des noms de lieux, pays, etc... employés dans *A la Recherche du Temps Perdu.*

Three Satirists of snobbery, Thackeray, Meredith, Proust, par Margaret Moore Goodell (Hamburg, de Gruyter).

De Monsieur Thiers à Marcel Proust, par Robert Dreyfus (Plon) 42 pages d'intérêt anecdotique surtout.

1941

Le Symbole littéraire - Essai sur la signification du symbole chez Wagner, Baudelaire, Mallarmé, Bergson et Marcel Proust, par Emeric Fiser, (Corti). Un volume de 223 pages.

L'Artiste et l'Absolu, Paul Valery et Marcel Proust, par Samuel Dresden (Amsterdam. Te Assen Bij Van Gorcum).

La Peinture du décor et de la nature chez Marcel Proust, par Autun Polanscak (Paris). Thèse française de doctorat d'université. 162 pages.

1942

Sept études sur Marcel Proust, par Léon Guichard (Ed. Horus, Le Caire).

1943

Proust, par Ramon Fernandez (N.R.F. — Coll. A la Gloire de... Remarquable étude d'ensemble sur la vie et l'œuvre. Ce sont surtout les vues de R. Fernandez sur l'écrivain. Ce n'est pas une étude critique faisant le point des travaux parus jusqu'à ce jour.

Claudel. — Proust. — Du Bos, par J. Madaule (Desclée et de Brouwer).

1944

La France byzantine, par Julien Benda (Voir notamment les notes D' (la conception mystique de l'art chez Proust — Une équivoque sur son œuvre) et E' (sur la conception de la composition chez Proust).

1945

L'Influence de l'asthme sur l'œuvre de Marcel Proust, par Georges Rivane (préface de Henri Mondor) (La Nouvelle Edition) (186 pages avec une bibliographie).

Proust and Painting, par Chernowitz (New-York).

1946

Le Parfum de Combray, par P.-L. Larcher (sorte de guide proustien de la petite ville d'Illiers, écrit par un enfant du pays, fondateur et secrétaire de la Société « Les Amis de Combray » (Mercure de France).

Ecrivains intelligents du XXe siècle, par Emond Buchet (Corrêa). Une étude 50 pages, intitulée « Marcel Proust ou la puissance de l'anormal ».

L'Art près de la Vie, par Charles Lalo (Librairie philosophique J. Vrin). Une étude de 49 pages formant le chap. IV, intitulé « L'art pour la culture intensive de la vie profonde : Proust ». (L'auteur découvre la profondeur proustienne dans l'exploration de l'inconscient).

L'Aliénation poétique, Rimbaud, Mallarmé Proust, par le Dr Jean Fretet (J.-B. Janin). Un chapitre de 36 pages.

Sept visages de l'Amour, par André Maurois (La Jeune Parque). Un chapitre de 34 pages intitulé : « Les Héroïnes de Marcel Proust ». L'ouvrage est un recueil de conférences faites en Amérique à l'université de Princeton.

Du Côté de chez... Valéry, Péguy, Romain, Rolland Rolland, Proust, Gide, Barrès, Sartre (Ed. de la Tête Noire, Albi).

Le Sabbat, Souvenirs d'une Jeunesse orageuse, par Maurice Sachs (Editions Corrêa). Le chapitre XXI à partir de la page 278 contient des révélations importantes sur la vie privée de Proust et sur ses relations avec un personnage nommé Albert qui rappelle en tous points le fameux Jupien. Déjà dans la N.R.F. du 1er mai 1938, M. Sachs avait publié une note à ce sujet. Mais, cette fois-ci, il cite des faits qui établissent que Proust fit non seulement l'expérience de l'homosexualité mais celle du sadisme. La question que nous posions dans notre chapitre sur l'Inversion et le Sadisme reçoit ici une réponse qui ne permet plus aucun doute.

1947

De Descartes à Marcel Proust - Essais sur la théorie des essences, le positivisme et les méthodes dialectique et réflexive, par Maurice Muller (Etre et Penser, Cahiers de philosophie, Ed. de la Baconnière, Neuchâtel).

Le Voyageur voilé - Marcel Proust - Lettres et documents inédits, par la princesse Bibesco (La Palatine - Genève).

Du Côté de chez Proust, par François Mauriac (Le Choix - La Table Ronde).

Marcel Proust, par Edmond Kinds (Coll. Triptyque - Richard - Masse, éditeurs, Paris). Avec sept reproductions photographiques.

Etudes Littéraires I, par André Maurois (Ed. Sfelt).

Marcel Proust, par Jacques Bret (Edit. du Mont-Blanc). Etude écrite en Allemagne par un prisonnier de guerre. C'est surtout une méditation sur le grand ouvrage de Proust.

1948

Marcel Proust, par Elisabeth de Grammont (Flammarion) (Plusieurs photographies). Etude d'ensemble sur Proust.

Le style de Marcel Proust, par Jean Mouton (Corrêa). Un excellent travail de 237 pages.

Bergson et Proust, par Floris Delattre (Les Etudes Bergsoniennes I - Albin Michel). Une étude de 119 pages. L'auteur a bien vu que Proust ne s'explique pas entièrement par Bergson. Mais il prétend que ce qu'il y a de meilleur chez lui a été écrit sous l'influence de ce dernier. Pages 101 et 120 l'auteur cite plusieurs études sur Proust parues en Grande-Bretagne.

Expliquez-moi Marcel Proust, par Pierre Chardon (Ed. Foucher), 79 pages.

1949

J'ai relu Proust, par Louis le Sidaner (Edit. Les Amis de l'Aristocratie).

A la Recherche de Marcel Proust, par André Maurois (Hachette). Ce volume de 348 pages (qui comporte une bibliographie) est le plus important travail d'ensemble qui ait paru depuis celui de Pierre-Quint. Il est bien documenté et constitue la meilleure introduction qui existe à l'œuvre de Proust. Il contient de précieux inédits extraits des Carnets et de la Correspondance.

Enfin nous pourrions également citer les histoires générales de la littérature (Lanson, Bédier, Lanson et Tuffrau, Crouzet etc...), les histoires de la littérature contemporaine (Bernard Fay, André Billy, Daniel Mornet, Fortunat Strowski, Eugène Montfort, Groos et Truc, Lalou, Thibaudet) qui ont consacré un chapitre à Proust.

(Nous n'avons pu consulter la Thèse hongroise de M. Béla Justh sur la psychologie de l'amour chez Proust, travail qui a dû paraître en 1936 ou 1937).

⁎
⁎ ⁎

ARTICLES SUR PROUST

Les articles de journaux ou de revues parus sur Proust et non publiés en volumes sont innombrables. Il ne saurait être question de les signaler tous ici. D'une manière générale ce sont des improvisations auxquelles on ne peut pas accorder l'importance que méritent les œuvres réfléchies. Cependant il en est dont la valeur est de premier ordre.

M. Léon Pierre-Quint, puis M. Douglas W. Alden en ont soigneusement dressé la liste. Parmi ceux qui ont paru avant avril 1928 (date à laquelle s'arrête M. L. P.-Quint), nous signalerons :

Les articles des *Nouvelles Littéraires* d'Edmond Jaloux, des 25 novembre 1922, 9 février 24, 29 août 25, 16 janvier 1926 (et non 13 janvier comme l'écrit L. P.-Quint), 28 août 26, 3 décembre 27, 10 décembre 27. Ces deux derniers feuilletons sont consacrés au *Temps Retrouvé.*

L'Echo de Paris de Jacques-Emile Blanche : 16 décembre 1913 et 15 avril 1914.

De la N.R.F., de Martin-Chauffier : 1er février 1921, de Roger Allard : 1er septembre 1921, 1er juin 1922.

De l'Europe nouvelle, de Gabriel Marcel : 12 novembre 1927.

Parmi les articles omis par Léon Pierre-Quint mais signalés avec beaucoup d'autres, par M. Douglas W. Alden et ayant paru dans cette période nous relevons :

Août 1924 : *Les Lettres* - Jean de Lassus : Une lettre fort pertinente en réponse à l'article de M. de Peslouan, « Marcel Proust et la Littérature colloïdale » de mai 1924.

15 Janv. - 15 Mars 1926 : *Journal de Psychologie* - Gabriel Marcel : *Note sur l'évaluation tragique* (quelques allusions intéressantes à Proust).

⁎
⁎ ⁎

Voici maintenant pour mettre à jour la bibliographie des articles de L. P.-Quint quelques-uns des principaux articles parus depuis avril 1928 sur Proust. Nous ne citerons pas en général les articles qui ont été repris dans des volumes mentionnés plus haut :

1928

Juin et juillet : *Les Primaires*, André Ferré : *Remarques sur Marcel Proust.*

1er août : *Nouvelle Revue Française*, Ramon Fernandez : *Note sur l'Esthétique de Proust* (9 pages denses).

17 août : *Dépêche de Toulouse*, Jean de Pierrefeu : *La Gloire de Marcel Proust.*

18 août : *Europe nouvelle*, Gabriel Marcel : *A propos d'un Livre récent sur Proust.*

22 septembre : *Nouvelles Littéraires*, J. de Pierrefeu : *La leçon de Proust.*

6 octobre : *Nouvelles Littéraires*, J. de Pierrefeu : *Quelques Aspects de Proust.*

20 et 27 octobre : *Figaro*, Jacques Patin : *Deux Amitiés féminines de Marcel Proust.*

22 octobre : *Action française*, Léon Daudet : *La correspondance des écrivains et leur personnalité.*

29 octobre : *Le Gaulois*, Gaston Rageot : *Le Roman et la Correspondance.*

Novembre : *Revue Nouvelle*, Louis Emié : *Le Temps Retrouvé.*

1er novembre : *Candide*, Louisa de Mornand : *Mon amitié avec Marcel Proust.*

1er novembre : *Annales politiques et littéraires*, B. Crémieux : *Histoire littéraire contemporaine.*

22 décembre : *Nouvelles Littéraires*, Suzanne Normand : *Une Amitié féminine de Marcel Proust : Louisa de Mornand.*

1929

1er janvier 1929 : *N.R.F.*, R. Fernandez : *De l'Esprit classique.*

Mars-Avril : *Correspondance de l'Union pour la vérité. La conscience du Temps* (131 pages). Cet important bulletin relate deux séances de « l'Union pour la Vérité » (9 mars et 16 mars 1929) où la conception proustienne du Temps fut discutée notamment pas MM. P.-M. Schuhl, G. Marcel, Brunchwicg, Poirrier, Roussel. En appendice une exposé de Gabriel Marcel de 18 pages sur *La Notion d'Eternité chez Marcel Proust.*

Juin : *Revue Nouvelle : Lettres à Maurice Duplay.*

Juin : *Revue de Genève*, Armand Pierhal : *Sur la Composition wagnérienne de l'œuvre de Proust.*

6, 8 et 10 juillet : *Comoedia* (article sur Proust, sur une protestation du docteur Proust contre la Société des amis de Proust, et les deux sociétés Marcel Proust).

25 juillet : *Candide*, Maurice Duplay : *Une villégiature de Marcel Proust* (Récit d'une villégiature à Evian en 1903 : « A cette époque Marcel Proust était féru d'Emerson qu'il me révéla »).

1er septembre : *Notre Temps*, Debœuf Pierre : *Les personnages de Marcel Proust. L'écrivain Bergotte.*

Automne : *Mail*, Loyen André : *Quelques découvertes de Marcel Proust.*

11 novembre : *L'enseignement Public*, André Ferré : *Marcel Proust Critique pédagogique* (un article de 23 pages).

Décembre : *Mercure de Flandre* (Lille), Sylvain Bonmariage : *Le Souvenir de Proust*.

1er décembre : *Revue Mondiale*, enquête de Gaston Picard : *Faut-il renier Freud et Proust ?*

1930

10 février : *Comoedia* : *Les amis de Marcel Proust annoncent la*

1er mars : *Annales politiques et littéraires* : *La rue Marcel Proust*.

15 mars - 15 avril : *Journal de Psychologie*, L. Dugas : *La mémoire des sentiments* (21 pages).

15 avril, 15 mai et 15 novembre 1930 : *Revue Universelle*, Henri Massis : *Lectures*. (Ces trois articles sur Proust formeront la plus grande partie du volume : *Le Drame de Marcel Proust*).

1er juin : *Nouvelle Revue Française*, Jean Cocteau : *l'Opium* (trois pages de souvenirs sur Proust intitulés : *Notes sur Proust. Retour à la Mémoire*).

1er juin - 15 juin : *Siècle Médical*, A. Corone : *Marcel Proust et la Médecine*.

Juillet : *Grive*, E. Seillière : *L'esthétique romantique dans l'œuvre de Proust*.

8 août : *Action française*, Léon Daudet : *Une facétie prolongée de Marcel Proust*.

15 août - 15 septembre : *Les Cahiers Libres*, Jeanne Calbairac : *En relisant Proust. La résurrection du passé et l'art*, (8 pages).

Août - Septembre : *Les Nouveaux essais Critiques*, E. Beau de Loménie : *Proust et Montesquiou* (7 pages).

28 août : *Candide*, B. Crémieux : *Où en est Marcel Proust ?* (« L'art pour lui se transforme en instrument de connaissance de tout le réel »).

Septembre - Octobre : *Divan*, P. Lièvre : *Marcel Proust*.

15 octobre : *Les Cahiers Libres*, Jeanne Calbairac : *En relisant Proust. Individualités et opinions publiques pendant la guerre* (13 pages).

22 octobre : *Figaro*, J.-E. Blanche : *Marcel Proust et ses éditeurs*.

15 novembre : *Les Cahiers Libres*, Jeanne Calbairac : *En relisant Proust. Marcel Proust et la philosophie* (10 pages).

18 novembre : *Le Temps*, Mme Scheikevitch : *Anniversaire de Marcel Proust. Visite à Céleste*. (Repris dans le *Mercure de France* du 15 décembre).

1er décembre : *Nouvelle Revue Française*, Pierre Abraham : *Sur Proust*. (Article repris dans le livre paru aux éditions Rieder).

13 décembre : *Nouvelles Littéraires*, J.-H. Rosny aîné : *Une soirée chez Marcel Proust*.

15 décembre : *Les Cahiers Libres*, Jeanne Calbairac : *En relisant Proust. Marcel Proust et la philosophie* (suite) (12 pages).

1931

31 janvier : *Europe nouvelle*, Gabriel Marcel : *Proust alchimiste spirituel.*

7 février : *Figaro : Marcel Proust et Sainte Beuve.*

15 février : *Les Cahiers Libres*, Jeanne Calbairac : *En relisant Proust : Les vertus et les vices chez Marcel Proust.*

Mars et Avril : *Revue de l'Amérique Latine*, Tristâo de Athayde, traduction de Jean Duriau. Ces articles ont été repris dans une plaquette de 28 pages parues à Paris, « Les Etincelles ».

Avril : *Cahiers du Sud*, Carlo Suarès : *Proust, mysticisme et XXe siècle.*

1er avril : *Nouvelle Revue Française*, Ramon Fernandez : *Autour de Marcel Proust* (4 pages).

Avril - Juin : *Menorah*, R. Lalou : *Marcel Proust et l'esprit juif.*.

1er août : *Nouvelle Revue Française*, Denis Saurat : article sur les lettres de M. Proust à la Comtesse de Noailles (4 pages).

1er août : *Nouvelles Littéraires*, Louís de Robert : *Broutilles sur Proust.*

6 septembre : *Revue Française*, Tristan d'Athayde : (suite des articles de la « Revue de l'Amérique Latine », de mars et avril). Non cité par D.-W. Alden.

12 septembre : *l'Opinion*, Robert Bourget - Pailleron : *Panorama de Marcel Proust* (article inspiré du livre de Seillière).

10 - 25 septembre : *Quinzaine critique*, G. Marcel : deux articles sur le livre de Seillière et la Correspondance générale de Proust (II).

10 octobre : *Figaro*, Marie Dujardin : *Proust à Venise.*

17 octobre : *Revue politique et littéraire*, L. Dugas : *l'oublı d'après Marcel Proust.*

21 novembre : *Revue hebdomadaire*, Jaloux : *Marcel Proust.*

1932

15 janvier - 15 février : *Journal de Psychologie*, Jean Pérès : *Le rêve de la veille dans le roman proustien* (6 pages).

3 juillet : *Notre Temps*, R. Bogdanovitch : « *L'idée de durée chez Bergson et Proust* ».

17 et 24 septembre : *Nouvelles Littéraires*, Francis Ambrière : *Gaston Calmette et les écrivains du Figaro.* (Une de ces lettres contient la fameuse fin de *Sentiments Filiaux d'un Parricide* coupée par Cardane, secrétaire de rédaction au Figaro, et que M. Robert Dreyfus croyait à jamais perdue). Ces deux articles ont été omis par Douglas W. Alden.

18 novembre : *Figaro*, Robert de Saint Jean : *L'éloignement de Proust.* Repris dans la *Revue Hebdomadaire* du 19 novembre de la même année.

19 novembre : *Nouvelles Littéraires*, Francis Ambrière : *Une amitié de Proust.* (Il s'agit de M. Max Daireaux et de la correspondance que lui adressa Proust. L'auteur de l'article en commence la présentation et nous donne le texte d'une intéressante dédicace. Mais la suite annoncée n'a pas paru dans les numéros ultérieurs des *Nouvelles Littéraires*).

2 décembre : *Temps*, E. Jaloux : *Souvenirs sur Marcel Proust.*

31 décembre : *Nouvelles Littéraires :* Dans sa Revue des Revues étrangères, M. Armand Pierhal traduit sous le titre de : *Dix ans après la mort de Proust* un article de M. Aldo Capasso paru dans *l'Italia Littéraria* (Rome, 18 décembre 1932).

1933

Janvier : *Revue philosophique de France et de l'étranger,* E. Boubée et R. Maublanc : *L'Esthétique de Marcel Proust.*

10 janvier : *Esprit français*, L.-M. Poullain : *Marcel Proust.*

25 février : *Revue française*, M. André Silvaire : *Réponse sur Marcel Proust* (Rép. à l'article précédent).

1er mars : *Conférencia*, André Maurois : *Marcel Proust : le Temps Retrouvé* (conférence).

Avril : *Marsyas*, Denis Saurat : *Proust.*

Avril : *Nouvelle revue critique*, Paule Lelu : *Du côté de Combray.*

Septembre : *Revue du siècle*, Jean de Fabrègues : *Marcel Proust, témoin de notre temps.*

2 septembre : *Figaro*, A. Fontainas : *Ruskin, Proust et la Lecture.*

1er octobre : *Conférencia*, Henry Bidou : *L'univers de Marcel Proust* (conférence).

1934

25 novembre : *Echo de Paris*, J. et J. Tharaud : *Soviet et Littérature.*

8 décembre : *Nouvelles Littéraires*, François Mauriac : *Le Proust russe attendu* (réponse aux Tharaud).

28 décembre : *Echo de Paris*, J. et J. Tharaud : *Entre Radek et Mauriac.*

1935

Janvier : *Marsyas*, Denis Saurat : *Public et écrivain.*
Tourneur et de Desbrosses, à propos d'une question grammaticale

Mercure de France (15 février, 1er avril, 15 mai), articles de soulevée par le Manuel général de l'instruction primaire du 5 janvier.

Mars - Avril : *Divan*, P. Lièvre : *Marcel Proust.*

Juin : *Revue d'Art et d'Esthétique*, Charles Lalo : compte-rendu critique sur le livre d'E. Fiser « *L'esthétique de Marcel Proust* ».

17 août : *Revue hebdomadaire*, Illande Casa : *Marcel Proust et les parfums.*

1er septembre : *Mercure de France*, Albert Schinz : « *A la Recherche du Temps Perdu* », *première version* (Art. sur le livre de Feuillerat).

15 septembre : *Revue de Paris*, Harold Nicholson : *Lorsqu'on préparait la paix* (Repris en volume).

15 octobre et 15 novembre : *Europe*, Léon Pierre-Quint : *Une nouvelle lecture dix ans plus tard ; Marcel Proust et la jeunesse*

d'aujourd'hui (articles repris dans la dernière édition du *Marcel Proust, sa vie, son œuvre*).

21 décembre : *République*, Pierre Paraf, *Marcel Proust et ses amis*.

31 décembre : *Œuvre*, André Billy : Proust.

Revue d'histoire littéraire de la France, D. Mornet : article sur le livre de M. Feuillerat.

1936

11 janvier : *Temps*, Emile Henriot : *En relisant Proust*.

24 janvier : *Jour*, François Porché : *Autour de Marcel Proust. Tiédeurs et ferveurs nouvelles*.

1er février : *Passy-nouvelles*, G. Cattaui : *Marcel Proust à Passy*.

22 février : *Figaro*, François Mauriac : *Proust et ses vrais amis*.

Mars : *PMLA*, Philip Kolb : *Inadvertant repetitions of matérial*.

6 juin : *Revue Hebdomadaire*, Harold Nicolson : *Marcel Proust et l'Angleterre*.

25 juillet : *Nouvelles Littéraires : Nos pages anthologiques, Marcel Proust*. Une page entière consacrée à Proust, comprenant : un article de George Cattaui, *L'homme et l'œuvre ;* une *Chronologie proustienne ;* et deux inédits : *une lettre à Léon Yeatman*, et des *Pensées et Aphorismes*.

Octobre - Décembre : *Revue d'histoire littéraire de la France*, Robert Vigneron : *Question de méthode*.

1937

15 janvier : *Revue d'histoire de la philosophie et d'histoire générale de la civilisation*, Robert Vigneron : *Genèse de Swann*. Important article de 49 pages.

Mai et juin : *Revue juive de Genève*, E. Van Praag : *Marcel Proust, témoin du judaïsme déjudaïsé*. Pas signalé par Douglas W. Alden.

Juillet - Septembre : *Revue d'histoire littéraire de la France*, Philip Kolb : *Informations* (réponse à R. Vigneron) ; et P. Van Tieghem : « *Bergson et Proust* », par Kurt Jäckel.

16 octobre : *Nouvelles Littéraires*, Liliane Olah : *Marcel Proust en Hongrie*. Pas signalé par Douglas W. Alden.

1938

1er janvier : *Nouvelle Revue Française*, Léon Pierre-Quint : *Le Drame de Marcel Proust, par Henri Massis*.

1er février : *Mercure de France*, Gabriel Brunet : *Le Drame de Marcel Proust*, par Henri Massis.

12 et 19 février : *Nouvelles Littéraires*, Edmond Jaloux : *Le Drame de Marcel Proust,, par Henri Massis*.

Mars : *Jean-Jacques*, Jean de Beer : *Marcel Proust*. Pas cité par Douglas W. Alden.

15 avril : *Mesures*, P.-A. Fieschi : *Tombeau de Proust* (Poème).

1er mai : *Nouvelle Revue Française*, Maurice Sachs : *Historiette* (sur Jupien).

Mai - Juin : *Revue de Paris*, Georges de Lauris : *Marcel Proust d'après une correspondance et des souvenirs*.

Juin : *Revue Argentine*, Jean Cocteau : *La Cathédrale de Marcel Proust*. Pas cité par Douglas W. Alden.

Juillet - Septembre : *Revue d'histoire littéraire de France*, Robert Vigneron : Lettre de réponse à l'article de juillet-septembre 1937 de M. Kolb).

(Vigneron dans cet article signale (note page 430) deux thèses américaines sur Proust : *Le Bergsonisme de Marcel Proust* de B. Watson, et : *La structure et les Thèmes d'A la Recherche du Temps Perdu* de L. Emmons).

1939

Janvier : *Revue de Littérature comparée*, Justin O'Brien : *La mémoire involontaire avant Marcel Proust*.

Février - Mars : *Critique 38*, Jean Dalby : *Robert de Montesquiou et Marcel Proust*.

Juillet : *Le Français moderne*, Robert Le Bidois : *Le langage parlé des personnages de Proust*.

1942

The Romanic Review (Vol. XXXIII). *Un document sur Proust. Un document probable sur le premier état de la pensée de Proust*, par René de Messières. Ce document est un article de F. Gregh paru dans *La Revue Blanche* de septembre 96 et intitulé « Mystères ».

1943

Confluences : in numéro spécial, intitulé *Problèmes du Roman*, un article de Louis Martin-Chauffier : *Proust et le double « Je » de quatre personnages*. En sous-titre : « Le roman de la création d'un monde et l'histoire vraie d'une aventure spirituelle ».

Formes et Couleurs (No 3) (Edité à Lausanne, Suisse) : *Proust vu par les médecins*, avec des documents inédits.

Juin : *Etre et Penser*, Cahiers de Philosophie (2e cahier) Maurice Muller : *De Descartes à Marcel Proust* (Ed. de la Baconnière, Neuchâtel).

1944

Pyrénées (No 16) : *Proust et Ruskin* (Privat-Didier).

1945

21 avril : *Le Figaro*, Reynaldo Hahn : *Proust et Ruskin* (A propos du livre de Marie Nordlinger, « Lettres à une amie », et de la traduction de Ruskin par Proust).

17 mai : *La Bataille ; Lettre inédite de Marcel Proust « pensée »* par Francis de Miomandre (C'est un pastiche).

Juin - Juillet : *Poésie 45*, Claude-Edmonde Magny : *Roman américain et cinéma III* (p. 72-73-74).

Automne : *Solstice*, Jean Pfeiffer : *L'interrogation proustienne.*

16 novembre : *Carrefour*, Fernand Gregh : *Mes souvenirs sur Marcel Proust.*

19 décembre : *Paris, les arts et les lettres*, Christian Dedeyan : *Marcel Proust et le Temps.*

Décembre : *Renaissances*, Germaine Brée : *Le Temps « Retrouvé »* et la Mort.*

1946

9 février : *Le Figaro*, A. Billy : *Du Côté d'Illiers* (sur le petit livre de P.-L. Larcher).

23 et 30 mars : *Le Littéraire*, François Mauriac : *Ma Rencontre avec Marcel Proust.*

29 août : *Nouvelles Littéraires*, G. Charensol : *A Combray à la recherche de Marcel Proust.*

26 septembre : *Nouvelles Littéraires*, Fred Bérence : *Une héroïne de Proust, souvenirs inédits sur la reine Marie de Naples.*

Décembre : *La Revue du Cinéma*, Jacques Bourgeois : *Le Cinéma à la Recherche du Temps Perdu.*

Décembre : *Critique* N° 7, George Bataille : *Marcel Proust et la mère profanée* (étude sur le livre de Jean Fretet et celui de Saurat : *Tendances ; Idées françaises ; de Molière à Proust*).

1947

13 février : *Nouvelles Littéraires*, Jean Frappier : *Proust à travers sa correspondance.* (Il s'agit du recueil de lettres à Marie Nordlinger, paru en 1942 à Manchester sous le titre de *Lettres à une amie* aux éditions du Calame, et dont R. Hahn parlait déjà dans *le Figaro* du 21-4-45).

Avril : *Plaines et Collines* (« Chronique de la vie et de l'art en Beauce et Perche » éditées à Chartres, 26, rue de l'Epargne), plusieurs articles illustrés de : P.-L. Larcher : *Illiers pélerinage proustien ;* Henri Bonnet : *Du Côté de Combray* (avec un plan d'Illiers) ; André Ferré : *Le Sujet dans l'Œuvre de Marcel Proust ;* Jean Farchi : *Marcel Proust et Sainte Beuve.*

L'Age Nouveau, Jacques Madaule : *Marcel Proust et le Drame de la Vocation poétique.* L'auteur prétend que Proust a eu tort de chercher l'absolu dans l'art.

Mai : *Les Temps Modernes*, Etiemble : *Le style de Proust est-il celui d'un asthmatique* (discussion de la thèse de George Rivane).

1948

1er janvier : *Les Nouvelles Littéraires*, Robert Kemp : *Renaissances proustiennes.*

Février : *Revue de Paris*, Maurice Rostand : *Rencontre avec Marcel Proust.*

1er février : *La Revue*, Elisabeth de Grammont : *Jeunesse de Marcel Proust* (extrait du volume de l'auteur : *Marcel Proust*).

15 février : *Conferencia*, André Maurois : *Marcel Proust tel qu'il fut.*

15 mars : *Conferencia*, André Maurois : *La Recherche du Temps Perdu*.

15 avril : *Conferencia*, André Maurois : *Le sentiment de l'amour chez Proust* (où l'auteur cite Noël Martin-Deslias : *L'Idéalisme de Marcel Proust*, F. Janny, Montpellier).

15 mai : *Conferencia*, André Maurois : *Le Comique et l'Humour dans l'œuvre de Marcel Proust*.

15 juin : *Conferencia*, André Maurois : *Marcel Proust ou la vie profonde. Le Temps retrouvé.*

Juin : *Bulletin de la Société dunoise*, Henri Bonnet : *Le Sujet d'« A la Recherche du Temps Perdu » de Marcel Proust* (Société dunoise d'édition, Châteaudun).

12 juin : *Le Figaro*, J.-B. Jeener : *Le souvenir de Réjane et de Marcel Proust.*

25-26 juillet : *Le Figaro*, Guermantes : *Les Amis de Combray.*

1er août : *Mercure de France*, P.-L. Larcher : *Illiers et le Mystère proustien.*

25 septembre : *France-Illustration*, P.-L. Larcher : *Le charme proustien d'Illiers* (avec de nombreuses photos d'Illiers).

1949

30 avril : *La Gazette des Lettres* ; Fernand Deteure : *Marcel Proust tel qu'ils l'ont vu* et Antoine Bouch : *Généalogie de la Maison de Guermantes.*

TABLE GÉNÉRALE

DES MATIÈRES

———

TOME I

LE MONDE, L'AMOUR ET L'AMITIÉ

CHAPITRE II. — L'AMOUR ET L'AMITIÉ

CONCLUSION GÉNÉRALE :

SENS ET PORTÉE DE L'EUDÉMONISME ESTHÉTIQUE DE PROUST

Achevé d'imprimer
le 15 Décembre 1949
sur les presses de la
Société Dunoise d'Édition
à CHATEAUDUN (E.-et-L.)

Dépôt légal : 4e Trimestre 1949. — N° 21

DATE DUE